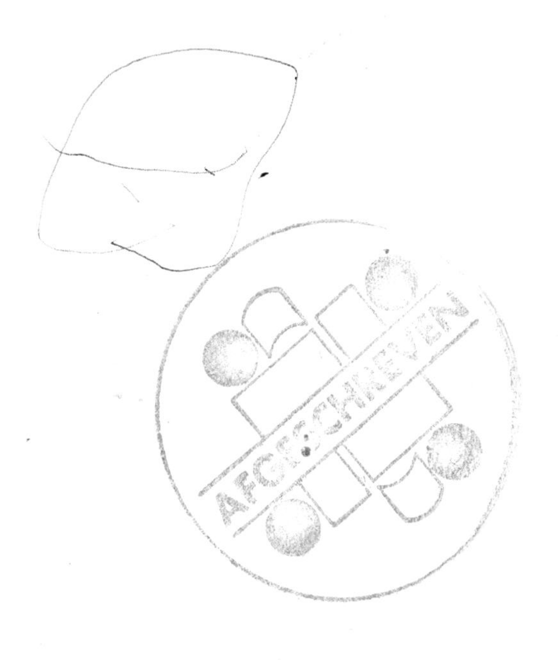

Doodsangst

2395

Van dezelfde auteur

Coma
Experiment
Brein
Koorts
Intern
Epidemie
Infuus
Sfinx
Manipulatie
Narcose
Embryo
Overdosis
Terminaal
Risico
Besmet
Verminkt
Invasie
Vergiftigd
Ademnood
Ontvoerd
Shock
Kloon
Diagnose

Robin Cook

Doodsangst

Zwarte Beertjes
Utrecht / Amsterdam

Oorspronkelijke titel: Mortal Fear

Vertaling: Mariëlla Snel
Omslagontwerp: Myosotis Reclame Studio

Dit is een uitgave van A.W. Bruna Uitgevers B.V.
in samenwerking met Zwarte Beertjes.

ISBN 90 461 1200 4
NUR 313

Woord van dank

Dit boek zou nooit kunnen zijn geschreven zonder de steun en aanmoediging van alle vrienden die me in een moeilijke periode hebben geholpen.
Jullie weten allemaal wel op wie ik doel, en ik wil jullie allen heel hartelijk danken.

Voor mijn oudere broer Lee, en
mijn jongere zusje Laurie.
Ik heb nooit tussen twee aardigere mensen in gezeten.

Proloog

11 oktober, woensdagochtend

De plotselinge verschijning van onbekende proteïnen was het moleculaire equivalent van de pest. Het was een doodvonnis zonder kans op gratie, en Cedric Harring had geen idee van het drama dat zich heel binnenkort in zijn lichaam zou voltrekken. De individuele cellen van Cedric Harrings lichaam wisten daarentegen heel goed welke rampzalige consequenties hun wachtten. De mysterieuze nieuwe proteïnen die zich onder hen hadden gemengd en hun membranen waren gepasseerd, waren overweldigend en de kleine hoeveelheden enzymen die met de nieuwkomers zouden kunnen afrekenen, waren volstrekt ontoereikend. In Cedrics hypofyse konden de dodelijke nieuwe proteïnen zich verbinden met de repressoren die de genen voor het doodshormoon neutraliseerden. Zodra die fatale genen aan de slag konden gaan, was het resultaat onvermijdelijk. Het doodshormoon werd in ongekende hoeveelheden aangemaakt en kwam via de bloedbaan Cedrics lichaam in. Geen enkele cel was er immuum voor. De dood was slechts een kwestie van tijd. Cedric Harring stond op het punt weer deel te gaan uitmaken van het universum.

I

De pijn was als een witheet mes. Het begon ergens in zijn borst en schoot snel verder uit naar boven, met verblindende spasmen, waardoor zijn kaak en linkerarm verlamd raakten. Meteen werd Cedric Harring bevangen door een verschrikkelijke doodsangst. Iets dergelijks had hij nog nooit gevoeld.
In een reflex pakte hij het stuur van zijn auto steviger vast en slaagde er op een of andere wijze in de slingerende wagen in bedwang te houden, terwijl hij naar adem snakte. Hij was net in het centrum van Boston Storrow Drive opgedraaid vanaf Berkeley Street, had het gaspedaal ingetrapt en was doorgereden in westelijke richting, opgaand in de waanzinnige verkeersdrukte. De weg voor hem leek te golven en zich steeds verder terug te trekken, alsof hij zich aan het einde van een lange tunnel bevond.
Met grote wilskracht slaagde Cedric erin zich te verzetten tegen de duisternis, die hem dreigde te overspoelen. Geleidelijk aan werd het weer lichter om hem heen. Hij leefde nog. Hij zette zijn auto niet aan de kant van de weg neer, omdat zijn instinct hem ingaf dat hij alleen een kans zou maken als hij zo snel mogelijk een ziekenhuis bereikte. Nu wilde het toeval dat de Good Health Clinic gelukkig niet al te ver weg was. Volhouden, hield hij zichzelf voor.
De pijn ging gepaard met zeer hevige transpiratie, die op Cedrics voorhoofd begon, maar zich al zeer snel uitbreidde over de rest van zijn lichaam. Zweetdruppels prikten in zijn ogen, maar hij durfde het stuur niet los te laten om ze weg te vegen. Bij Fenway, een parkachtig complex, sloeg hij de hoofdweg af en toen kwam de pijn weer, die zich als een staaldraad om zijn borstkas snoerde. Voor hem gingen auto's langzamer rijden vanwege een stoplicht. Hij kon niet stoppen. Daar had hij geen tijd voor. Hij boog zich voorover, drukte op de claxon en schoot het kruispunt over. Auto's reden langs hem heen, misten hem op een haar na. Hij kon de gezichten van de geschrokken en woedende chauffeurs zien. Nu reed hij op Park Drive, met de Back Bay-moerassen en de sjofele Victory Gardens links van hem. De pijn ging nu niet meer weg, was sterk en overweldigend. Hij kon nauwelijks ademhalen.

Het ziekenhuis was nog iets verderop, rechts van hem, op de plaats waar eens een gebouw van Sears had gestaan. Nog maar iets verder. Alstublieft... Boven hem een groot wit bord met een rode pijl en SPOEDOPNAMEN in rode letters erop.
Cedric slaagde erin regelrecht door te rijden tot de deur van de polikliniek, remde te laat en knalde tegen het betonnen muurtje op. Hij viel naar adem snakkend voorover en raakte de claxon.
De man van de bewakingsdienst was als eerste bij de auto. Hij rukte het portier open, zag met een snelle blik hoe angstaanjagend bleek Cedric was en schreeuwde om hulp. Met heel veel moeite bracht Cedric uit: 'Pijn in mijn borst.' Hilary Barton, de hoofdverpleegster, verscheen en riep om een brancard. Tegen de tijd dat de verpleegsters en de man van de bewakingsdienst Cedric uit de auto hadden gekregen, was een van de dienstdoende artsen verschenen en hielp hem op de brancard leggen. Hij heette Emil Frank en werkte pas vier maanden in het ziekenhuis. Ook hij zag hoe bleek Cedric was, hoe hevig hij transpireerde.
'Diaforese,' zei hij op een toon van gezag. 'Waarschijnlijk een hartaanval.'
Hilary rolde met haar ogen. Natuurlijk was het een hartaanval. Ze nam de patiënt snel mee naar binnen, dokter Frank negerend, die zijn stethoscoop in zijn oren had gezet en probeerde naar Cedrics hartslag te luisteren.
Zodra ze de behandelkamer hadden bereikt, vroeg Hilary om zuurstof, intraveneus toe te dienen vloeistoffen en een monitor om de hartslag te bewaken. Zodra ze de monitor en Emil de fles had aangesloten, stelde ze voor de patiënt meteen vier milligram morfine intraveneus te geven.
Toen de pijn minder werd, kon Cedric weer nadenken. Hoewel niemand het hem had gezegd, wist hij dat hij een hartaanval had gehad. Hij wist ook dat hij de dood nabij was geweest. Nooit had Cedric zich zo hulpeloos gevoeld, zelfs nu niet, starend naar het zuurstofmasker, de fles, de printer, die een stapel kettingformulieren op de grond spuugde.
'We gaan u overbrengen naar de intensive care,' zei Hilary. 'Alles zal in orde komen.' Ze gaf Cedric een klopje op zijn hand. 'We hebben uw vrouw al opgebeld en ze is onderweg hierheen.'
In Cedrics ogen zag de intensive care er net zo uit als de kamer in de polikliniek, even angstaanjagend ook. Overal zag hij eigenaardige, hypermoderne elektronische apparatuur. Hij hoorde de echo van zijn hartslag in de vorm van mechanische piepjes en als hij zijn hoofd draaide, kon hij een lichtgevend stipje over een rond televisiescherm zien bewegen.

Hoewel de apparaten angstaanjagend waren, stelde de aanwezigheid van al die technologie hem toch een beetje gerust. Nog geruststellender was het feit dat zijn eigen arts, die kort na Cedrics aankomst was opgeroepen, net de intensive care opkwam.
Cedric was al vijf jaar een patiënt van dokter Jason Howard. Hij was voor het eerst naar hem toe gegaan toen zijn werkgever, de Boston National Bank, eiste dat oudere werknemers zich eens per jaar door een arts lieten keuren. Toen dokter Howard zijn particuliere praktijk een aantal jaren daarvoor plotseling had verkocht en zich had aangesloten bij de staf van het Good Health Plan (GHP), was Cedric hem trouw gevolgd. Hij wilde bij dokter Howard blijven en het GHP interesseerde hem niets, zo had hij de arts in niet mis te verstane bewoordingen laten weten.
'Hoe gaat het?' vroeg Jason, die Cedrics arm vastpakte, maar meer aandacht besteedde aan het scherm van de monitor.
'Niet... geweldig,' zei Cedric. Hij moest een paar keer diep ademhalen om de twee woorden uit te brengen.
'U moet proberen zich te ontspannen.'
Cedric deed zijn ogen dicht. *Ontspannen! Wat een grap!*
'Hebt u veel pijn?'
Cedric knikte. Er stroomden tranen over zijn wangen.
'Nog een dosis morfine,' beval Jason.
Enige minuten na de toediening van de tweede dosis werd de pijn draaglijker. Dokter Howard sprak met de dienstdoende arts, vergewiste zich ervan dat alle noodzakelijke bloedmonsters waren genomen en vroeg om een bepaalde catheter. Cedric sloeg hem gade, gerustgesteld, alleen al door de aanblik van Howards knappe, havikachtige profiel. Hij voelde het zelfvertrouwen en het gezag van de man. Het prettigst was echter nog wel dat hij het medeleven van dokter Howard kon voelen. Die man was echt begaan met zijn lot.
'We moeten een kleine handeling verrichten,' zei Jason. 'We willen een Swan-Ganz-catheter inbrengen, zodat we kunnen zien wat er in uw lichaam gaande is. Dat zullen we onder plaatselijke verdoving doen, zodat u er geen pijn van hebt. Is dat goed?'
Cedric knikte. Van hem had dokter Howard carte blanche om te doen wat hij noodzakelijk achtte. Cedric waardeerde zijn benaderingswijze. Hij sprak zijn patiënten nooit neerbuigend toe - zelfs niet toen Cedric zich drie weken geleden had laten controleren en Howard hem de les had gelezen over zijn cholesterolrijke dieet, zijn gewoonte om twee pakjes sigaretten per dag te roken en zijn gebrek aan lichaamsbeweging. *Had ik maar naar hem geluisterd,* dacht Cedric. Maar ondanks dat dokter Howard Cedrics

levensstijl zeer gevaarlijk had genoemd, had de arts moeten toegeven dat uit alle proeven niets bijzonders was gebleken. Het cholesterolgehalte in zijn bloed was niet te hoog; zijn electrocardiogram was prima. Cedric was gerustgesteld en had geen pogingen ondernomen om op te houden met roken en eens wat meer lichaamsbeweging te nemen.

Nog geen week na dat onderzoek kreeg Cedric het gevoel dat er een griepje aan zat te komen. Dat was echter niet meer dan een begin geweest. Zijn maag was gaan opspelen en hij kreeg verschrikkelijke last van artritis. Zelfs zijn gezichtsvermogen leek snel achteruit te gaan. Hij herinnerde zich dat hij tegen zijn vrouw had gezegd dat hij het gevoel had opeens dertig jaar ouder te zijn geworden. Hij had alle symptomen die zich bij zijn vader tijdens de laatste maanden van zijn leven in het verzorgingstehuis hadden geopenbaard. Als hij soms onverwachts zijn spiegelbeeld zag, leek het of hij naar de geest van zijn vader staarde.

Ondanks de morfine ging er opeens een zeer hevige pijnscheut door Cedric heen. Hij had het gevoel een tunnel ingezogen te worden, net zoals dat in de auto was gebeurd. Hij kon dokter Howard nog zien, maar de arts was heel ver weg en zijn stem werd steeds onduidelijker. Toen begon de tunnel zich met water te vullen. Cedric stikte bijna en probeerde naar het wateroppervlak te zwemmen. Zijn armen maaiden fanatiek door de lucht.

Later kwam Cedric een paar keer moeizaam tot bewustzijn en had verschrikkelijke pijn. Bij tussenpozen voelde hij een hevige druk op zijn borst, en iets in zijn keel. Iemand knielde naast hem, probeerde zijn ribbenkast met zijn handen te verpletteren. Cedric begon te schreeuwen. Toen explodeerde er iets in zijn borstkas en daalde de duisternis als een loden deken op hem neer.

De dood was altijd al de vijand van dokter Howard geweest. Toen hij nog in het Massachusetts General werkte, had hij die overtuiging tot het uiterste doorgevoerd en nooit een hartstilstand aanvaard voordat een superieur hem had bevolen op te houden met pogingen tot reanimatie.

Nu weigerde hij te geloven dat de zesenvijftigjarige man die hij net drie weken geleden nog had onderzocht en gezond had bevonden, op het punt stond te overlijden. Hij ervoer dat als een persoonlijke belediging.

Hij keek naar de monitor, die nog steeds een normale ECG-activiteit weergaf, en raakte Cedrics hals aan. Geen hartslag te voelen. 'Geef me een injectienaald,' beval hij. 'En iemand moet zijn

bloeddruk meten.' Er werd hem een injectienaald overhandigd en hij klopte op Cedrics borst om de rand van het borstbeen te localiseren.
'Geen bloeddruk,' meldde Philip Barnes, een anaesthesist die was gekomen nadat de apparatuur automatisch een hartstilstand had doorgegeven. Hij had een endotracheale buis in Cedrics luchtpijp aangebracht en voorzag hem daardoor van zuurstof.
Voor Jason was de diagnose duidelijk: hartruptuur. Het elektrocardiogram draaide door, maar het hart pompte niet meer. Dat kon slechts één ding betekenen: het deel van Cedrics hart dat van bloedtoevoer was afgesneden, was opengebarsten, als een platgetrapte druif. Om die afschuwelijke diagnose te bewijzen, gaf Jason Cedric een injectie recht in diens hart, waardoor het hartzakje werd doorboord. Het buisje vulde zich even later met bloed. Geen twijfel mogelijk. Cedrics hart was in zijn borstkas opengebarsten.
'Naar de operatiekamer!' brulde Jason en pakte het voeteneinde van het bed vast. Philip keek Judith Reinhart, de hoofdverpleegster van de intensive care, veelbetekenend aan. Beiden wisten dat het zinloos was. Ze zouden Cedric op zijn best aan de hart-longmachine kunnen leggen, maar wat dan?
Philip voorzag de patiënt niet langer van zuurstof. In plaats van te helpen het bed te duwen, liep hij naar Jason en legde zacht een arm om diens schouders, om hem tegen te houden. 'Het moet een hartruptuur zijn. Dat weet jij en dat weet ik... Jason, deze patiënt hebben we verloren.'
Jason maakte een gebaar van protest, maar Philip pakte hem wat steviger vast. Jason keek naar Cedrics ivoorkleurige gezicht. Hij wist dat Philip gelijk had. Hij vond het verschrikkelijk het te moeten toegeven, maar ze hadden deze patiënt inderdaad verloren.
'Je hebt gelijk,' zei hij en hij liet zich aarzelend door Philip en Judith meenemen, en liet het aan de andere verpleegsters over om het lichaam verder te verzorgen.
Toen ze naar de centrale balie liepen, zei Jason dat dit de derde patiënt was die binnen enige weken na een grondige controle waarbij hij gezond was bevonden, was overleden. De eerste had ook een hartaanval gekregen, de tweede een zware beroerte. 'Misschien moet ik van beroep veranderen,' zei hij, half serieus. 'Zelfs de patiënten hier op mijn eigen afdeling maken het niet best.'
'Niets anders dan pech,' zei Philip en hij gaf Jason speels een duw tegen diens schouder. 'Maken we allemaal wel eens mee. Wordt vanzelf weer beter.'

'Hmmm, dat zal wel,' zei Jason.
Philip ging terug naar de operatie-afdeling.
Jason liet zich moe in een stoel zakken. Hij wist dat hij zich moest voorbereiden op een gesprek met Cedrics echtgenote, die nu ieder moment kon arriveren. Hij voelde zich uitgeput. 'Je zou toch denken dat ik inmiddels wel iets meer gewend zou zijn geraakt aan de dood,' zei hij hardop.
'Het feit dat je dat niet bent, maakt je een goede arts,' zei Judith, die de papieren invulde die bij een overlijden horen.
Jason aanvaardde dat compliment, maar wist dat zijn houding tegenover de dood niet alleen door zijn beroep werd bepaald. Net twee jaar daarvoor had de dood een einde gemaakt aan het leven van alles wat hem dierbaar was. Hij kon zich het gerinkel van de telefoon nog herinneren dat hij om kwart over twaalf op een donkere novembernacht had gehoord. Hij was in zijn studeerkamer in slaap gevallen, terwijl hij probeerde zijn vakliteratuur bij te werken. Hij dacht dat het zijn vrouw, Daniëlle, zou zijn, die hem vanuit het kinderziekenhuis opbelde met de mededeling dat ze was opgehouden. Ze was kinderarts en was die avond naar het kinderziekenhuis teruggeroepen vanwege een te vroeg geboren baby met ademhalingsproblemen. Het was echter de politie geweest. Ze vertelden hem dat een vrachtwagen uit Albany, met een lading aluminium rails, door de middenberm was geschoten en de auto van zijn vrouw frontaal had geramd. Ze had geen schijn van kans gehad.
Jason kon zich de stem van de man nog herinneren alsof hij die gisteren pas had gehoord. In eerste instantie had hij geschokt en ongelovig gereageerd, toen was hij woedend geworden. Daarna die afschuwelijke schuldgevoelens. Was hij maar met Daniëlle meegegaan, zoals hij wel eens deed, om wat te lezen in de medische bibliotheek. Had hij er maar op aangedrongen dat ze in het ziekenhuis bleef slapen.
Een paar maanden later had hij het huis verkocht waar Daniëlles afwezigheid hem bleef achtervolgen, evenals zijn particuliere praktijk en de praktijkruimte die hij met haar had gedeeld. Toen was hij gaan werken voor het Good Health Plan. Hij had alles gedaan wat Patrick Quillan, een goede vriend en psychiater, hem had aangeraden. Het verdriet was er echter nog altijd, net als de woede.
'Dokter Howard?'
Jason keek op en zag het brede gezicht van Kay Ramm, de secretaresse van de afdeling.
'Mevrouw Harring zit in de wachtkamer,' zei Kay. 'Ik heb haar

gezegd dat u naar haar toe zou komen.'
'O god,' zei Jason en hij wreef in zijn ogen. Voor iedere arts was een gesprek met de familie van een overleden patiënt moeilijk, maar sinds de dood van Daniëlle voelde Jason het verdriet van nabestaanden als het zijne.
Tegenover de intensive care was een kleine zitkamer met oude tijdschriften, met vinyl beklede stoelen en plastic planten. Mevrouw Harring staarde uit het raam, dat uitkeek op Fenway Park en de rivier de Charles. Ze was een kleine vrouw, met haren die ze rustig grijs had laten worden. Toen Jason binnenkwam, draaide ze zich om en keek hem met roodomrande, doodsbange ogen aan.
'Ik ben dokter Howard,' zei Jason en hij gebaarde haar dat ze moest gaan zitten. Dat deed ze, maar wel op het puntje van haar stoel.
'Dus het is ernstig...' begon ze en leek toen niet verder te kunnen gaan.
'Ik ben bang dat het heel ernstig is,' zei Jason. 'De heer Harring is overleden. We hebben gedaan wat we konden. In ieder geval heeft hij geen pijn geleden.' Jason haatte zichzelf om die leugen, die van hem werd verwacht. Hij wist dat Cedric wèl pijn had geleden. Hij had de doodsangst op het gezicht van de man gezien. Doodgaan was altijd een gevecht, zelden het rustig wegebben van het leven, zoals het in films werd afgeschilderd.
Mevrouw Harring werd lijkbleek en even dacht Jason dat ze zou flauwvallen. Toen zei ze: 'Ik kan het niet geloven.'
Jason knikte. 'Dat weet ik.' Hij wist het ook.
'Het kan niet,' zei ze. Haar gezicht werd rood en ze keek Jason uitdagend aan. 'Ik bedoel... U had hem net gezond verklaard. U hebt hem al die proeven laten ondergaan en alles was normaal! Waarom hebt u toen niets gevonden? *U had dit kunnen voorkomen.*'
Jason herkende de woede, de bekende voorloper van verdriet. Hij had erg met haar te doen. 'Ik heb hem nu niet direct volkomen gezond verklaard,' zei hij zacht. 'De laboratoriumuitslagen waren bevredigend, maar ik heb hem zoals gewoonlijk gewaarschuwd voor zijn rook- en eetgewoonten. Ik heb hem er ook aan herinnerd dat zijn vader aan een hartaanval was overleden. Ondanks de bevindingen van het lab, behoorde hij daarom tot de groep met een hoog risico.'
'Maar zijn vader was vierenzeventig toen hij overleed. Cedric is pas zesenvijftig! Wat is de zin van een keuring als mijn man drie weken later toch overlijdt?'
'Het spijt me,' zei Jason zacht. 'We kunnen lang niet alles voor-

spellen. Dat weten we. We kunnen niet meer dan ons uiterste best doen.'
Mevrouw Harring zuchtte en haar smalle schouders kromden zich. Jason zag dat de woede moest wijken voor verpletterend verdriet. Toen ze weer begon te spreken, trilde haar stem.
'Ik weet dat u uw uiterste best doet. Het spijt me.'
Jason boog zich voorover en legde een hand op haar schouder. Onder de dunne, zijden jurk voelde ze breekbaar aan. 'Ik weet hoe afschuwelijk dit voor u is.'
'Kan ik hem zien?' vroeg ze door haar tranen heen.
'Natuurlijk.' Jason stond op en pakte haar hand.
'Weet u dat Cedric een nieuwe afspraak met u had gemaakt?' vroeg mevrouw Harring toen ze de gang opliepen. Ze veegde haar ogen droog met een papieren zakdoekje dat ze uit haar tas had gepakt.
'Nee,' gaf Jason toe.
'Voor de volgende week. Eerder leek niet te kunnen. Hij voelde zich niet goed.'
Jason begon zich zorgen te maken en voelde zich in de verdediging gedrongen. Hoewel hij er zeker van was dat er geen sprake van nonchalance kon zijn geweest, garandeerde dat niet dat er geen rechtszaak van kon komen.
'Heeft hij geklaagd over pijn in zijn borst toen hij opbelde?' vroeg Jason. Hij hield mevrouw Harring staande voor de deur van de intensive care.
'Nee, nee. Alleen een aantal los van elkaar staande symptomen. Vooral oververmoeidheid.'
Jason zuchtte van opluchting.
'Zijn gewrichten deden zeer,' ging mevrouw Harring verder, 'en hij had last van zijn ogen. 's Avonds autorijden kostte hem moeite.'
Moeite met 's avonds autorijden? Hoewel zo'n symptoom niet op een hartaanval duidde, begon er bij Jason om de een of andere reden toch een belletje te rinkelen.
'En zijn huid werd heel erg droog. Verder had hij last van hevige haaruitval...'
'Haren vervangen zichzelf,' zei Jason mechanisch. Het was duidelijk dat deze litanie van klachten niets te maken had met de ernstige hartaanval. Hij duwde de zware deur naar de afdeling open en gebaarde mevrouw Harring hem te volgen.
Cedric was bedekt met een schoon, wit laken. Mevrouw Harring legde haar smalle, benige hand op het hoofd van haar echtgenoot.

'Wilt u zijn gezicht zien?' vroeg Jason.
Mevrouw Harring knikte en de tranen stroomden weer over haar wangen. Jason vouwde het laken terug en deed een stap naar achteren.
'O, mijn god!' riep ze uit. 'Hij ziet eruit als zijn vader, vlak voordat die overleed.'
Ze draaide zich om en mompelde: 'Ik wist niet dat de dood iemand zoveel ouder maakt.'
Gewoonlijk is dat ook niet zo, dacht Jason. Nu hij zich niet langer op Cedrics hart concentreerde, vielen hem de veranderingen in diens gezicht op. Zijn haar was dunner geworden en zijn ogen leken diep in hun kassen gezonken te zijn, waardoor de dode er broodmager uitzag. Heel anders dan de man die drie weken geleden voor controle bij hem was geweest. Jason trok het laken weer over het lichaam heen en nam mevrouw Harring mee naar de kleine zitkamer. Hij liet haar weer plaatsnemen en ging tegenover haar zitten.
'Ik weet dat dit geen ideaal moment is om erover te beginnen,' zei hij, 'maar we zouden het lichaam van uw man graag onderzoeken. Misschien kunnen we daardoor iets ontdekken waar iemand in de toekomst baat bij kan hebben.'
'Tsja, als anderen daarmee kunnen worden geholpen...'
Mevrouw Harring beet op haar lip. Nadenken kostte haar al moeite, laat staan het nemen van een beslissing.
'Dat zal zeker zo zijn en we waarderen dit gebaar van u bijzonder. Als u hier even wilt wachten, zal ik de benodigde formulieren laten halen.'
'Goed,' zei mevrouw Harring berustend.
'Het spijt me,' zei Jason nogmaals. 'Belt u me alstublieft op als er iets is dat ik voor u kan doen.'
Jason zocht Judith op en zei haar dat mevrouw Harring had toegestemd in een autopsie.
'We hebben het kantoor van de lijkschouwer gebeld en gesproken met een zekere dokter Danforth. Ze zei dat zij het willen doen,' deelde Judith hem mee.
'Zorg er dan voor dat alle resultaten aan ons worden doorgegeven.' Jason aarzelde. 'Is jou iets merkwaardigs aan de heer Harring opgevallen? Ik bedoel... zag hij er ongewoon oud uit voor een man van zesenvijftig?'
'Dat is me niet opgevallen,' zei Judith en ze liep snel weg.
Op een afdeling met elf patiënten moest ze zich alweer bezighouden met een volgende crisis.
Jason wist dat hij door het geval-Cedric op zijn schema achter

was geraakt, maar de onverwachte dood van de man bleef hem dwars zitten. Hij nam een besluit en belde dokter Danforth, die een diepe, welluidende stem had, en overtuigde haar ervan dat de autopsie beter in de kliniek kon worden verricht, omdat de dood waarschijnlijk te maken had met een lange familiegeschiedenis van hartkwalen. Hij zei dat hij de resultaten van het onderzoek van het hart wilde vergelijken met de stress-ECG's die drie weken geleden waren gemaakt. De vrouw was zo vriendelijk de autopsie aan hem over te laten.

* * *

Voordat Jason de afdeling verliet, maakte hij van de gelegenheid gebruik om even te gaan kijken naar een andere patiënt van hem met wie het niet goed ging.

De eenenzestigjarige Brian Lennox had eveneens een hartaanval gehad. Hij was drie dagen geleden opgenomen en hoewel het aanvankelijk goed met hem was gegaan, was daar plotseling verandering in gekomen. Die ochtend was Jason tijdens zijn ronde van plan geweest de man van de intensive care af te halen, maar toen bleek hij duidelijk de kant op te gaan van een hartblok. Dat was een ernstige teleurstelling voor Jason geweest, omdat de naam Brian Lennox daardoor moest worden toegevoegd aan de lijst van zijn patiënten met wie het plotseling bergafwaarts ging. Jason had de patiënt niet laten overplaatsen en in plaats daarvan een agressieve behandeling opgedragen.

Toen Jason Lennox zag, was het hem meteen duidelijk dat hij de hoop dat hij weer snel zou bijtrekken, kon vergeten. De man zat rechtop en haalde snel en oppervlakkig adem in een zuurstofmasker. Zijn gezicht zag onheilspellend grijs, een teken dat Jason had leren vrezen. Een verpleegster, die met de apparatuur bezig was geweest, ging rechtop staan.

'Hoe gaat het hier?' vroeg Jason en hij dwong zichzelf te glimlachen. Dat hoefde hij echter niet te vragen. Moeizaam hief Lennox even een hand op. Praten kon hij niet. Hij moest al zijn energie besteden aan zijn pogingen om adem te halen.

De verpleegster nam Jason mee naar het midden van de ruimte. Volgens het kaartje op haar revers heette ze Levay en was ze een gediplomeerd verpleegster. 'Niets lijkt te werken,' zei ze bezorgd. 'Ondanks alles blijft de longdruk te hoog. We hebben hem een plasmiddel toegediend, evenals hydralazine en nitroprussidenatrium, om zijn bloeddruk te verlagen. Ik weet niet wat ik moet doen.'

Jason keek over de schouder van verpleegster Levay naar Lennox, die als een miniatuur-locomotief ademde. Hij kon geen enkele oplossing verzinnen, behalve een transplantatie, en daar kon natuurlijk geen sprake van zijn. De man rookte veel en had naast hartproblemen ongetwijfeld ook een longemfyseem. Hij had echter op de medicijnen moeten reageren. De enige verklaring die Jason kon bedenken, was dat een groter deel van het hart nadelige gevolgen van de hartaanval begon te ondervinden.

'We moeten maar eens laten nakijken of de kransslagaders achteruit zijn gegaan,' zei Jason. 'Dat is het enige dat ik op dit moment kan voorstellen. Misschien dat we operatief een deel van die kransslagaders zouden kunnen vervangen.'

'Dat is in ieder geval iets,' zei de verpleegster en ze liep zonder verder te aarzelen naar de centrale balie om de noodzakelijke telefoontjes te plegen.

Jason ging terug naar Brian Lennox, om zijn medeleven te tonen. Hij wilde dat hij de man beter kon helpen, maar het plasmiddel moest vocht afdrijven en de twee andere medicijnen werden geacht de druk op het hart te verkleinen. Dat alles om te bewerkstelligen dat het hart minder hard moest werken om het bloed door de aderen te pompen en de kans kreeg te herstellen van de hartaanval. De medicijnen leken nu echter niet te werken. Het ging bergafwaarts met Lennox, ondanks alle inspanningen, ondanks de vergevorderde technologie. Zijn ogen lagen nu diep in hun kassen en waren glazig.

Jason legde zijn hand op Brians bezwete voorhoofd en streek het haar naar achteren. Tot zijn verbazing hield hij enige haren in zijn hand. Even keek hij er verward naar, toen trok hij voorzichtig aan nog een paar haren. Die kon hij er ook vrij makkelijk uit trekken. Hij controleerde Brians kussen en zag nog meer haren. Geen gigantische hoeveelheid, maar wel meer dan normaal. Daardoor vroeg hij zich af of een van de medicijnen die hij had voorgeschreven, als neveneffect soms haaruitval kon hebben. Haaruitval was op dit moment niet het belangrijkste, maar het deed hem wel denken aan een opmerking van mevrouw Harring. Eigenaardig!

Nadat hij een briefje had achtergelaten met de mededeling dat hij meteen op de hoogte moest worden gebracht van de resultaten van het hartonderzoek van Brian Lennox, en na nog een masochistische blik op het in een laken gewikkelde lijk van Cedric

Harrring, liep Jason de intensive care af en nam de lift naar de eerste verdieping, die het ziekenhuis verbond met het gebouw waarin de polikliniek was ondergebracht. Tot het medisch centrum behoorden een ziekenhuis met vierhonderd bedden, een aparte polikliniek, een kleine vleugel waarin onderzoek werd verricht en een verdieping waarop de ziekenhuisadministratie was ondergebracht. Het hoofdgebouw, oorspronkelijk ontworpen als een kantoor voor Sears, was gebouwd in een art-déco stijl. Het was leeggeruimd en totaal opgeknapt. De polikliniek en de vleugel waar onderzoek werd verricht, waren er, op palen boven het parkeerterrein, bij gebouwd. Dat was met veel zorg gebeurd en ze pasten fraai bij het oudere gebouw. Jasons spreekkamer bevond zich op de derde verdieping.
Aan het GHP-centrum waren zestien artsen verbonden, de meesten van hen specialisten, hoewel sommigen net als Jason nog een algemene praktijk aanhielden. Jason had zich altijd geïnteresseerd voor het hele scala van menselijke aandoeningen, niet alleen voor bepaalde organen of systemen.
De spreekkamers van de artsen lagen verspreid over de afdeling, met een centrale balie, die werd omgeven dóor een wachtruimte met makkelijke stoelen. Tussen de afdelingen lagen de onderzoeksruimten. Achteraan in de gang enige behandelkamers. Verpleegsters en secretaresses werden geacht te rouleren, maar in de praktijk werkte meestal dezelfde ploeg voor een bepaalde arts. Dat was efficiënter, omdat men dan niet telkens opnieuw aan de eigenaardigheden van een andere arts hoefde te wennen. Een verpleegster, Sally Baunan geheten, en Claudia Mockelberg, een secretaresse, hadden zich bij Jason gevoegd. Hij kon het met beide vrouwen goed vinden, vooral met Claudia, die een bijna moederlijke belangstelling voor Jasons welzijn aan de dag legde. Ze had haar enige zoon in Vietnam verloren en beweerde dat Jason ondanks het leeftijdverschil heel veel op hem leek.
Beide vrouwen zagen Jason aankomen en liepen achter hem aan zijn kamer in. Sally had een stapel dossiers van wachtende patiënten onder haar arm. Zij hield van orde en regelmaat en Jasons afwezigheid had haar zorgvuldig geplande schema in de war gebracht. Ze wilde 'meteen aan de slag', maar Claudia weerhield haar daarvan en stuurde haar weg.
'Was het even beroerd als jij eruitziet?' vroeg Claudia.
'Is het zo duidelijk te zien?' vroeg Jason, terwijl hij bij de wasbak in de hoek zijn handen waste.
Ze knikte. 'Je ziet eruit alsof je heel wat hebt moeten verduren.'
'Cedric Harring is overleden,' zei hij. 'Herinner je je die man?'

'Vaag,' gaf Claudia toe. 'Ik heb zijn dossier te voorschijn gehaald nadat je was weggeroepen. Het ligt op je bureau.'
Jason zag het. Claudia was zo efficiënt, dat hij er soms een beetje nerveus van werd.
'Waarom ga je niet even zitten?' stelde Claudia voor. Ze wist beter dan wie ook in de kliniek hoe Jason op een sterfgeval reageerde. Ze was een van de twee mensen hier die Jason over het dodelijk ongeluk van zijn vrouw in vertrouwen had genomen.
'We lopen beslist al achter op ons schema,' zei Jason, 'en je weet hoe afschuwelijk Sally dat vindt.'
'Sally kan een hoge boom in.' Claudia liep op Jasons bureau af en duwde hem zacht in zijn stoel. 'Laat haar maar rustig een paar minuten wachten.'
Jason moest daar ondanks zichzelf om glimlachen. Hij boog zich naar voren en speelde met het dossier van Cedric Harring. 'Kun je je herinneren dat er vorige maand ook twee patiënten zijn overleden die zch uitgebreid hadden laten onderzoeken?'
'Briggs en Connoly,' zei Claudia zonder aarzelen.
'Zou je hun dossiers ook eens willen pakken? Dit staat me helemaal niet aan.'
'Alleen als je belooft dat je jezelf hier niet over gaat opwinden. Mensen gaan nu eenmaal dood. Zo is het leven. Begrijp je me? Waarom neem je niet even een kopje koffie?'
'De dossiers,' herhaalde Jason.
'Oké, oké,' zei Claudia en liep de gang op.
Jason sloeg het dossier van Cedric Harring open, las het snel en vluchtig door. Niets opmerkelijks, afgezien van zijn ongezonde leefgewoonten. Hij bekeek de gewone en de stress-ECG's, zoekend naar iets dat op een naderende ramp wees, maar hij kon niets vinden.
Claudia kwam zonder te kloppen weer binnen. Jason kon Sally horen jammeren. 'Claudia...' Claudia deed de deur echter weer dicht en liep naar Jasons bureau. Daar deponeerde ze de dossiers van Briggs en Connoly op.
'De inboorlingen worden rusteloos,' zei ze en vertrok.
Jason sloeg de twee dossiers open. Briggs was overleden aan de gevolgen van een zeer ernstige hartaanval. Autopsie had aangetoond dat de kransslagaders vrijwel geheel waren dichtgeslibd, hoewel daar op het ECG van vier weken daarvoor niets te zien was geweest. Dat ECG had er even normaal uitgezien als dat van Harring. Ook zijn stress-ECG was normaal geweest, eveneens net als bij Harring. Jason schudde geërgerd zijn hoofd. Zeker van een stress-ECG werd verwacht dat het een potentieel gevaarlijke con-

ditie zou signaleren. Alles leek erop te wijzen dat een dergelijk algemeen lichamelijk onderzoek niets te betekenen had. Serieuze problemen werden niet gesignaleerd en daardoor kregen patiënten ten onrechte het idee dat er helemaal niets met hen aan de hand was. Als de resultaten van laboratoriumproeven normaal waren, voelde niemand zich geroepen een ongezonde levensstijl te herzien. Briggs was, net als Harring, achter in de vijftig geweest, had veel gerookt en nooit veel lichaamsbeweging genomen.

De tweede patiënt, Rupert Connoly, was gestorven ten gevolge van een zeer zware beroerte, eveneens kort na een algemeen lichamelijk onderzoek, waarbij geen abnormale, verontrustende verschijnselen boven water waren gekomen.

Connoly had in algemene zin een ongezonde levenswijze gehad, en was daarnaast ook nog een zware drinker geweest, hoewel geen alcoholist. Jason wilde het dossier sluiten, maar toen zag hij opeens iets dat eerder aan zijn aandacht was ontsnapt. De patholoog-anatoom had in zijn rapport melding gemaakt van een duidelijke ontwikkeling van staar. Jason veronderstelde dat hij zich de leeftijd van de man niet juist had herinnerd, en sloeg de bladzijde met algemene gegevens op. Connoly was pas achtenvijftig geweest. Nu kwam staar wel eens meer voor op achtenvijftigjarige leeftijd, maar toch gebeurde dat zelden. Jason bekeek zijn eigen rapport en moest tot zijn schande ontdekken dat hij geen staar geconstateerd had. De conditie van ogen, oren, neus en keel werd omschreven als normaal. Jason vroeg zich af of hij op zijn 'ouwe dag' nonchalant begon te worden. Toen zag hij dat hij de netvliezen ook normaal had genoemd. Bij het bekijken van de netvliezen had hij staar meteen moeten constateren. Hij was echter geen oogarts en kende zijn beperkingen op dat punt. Hij vroeg zich af of bij bepaalde vormen van staar lichtstralen meer werden tegengehouden dan andere. Ook dat zou hij nader moeten onderzoeken.

Jason legde de dossiers op een stapel. Drie ogenschijnlijk gezonde mannen waren een maand na een algehele medische controle overleden. *Jezus,* dacht hij. Mensen waren vaak bang om naar een ziekenhuis toe te gaan. Als dit bekend werd, kwamen ze zich misschien helemaal niet meer laten controleren.

Hij pakte de dossiers onder zijn arm en liep zijn kamer uit. Bij de centrale balie stond Sally op en ze keek hem verwachtingsvol aan. 'Twee minuten,' zei Jason, en hij liep de wachtruimte door. Hij liep langs enkele van zijn patiënten, die hij glimlachend toeknikte. Daarna ging hij door naar het kantoor van Roger Wana-

maker. Roger was een internist die zich in cardiologie had gespecialiseerd en wiens mening Jason hoogachtte. De man liep net een van de onderzoeksruimten uit. Hij was gezet, had een gezicht van een oude jachthond, met veel kwabben en een veel te ruim vel.
'Kan ik je zo even iets vragen?' vroeg Jason.
'Daar zul je voor moeten dokken,' plaagde Roger hem. 'Waar gaat het over?'
Jason liep achter de man aan, zijn rommelige kantoor in.
'Helaas over iets waarmee ik behoorlijk in mijn maag zit.' Jason sloeg de drie dossiers open bij de ECG's en legde die voor Roger neer. 'Ik schaam me dit te moeten bespreken, maar drie patiënten van me, mannen van middelbare leeftijd, zijn kort nadat ze na een algemeen onderzoek door mij redelijk gezond waren verklaard, overleden. Een van hen vandaag. Hartruptuur na een ernstige hartaanval. Drie weken geleden had ik hem nog onderzocht. Deze man hier. Nu ik weet wat ik weet, kan ik aan die ECG's nog altijd niets bijzonders ontdekken. Wat vind jij ervan?'
Even bleef het stil, terwijl Roger de ECG's bekeek. 'Welkom bij de club,' zei hij toen.
'Club?'
'Met die ECG's is niets aan de hand,' zei Roger. 'Wij hebben hier allemaal al hetzelfde meegemaakt. Mij overkwam het de afgelopen maanden vier maal. Iedereen die bereid is te praten, is er minstens een of twee maal mee geconfronteerd.'
'Waarom is dat nooit besproken?'
'Vertel jij mij dat maar eens,' zei Roger met een droge glimlach. 'Jij hebt er nu ook niet direct mee te koop gelopen, nietwaar? Niemand hangt zijn vuile was graag buiten. Niemand vestigt er graag de aandacht op. Maar jij bent chef de clinique. Waarom beleg je geen vergadering?'
Jason knikte somber. Chef de clinique was geen positie waarom je iemand hoefde te benijden, omdat het ziekenhuisbestuur, dat alle belangrijke beslissingen nam, niet direct gemakkelijk of soepel kon worden genoemd.
'Ik neem aan dat ik dat wel zal moeten doen,' zei Jason, die zijn dossiers weer van Rogers bureau pakte. 'Als andere artsen een dergelijke ervaring hebben gehad, moeten ze op zijn minst weten dat ze niet de enigen zijn.'
'Mijn idee,' zei Roger. Hij hees zijn grote lijf overeind. 'Verwacht echter niet dat iedereen er even openlijk over zal praten als jij dat doet.'
Jason liep terug naar de centrale balie en gaf Sally een teken dat

ze een patiënt naar binnen kon sturen.
Daarna richtte hij zich tot Claudia.
'Claudia, ik moet je om een gunst vragen. Ik wil dat je een lijst maakt van alle patiënten die ik in het afgelopen jaar medisch heb gekeurd. Je moet hun dossiers te voorschijn halen en kijken wat mijn bevindingen waren. Ik wil er zeker van zijn dat geen van de anderen serieuze problemen hadden. Het blijkt dat sommige artsen hetzelfde hebben meegemaakt. Volgens mij moet dat nodig worden onderzocht.'
'Het zal een lange lijst worden,' waarschuwde Claudia hem.
Jason was zich daarvan bewust. Het GHP-centrum had veel reclame gemaakt voor de preventieve geneeskunde en had alles zo geregeld, dat een zo groot mogelijk aantal patiënten kon worden gekeurd. Jason wist dat hij gemiddeld tussen de vijf en tien keuringen per week deed.
De eerste uren daarna besteedde Jason aan zijn patiënten, die hem een eindeloze stroom problemen en klachten voorlegden. Sally stuurde de patiënten achter elkaar naar binnen en door de lunch over te slaan, lukte het hem zowaar weer op schema te komen.
Later in de middag verliet Jason een behandelkamer waar hij een patiënt, die leed aan chronische zwerende ontstekingen aan zijn dikke darm, met een sigmoïdoscoop had onderzocht. Claudia gebaarde hem naar de centrale balie te komen. Ze glimlachte en daardoor wist hij dat ze iets bijzonders te melden moest hebben.
'Je hebt een geëerde gast!'
'Wie dan?' vroeg Jason, die meteen om zich heen keek.
'Hij zit al in je spreekkamer,' zei Claudia.
Jason keek naar de deur van spreekkamer. Die was dicht. Toen keek hij weer naar zijn secretaresse. Het was niets voor haar om iemand zomaar binnen te laten. 'Claudia?' vroeg hij nadrukkelijk, 'Waarom heb je iemand in mijn spreekkamer gelaten?'
'Hij stond erop en wie ben ik om zo'n verzoek te weigeren?'
Het was duidelijk dat iemand haar beledigd had. Jason kende haar goed genoeg om dat meteen te merken. Degene die binnen was, moest dus wel een belangrijke positie binnen de kliniek bekleden. Jason kreeg echter genoeg van het spelletje. 'Ben je bereid me te vertellen wie het is, of moet het een verrassing zijn?'
'Dokter Alvin Hayes,' zei Claudia, die met haar ogen knipperde en een snerende glimlach produceerde. Agnes, de secretaresse die voor Roger werkte, begon te grinniken.
Jason stak afwerend een hand op en liep naar zijn spreekkamer. Een bezoekje van dokter Alvin Hayes was een zeldzaamheid. Hij

was de ster-onderzoeker van de kliniek, ingehuurd om het prestige van het GHP te vergroten. Het was een actie geweest die deed denken aan het in dienst nemen van dokter William De Vries, de beroemde hartchirurg, door de Humana Corporation. Het GHP onderhield zelf geen wetenschappelijk onderzoek, maar had Hayes toch voor een zeer hoog salaris in dienst genomen om het eigen imago luister bij te zetten, vooral binnen de Bostonse academische gemeenschap. Dokter Alvin Hayes was immers een moleculair bioloog van wereldformaat, die op de omslag van *Time* had gestaan nadat hij een methode had ontwikkeld om met behulp van een herschikking van genen menselijke groeihormonen te vervaardigen. Het groeihormoon dat hij had vervaardigd, was volkomen gelijk aan het menselijk hormoon. Eerdere pogingen in die richting hadden geresulteerd in een hormoon dat daar veel op leek, maar niet exact hetzelfde was. Zijn ontdekking werd beschouwd als een belangrijke doorbraak.
Jason opende de deur van zijn kamer. Hij had er geen idee van waarom Hayes hem wilde spreken. De man had Jason vrijwel genegeerd vanaf de dag, nu al meer dan een jaar geleden, dat hij in dienst was getreden, ondanks het feit dat ze in Harvard jaargenoten waren geweest. Nadat ze waren afgestudeerd waren ze ieder hun eigen kant opgegaan, maar toen Alvin Hayes door het GHP in dienst was genomen, had Jason de man opgezocht om hem persoonlijk te verwelkomen. Hayes reageerde afstandelijk, was duidelijk onder de indruk van zijn eigen status als beroemdheid en maakte geen geheim van zijn minachting voor Jasons beslissing om de klinische geneeskunde te blijven beoefenen. Met uitzondering van een paar toevallige ontmoetingen hadden ze elkaar verder genegeerd. In feite was het zelfs zo dat Hayes iedereen in de kliniek negeerde en steeds meer een man was geworden die in de volksmond een 'verstrooide professor' werd genoemd. Hij was zelfs zo ver gegaan dat hij geen aandacht meer aan zijn uiterlijk besteedde en rondliep in te wijd vallende, gekreukelde kleren. Hij had zijn onverzorgde haren lang laten groeien, alsof hij het liefst wilde terugkeren naar de turbulente jaren zestig. Hoewel er over hem werd geroddeld en hij weinig vrienden had, werd hij wel gerespecteerd. Hayes maakte lange werkdagen en produceerde een ongelooflijke hoeveelheid memo's en wetenschappelijke artikelen.
Alvin Hayes zat languit in een van de stoelen tegenover Jasons antieke bureau. Hij was ongeveer even lang als Jason en had een rond, jongensachtig gezicht, dat magerder leek dan ooit. Hij had altijd al erg bleek gezien, net als alle wetenschappelijke onderzoe-

kers die het merendeel van hun tijd in een laboratorium doorbrengen. Jason vond echter dat de man een gelere huidskleur had dan normaal en oververmoeid leek. Alles bij elkaar genomen zag hij er ziek en uitgeput uit. Jason vroeg zich af of Hayes hem voor iets zakelijks wilde raadplegen.
'Sorry dat ik je lastig val,' zei Hayes, die moeizaam ging staan. 'Ik weet dat je het druk hebt.'
'Helemaal niet,' loog Jason, die achter zijn bureau ging zitten. Hij legde zijn stethoscoop weg. 'Wat kunnen we voor je doen?'
Hayes leek zenuwachtig en Jason had de indruk dat de man nachten lang geen oog dicht had gedaan.
'Ik moet met je praten,' zei hij zacht en hij boog zich samenzweerderig voorover.
Jason veerde snel naar achteren. Hayes' adem stonk en zijn ogen stonden glazig; zijn blik zweefde. Hij had iets van een krankzinnige. Zijn witte laboratoriumjas was gekreukeld en zat onder de vlekken. Beide mouwen waren opgestroopt tot boven zijn ellebogen. Zijn horloge hing zo los om zijn pols, dat Jason het een wonder vond dat hij dat nog niet had verloren.
'Wat is er aan de hand?'
Hayes boog zich nog verder voorover, tot de knokkels van zijn handen op Jasons vloeiblad rustten. 'Niet hier,' fluisterde hij. 'Ik wil vanavond met je praten, buiten de kliniek.'
Even viel er een gespannen stilte. Hayes' gedrag was duidelijk abnormaal. Jason vroeg zich af of hij de man ertoe moest overhalen eens een keer te praten met zijn vriend Patrick Quillan, omdat hij dacht dat een psychiater hem beter zou kunnen helpen. Als Hayes buiten het ziekenhuis met hem wilde praten, kon het niet over zijn gezondheid gaan.
'Het is belangrijk,' zei Hayes, die ongeduldig met een vuist op Jasons bureau sloeg.
'Best,' zei Jason snel, bang dat Hayes hysterisch zou worden als hij nog langer aarzelde. 'Zullen we ergens iets gaan eten?' Hij wilde de man het liefst in een openbare gelegenheid te woord staan.
'Uitstekend. Waar?'
'Kan me niet schelen.' Jason haalde zijn schouders op. 'Wat zou je denken van een Italiaans restaurant in North End?'
'Best. Wanneer en waar?'
Jason liet de lijst van restaurants in het Bostonse North End, een wirwar van kronkelende straatjes waardoor je je in Zuid-Italië waande, in gedachten de revue passeren. 'Wat zou je denken van *Carbonara*?' stelde hij voor. 'Dat is op Rachel Revere Square,

tegenover het Paul Revere House.'
'Dat weet ik,' zei Hayes. 'Hoe laat?'
'Acht uur?'
'Prima.' Hayes draaide zich om en liep ietwat onvast naar de deur. 'En nodig verder niemand anders uit. Ik wil je onder vier ogen spreken.' Zonder een antwoord af te wachten ging hij weg en trok de deur achter zich dicht.
Jason schudde verbaasd zijn hoofd en liet toen de volgende patiënt binnenkomen.
Binnen een paar minuten ging hij weer helemaal op in zijn werk en had hij de bizarre ervaring met Hayes uit zijn gedachten gezet. De middag bracht verder geen onwelkome verrassingen met zich mee. De patiënten die Jason poliklinisch behandelde, leek het in ieder geval goed te gaan. Zij reageerden naar behoren op de behandeling die hij had uitgestippeld. Jason liep van een van de behandelkamers, waar hij een kleine chirurgische ingreep had verricht, terug naar zijn kamer, door de wachtruimte, waar nog slechts twee patiënten op hem zaten te wachten. Net voordat hij naar binnen ging, zag hij Shirley Montgomery bij de balie met een van de secretaresses staan praten. Binnen de kliniek was Shirley een opvallende verschijning, als Assepoester op het bal. In tegenstelling tot de andere vrouwen, die witte rokken en blouses droegen of witte broekpakken, had Shirley een ouderwetse zijden jurk aan, die haar aantrekkelijke figuur zonder succes verborgen probeerde te houden. Hoewel weinig mensen dat zouden raden als ze haar zagen, was zij de hoogste baas van de hele Good Health Plan-organisatie. Ze was superaantrekkelijk om te zien, was aan de universiteit van Columbia afgestudeerd in bedrijfskunde en vervolgens aan de Harvard Business School gepromoveerd.
Door haar uiterlijk en intellect had ze intimiderend kunnen zijn, maar dat was ze niet. Ze was open en gevoelig en kon het daarom met iedereen goed vinden; met mensen van de huishoudelijke dienst, onderhoudsmonteurs, secretaresses, verpleegsters en artsen. Het was vooral aan Shirley Montgomery te danken dat het GHP bij elkaar werd gehouden en soepel draaide.
Toen ze Jason zag, excuseerde ze zich bij de secretaresse en liep, bevallig als een danseres, op hem af. Haar dikke, bruine haar was naar achteren geborsteld. Haar make-up was zo vakkundig opgebracht, dat het leek alsof ze zich helemaal niet had opgemaakt. Haar grote blauwe ogen gaven blijk van een grote intelligentie.
'Neemt u mij niet kwalijk, dokter Howard,' zei ze formeel. Om haar mondhoeken speelde, heel vaag, een glimlachje. Shirley en

Jason ontmoetten elkaar nu al gedurende enige maanden lang in de privé-sfeer, maar dat wist niemand van het personeel. Het was begonnen tijdens een van de halfjaarlijkse stafbijeenkomsten, toen ze bij een drankje met elkaar aan de praat waren geraakt. Toen Jason had gehoord dat haar echtgenoot kort daarvoor aan kanker was overleden, had hij zich helemaal met haar verbonden gevoeld.
Tijdens het diner daarna had ze Jason verteld dat haar echtgenoot op een ochtend, drie jaar geleden, met een barstende hoofdpijn was wakker geworden. Binnen enige maanden was hij toen overleden aan de gevolgen van een hersentumor, die op geen enkele behandeling had gereageerd. In die tijd werkten ze beiden voor de Humana Hospital Corporation. Net als Jason had ze na de dood van haar echtgenoot de behoefte gevoeld om van werkkring te veranderen en ze was naar Boston verhuisd.
Toen ze Jason dat verhaal vertelde, had het hem zo diep ontroerd, dat hij zijn eigen stilzwijgen had verbroken. Die zelfde avond nog had hij haar deelgenoot gemaakt van zijn onverwerkte gevoelens rond het ongeluk en de dood van zijn echtgenote.
Door die gemeenschappelijke ervaring waren Jason en Shirley een relatie begonnen die het midden hield tussen vriendschap en een liefde. Ze wisten van elkaar dat ze allebei nog te kwetsbaar waren om hard van stapel te lopen.
Jason stond perplex. Op deze manier had ze hem nog nooit benaderd. Zoals gewoonlijk had hij er slechts een vaag idee van wat er in het intelligente koppie van haar omging. In vele opzichten was zij de meest gecompliceerde vrouw die hij ooit ontmoet had.
'Kan ik u ergens mee van dienst zijn?' vroeg hij en hij keek haar onderzoekend aan.
'Ik weet dat u het druk hebt,' zei ze, 'maar ik vroeg me af of u vanavond soms vrij was.' Ze begon zacht te praten en draaide een nieuwsgierig kijkende Claudia haar rug toe. 'Ik geef vanavond onverwacht een dineetje voor een paar mensen die ik nog ken van Harvard Business School. Ik zou het leuk vinden als jij ook kwam. Wat denk je ervan?'
Jason had meteen spijt van het plan om met Alvin Hayes te gaan eten. Had hij maar afgesproken iets met die man te gaan drinken!
'Ik weet dat het kort dag is,' voegde Shirley eraan toe, omdat ze zijn aarzeling aanvoelde.
'Dat is het probleem niet. Ik heb alleen Alvin Hayes beloofd vanavond met hem te gaan eten.'
'Onze dokter Hayes?' vroeg Shirley duidelijk verbaasd.
'Precies. Ik weet dat het vreemd klinkt, maar die man leek bijna

radeloos te zijn. Hoewel hij me bepaald niet vriendelijk heeft behandeld, had ik medelijden met hem. Dus ben ik met het voorstel gekomen samen ergens een hapje te gaan eten.'
' Verdorie!' zei Shirley. 'Je zou van mijn clubje hebben genoten. Nou, een andere keer dan maar...'
'Graag,' zei Jason. Net toen ze wilde weglopen, herinnerde hij zich het gesprek met Roger Wanamaker. 'Ik moet je nog even vertellen dat ik een stafbespreking heb belegd. Een aantal patiënten, die wij bij de jaarlijkse controle gezond hebben verklaard..., is aan hartkwalen overleden. Ik vond dat ik in mijn functie als chef de clinique daar een nader onderzoek naar moest instellen. Het is niet goed voor onze public relations als patiënten binnen een maand nadat ze een gezondheidsverklaring hebben gekregen, opeens overlijden.'
'Mijn hemel, druk dergelijke geruchten alsjeblieft meteen de kop in,' zei Shirley.
'Tsja, je wordt er een beetje beroerd van als iemand die je uitgebreid hebt onderzocht en in principe gezond hebt verklaard, terugkomt naar het ziekenhuis en overlijdt. De controles hebben nu juist ten doel iets dergelijks te voorkomen. Ik denk dat we de gevoeligheid van onze apparatuur waarmee lichamelijke reacties op stress worden gemeten, zullen moeten vergroten.'
'Dat lijkt me een bewonderenswaardig streven,' zei Shirley. 'Ik wil je alleen verzoeken hier zo weinig mogelijk ruchtbaarheid aan te geven. De controles spelen een belangrijke rol in onze campagne om een aantal grote bedrijven hier in de buurt als vaste klant te krijgen. Laten we dit onder ons houden.'
'Dat zal beslist gebeuren,' zei Jason. 'Het spijt me van vanavond.'
'Ik vind het ook jammer,' zei Shirley zacht. 'Ik had de indruk dat dokter Hayes weinig uitging. Wat is er met hem aan de hand?'
'Dat is mij een raadsel,' gaf Jason toe, 'maar ik zal het je laten weten, zodra ik iets meer weet.'
'Graag,' zei Shirley. 'Ik heb er sterk op aangedrongen dat die man door ons in dienst zou worden genomen. Ik voel me voor hem verantwoordelijk. We spreken elkaar binnenkort wel weer.' Ze liep weg, glimlachend naar patiënten die ze passeerde.
Jason keek haar even na en zag Claudia naar hem kijken, die meteen haar ogen neersloeg. Jason vroeg zich af of het geheim nu geen geheim meer was. Hij haalde zijn schouders op en liep zijn spreekkamer in, om de laatste twee patiënten te behandelen.

2

Jason genoot in Boston altijd van de late herfst, ondanks het feit dat de winter zich aankondigde. Hij had een grote hoed op, als Indiana Jones, en had een lekker zittende oude Burberry-regenjas aan, waardoor hij goed beschermd was tegen de koude oktoberavond.

De wind blies de dorre bladeren op toen Jason over Mt. Vernon Street liep, de passage onder het State House door. Hij stak de promenade bij het Government Center over, vermeed de Faneuil Hall Marketplace, waar allerlei straatmuzikanten en kunstenaars druk in de weer waren, en liep North End in, Bostons Klein-Italië. Overal mensen. Mannen die met levendige gebaren stonden te praten op straathoeken; vrouwen die, uit ramen geleund, met vriendinnen aan het roddelen waren die aan de overkant woonden. Overal rook hij versgemalen koffie en met amandelen klaargemaakte gerechten. De buurt was een genot voor oog, oor en neus.

Toen Jason Hanover Street een eindje was op gelopen, draaide hij rechtsom en zag al snel het bescheiden houten huis van Paul Revere. Het met ronde keien bestrate pleintje werd afgebakend door paaltjes, die door een zware ketting met elkaar waren verbonden. Recht tegenover het huis van Paul Revere bevond zich *Carbonara*, een van Jasons meest geliefde restaurants. Er waren nog twee andere eethuisjes aan het plein, maar die waren geen van beide zo goed als *Carbonara*. Hij liep het trapje naar de ingang op en werd begroet door de gérant, die hem meenam naar zijn vaste tafeltje bij het raam, vanwaar hij het bijzondere plein goed kon zien. Het had iets onwerkelijks, zoals zoveel plekjes in Boston, alsof het voor een tentoonstelling was aangelegd.

Jason bestelde een fles witte Gavi-wijn en nam hapjes van het voorgerecht, terwijl hij op Hayes wachtte. Binnen tien minuten stopte er een taxi voor het restaurant en stapte Hayes uit. Nadat de taxi was weggereden, bleef hij nog even op het trottoir staan en keek North Street af, in de richting waar hij vandaan was gekomen. Jason vroeg zich af waar de man op wachtte. Uiteindelijk draaide hij zich om en liep het restaurant in. De gérant bracht hem naar het tafeltje. Het viel Jason op hoe weinig Hayes in

die elegante ambiance, met allerlei modieus geklede gasten, op zijn plaats leek te zijn. In plaats van zijn gevlekte laboratoriumjas had Hayes nu een te ruim vallend tweedjasje aan, met een lapje op een van de ellebogen. Het lopen leek hem moeite te kosten en Jason vroeg zich af of de man had gedronken.
Zonder Jason te groeten liet Hayes zich in een stoel vallen en staarde weer uit het raam naar North Street. Er kwam een gearmd stelletje aanlopen. Hayes bleef naar hen kijken, tot ze uit het zicht verdwenen. Zijn huid was wit als ivoor, en leek wel wat op die van Harring, zoals Jason hem op de intensive care had gezien. Hayes scheen zich beslist niet goed te voelen.
Hayes rommelde wat in een van de uitpuilende zakken van zijn tweedjasje en haalde daar een verkreukeld pakje Camel zonder filter uit. Met trillende handen stak hij een sigaret op, zijn ogen flikkerend door een of andere sterke emotie. 'Iemand volgt me.'
Jason wist niet zeker hoe hij daarop moest reageren. 'Weet je dat zeker?'
'Absoluut,' zei Hayes en hij nam een lange trek van zijn sigaret. Er viel smeulende as op het witte tafellaken. 'Een donkere kerel, een gladjanus, mooi aangekleed, een buitenlander.' Dat laatste vol venijn.
'Maak je je daar zorgen over?' vroeg Jason, in een poging voor psychiater te spelen. Hayes was kennelijk ook nog eens acuut paranoïde.
'Ja, verdomme!' schreeuwde Hayes. Een paar mensen keken op en Hayes ging op zachtere toon verder: 'Zou jij niet van streek zijn als iemand je wilde vermoorden?'
'Vermoorden?' herhaalde Jason, die er nu zeker van was dat Hayes krankzinnig was geworden.
'Inderdaad. En mijn zoon ook.'
'Ik wist niet dat je een zoon had,' zei Jason. Feitelijk had hij niet eens geweten dat Hayes getrouwd was. In het ziekenhuis ging het gerucht dat Hayes af en toe, als hij zich wilde ontspannen, naar de disco ging.
Hayes drukte zijn sigaret uit, vloekte binnensmonds en stak een nieuwe op, de rook wegblazend met korte, zenuwachtige ademstoten. Jason besefte dat Hayes het breekpunt naderde en hij zijn woorden heel zorgvuldig moest kiezen. De man stond op het punt volledig in te storten.
'Sorry als het onhandig klinkt,' zei Jason, 'maar ik zou je graag willen helpen. Ik neem aan dat je daarom met me wilde praten. En Alvin, om je de waarheid te zeggen, zie je er niet al te best uit.'

Hayes legde de linkerkant van zijn rechterpols tegen zijn voorhoofd, zijn elleboog op de tafel geplant. Zijn brandende sigaret kwam gevaarlijk dicht bij zijn verwarde haardos. Jason kwam in de verleiding hoofd of sigaret weg te duwen, omdat hij niet wilde dat de man zichzelf als een stuk hout in de fik zou zetten. Hij deed echter geen van beide, omdat hij bang was van Hayes' radeloosheid.
'Willen de heren iets bestellen?' vroeg een ober, die geruisloos naast hun tafeltje was verschenen.
'Kun je niet zien dat we in gesprek zijn, verdomme?' snauwde Hayes, terwijl hij zijn hoofd optilde.
'Mijn excuses, meneer.' De ober maakte een buiging en liep weg.
Hayes haalde diep adem en richtte zijn aandacht weer op Jason.
'Ik zie er dus niet goed uit?'
'Nee, je bent veel te bleek en je lijkt uitgeput en van streek te zijn.'
'Aha, de helderziende clinicus,' zei Hayes sarcastisch. 'Sorry,' ging hij toen verder. 'Ik wil niet vervelend doen. Je hebt gelijk. Ik voel me niet goed. Om je de waarheid te zeggen voel ik me hondsberoerd.'
'Wat is er aan de hand?'
'Alles, zo ongeveer. Pijn in mijn gewrichten, last van mijn maag en ingewanden, beroerd gezichtsvermogen en zelfs een droge huid. Mijn enkels jeuken zo, dat ik er gek van word. Mijn lichaam is letterlijk kapot aan het gaan.'
'Misschien hadden we beter in mijn spreekkamer kunnen afspreken,' zei Jason, 'om je eens grondig na te kijken.'
'Later misschien. Maar dat is niet de reden waarom ik je wilde spreken. Misschien is het voor mij toch al te laat, maar als ik mijn zoon kan redden...' Hij maakte zijn zin niet af maar wees naar buiten. 'Daar heb je hem!'
Jason draaide zich om en zag nog net iemand om de hoek verdwijnen. 'Hoe weet je dat hij het was?' vroeg hij en hij wendde zich weer om naar Hayes.
'Hij is me gevolgd vanaf de kliniek. Ik denk dat die man van plan is me te vermoorden.'
Jason bekeek zijn collega aandachtig, zonder te kunnen bepalen of het waar was of niet. De man gedroeg zich op z'n zachtst gezegd vreemd. Maar hij moest denken aan het aloude cliché dat ook paranoïde mensen vijanden hadden. Misschien werd Hayes inderdaad wel door iemand gevolgd. Jason haalde de fles witte wijn uit de ijsemmer, schonk voor Hayes een glas in en vulde het zijne nogmaals. 'Misschien dat je me beter kunt vertellen wat er

allemaal aan de hand is.'
Hayes dronk zijn glas in één teug leeg, alsof het een borrel was. Toen veegde hij zijn mond met de rug van zijn hand af. 'Het is zo'n vreemd verhaal... kan ik nog wat wijn krijgen?'
Jason schonk het glas weer vol en Hayes ging verder. 'Ik neem aan dat je weet waar mijn onderzoek over gaat...'
'Ik heb er een vaag idee van.'
'Groei en ontwikkeling,' zei Hayes. 'Hoe genen actief zijn of niets doen. Zoals in de puberteit. Waardoor specifieke genen aan de slag gaan. Het oplossen van dat probleem zou een geweldige prestatie zijn. Dan zouden we niet alleen in principe groei en ontwikkeling kunnen beïnvloeden, maar waarschijnlijk ook het ontstaan van een kankergezwel in de kiem kunnen smoren, of na een hartaanval kunnen zorgen voor nieuwe celdelingen voor nieuwe hartspieren. Om kort te gaan: ik heb me de laatste tijd geconcentreerd op het in- en uitschakelen van genen die groei en ontwikkeling bepalen. Maar zoals zo vaak bij wetenschappelijk onderzoek, heb ik bij toeval ook iets anders ontdekt. Ongeveer vier maanden geleden heb ik een ontdekking gedaan die je ironisch, maar ook uitermate verbazingwekkend zou kunnen noemen. Ik heb het over een heel belangrijke wetenschappelijke doorbraak. Geloof me, het is materiaal voor de Nobelprijs.'
'Wat heb je dan ontdekt?'
'Even wachten.' Hayes legde zijn sigaret in de asbak en drukte zijn rechterhand tegen zijn borst.
'Is alles in orde met je?' vroeg Jason. De huid van Hayes leek wat grijzer te zijn geworden en op zijn voorhoofd verschenen zweetdruppeltjes.
'Het gaat best,' verzekerde Hayes hem en hij liet zijn hand weer op de tafel vallen. 'Ik heb niets over die ontdekking gezegd, omdat ik besefte dat het de eerste stap op weg was naar een nog grotere doorbraak. En dan heb ik het over iets dat lijkt op antibiotica of de heliostructuur van DNA. Het heeft me zo opgewonden, dat ik bijna vierentwintig uur per dag door heb gewerkt. Toen merkte ik opeens dat mijn eerste ontdekking niet langer een geheim was. Dat er gebruik van werd gemaakt. Toen ik dat vrijwel zeker wist, heb ik...' Hayes zweeg opeens en staarde Jason aan met een verwarring die al snel plaats maakte voor angst.
'Alvin, wat is er aan de hand?' vroeg Jason. Hayes reageerde niet. Weer drukte hij zijn rechterhand tegen zijn borst. Hij kreunde. Toen pakten zijn handen opeens razendsnel het tafellaken vast, trokken dat klauwend naar hem toe. De wijnglazen vielen om. Hayes wilde gaan staan, maar dat lukte hem niet meer. Hij

hoestte, alsof hij bijna stikte, en er spoot een straal bloed over de tafel, dat het tafellaken doorweekte. Jason zat onder de spetters. Hij schoot naar achteren, waarbij zijn stoel omviel. Het bloed bleef komen, in golven. Alles in de buurt kleurde rood, terwijl mensen die aan andere tafeltjes zaten, begonnen te gillen.
Als arts wist Jason wat er gebeurde. Het bloed was felrood en werd letterlijk uit de mond van Hayes gepompt. Dat betekende dat het rechtstreeks van zijn hart afkomstig was. De eerstvolgende seconden bleef Hayes rechtop in zijn stoel zitten, terwijl de angstige blik in zijn ogen moest wijken voor radeloosheid en pijn. Jason liep om de tafel heen en pakte hem bij de schouders vast. Helaas was de bloeding op geen enkele manier te stoppen. Hayes zou leegbloeden, of in zijn eigen bloed stikken. Jason kon niets anders doen dan de man vasthouden terwijl hij dood ging. Toen het lichaam van Hayes slap werd, liet Jason het op de grond zakken. Daarna liep hij naar een tafeltje naast het zijne, pakte een servet en veegde zijn handen af.
Pas toen werd hij zich weer bewust van zijn omgeving. De andere gasten waren allemaal overeind gesprongen en stonden aan de andere kant van het restaurant dicht bij elkaar. Helaas waren velen van hen misselijk geworden.
De gérant zelf zag groen en stond te wankelen op zijn benen. 'Ik heb een ambulance gebeld,' slaagde hij erin uit te brengen, met een hand tegen zijn mond gedrukt.
Jason keek naar Hayes. Zonder een operatiekamer en een hartlongmachine die meteen kon worden ingesteld, kon de man op geen enkele manier worden gered. Een ambulance had op dit moment geen enkele zin, maar in ieder geval zou het lijk daarmee kunnen worden afgevoerd. Jason keek weer naar het bewegingloze lichaam en kwam tot de conclusie dat de man longkanker moest hebben gehad. Een tumor moest de aorta hebben doorboord, waardoor de bloeding was ontstaan. Ironisch genoeg lag Hayes' sigaret nog in de asbak, die nu gevuld was met schuimend bloed. Een rooksliertje steeg langzaam naar het plafond.
In de verte hoorde Jason de sirene van een naderende ambulance. Voordat die er was, kwam er een politiewagen met zwaailicht voor het restaurant tot stilstand en renden twee agenten naar binnen. Beiden bleven meteen staan toen ze al dat bloed zagen. Peter Garbo, de jongste van de twee, een blonde jongen van een jaar of negentien, kreeg direct een grauwe kleur.
Jeff Mario, zijn partner, gaf hem snel opdracht de gasten te ondervragen. Jeff Mario was zo ongeveer even oud als Jason.
'Wat is hier verdomme gebeurd?' vroeg hij, stomverbaasd naar

het bloed kijkend.
'Ik ben arts,' zei Jason. 'De man is dood. Leeggebloed. Niemand had iets voor hem kunnen doen.'
Jeff Mario ging even op zijn hurken bij Hayes zitten en voelde diens pols. Toen stond hij op en richtte weer het woord tot Jason. 'Bent u een vriend van hem?'
'Eerder een collega. We werken allebei voor Good Health Plan.'
'Is hij ook arts?' vroeg Jeff Mario, met zijn duim op Hayes wijzend.
Jason knikte.
'Was hij ziek?'
'Dat weet ik niet zeker,' zei Jason. 'Als ik een gok moest wagen, zou ik zeggen dat hij kanker had.'
Jeff Mario haalde een pen en een aantekenboekje te voorschijn. 'Hoe heette de man?'
'Alvin Hayes.'
'Heeft de heer Hayes een gezin?'
'Dat denk ik wel. Om u de waarheid te zeggen, weet ik heel weinig over zijn privéleven. Hij had het over een zoon, dus neem ik aan dat hij een gezin heeft.'
'Weet u waar hij woont?'
'Ik ben bang van niet.'
Agent Mario keek Jason even aan, boog zich toen voorover en doorzocht zorgvuldig de zakken van Hayes, waar hij een portefeuille uithaalde. Die bekeek hij snel.
'De man heeft geen rijbewijs,' zei Jeff Mario en hij keek Jason aan alsof hij die mededeling zou kunnen bevestigen.
'Dat kan,' zei Jason, die merkte dat hij begon te trillen. De afschuwelijke gebeurtenis had hem niet onberoerd gelaten.
Het geluid van de sirene van de ambulance hield op toen de wagen voor het restaurant tot stilstand kwam. Nu had zich een rood zwaailicht bij het blauwe gevoegd. Nog geen minuut later kwamen twee geüniformeerde ziekenbroeders het restaurant in, één met een koffertje. Ze liepen meteen door naar Hayes.
'Hij is arts,' zei Jeff Mario, terwijl hij met zijn pen op Jason wees, 'en hij zegt dat deze man niet meer kan worden geholpen. Dat hij door een kankergezwel is doodgebloed.'
'Ik ben er niet zeker van dat het een kankergezwel was,' zei Jason met een stem die hoger klonk dan zijn bedoeling was geweest. Hij trilde nu zichtbaar en sloeg zijn handen in elkaar.
De ziekenbroeders onderzochten Hayes kort en gingen toen weer staan, waarna de man met het koffertje zijn collega verzocht een brancard te halen.

'Oké, hier is zijn adres,' zei Jeff Mario, die de portefeuille van Hayes verder had onderzocht. 'Hij woont vlak bij het Stadsziekenhuis.' Hij nam het adres over in zijn aantekenboekje. De jongere agent schreef namen en adressen van de gasten op, ook die van Jason.

Toen ze klaar waren om te vertrekken, vroeg Jason of hij mee kon. Hij vond het vervelend Hayes alleen naar het mortuarium te laten gaan. De agenten hadden er geen bezwaar tegen. Toen ze het plein op liepen, zag Jason dat zich daar een aanzienlijke menigte had verzameld. Een dergelijk bericht verspreidde zich als een lopend vuurtje door North End, maar de mensen waren stil. Iedereen had ontzag voor de dood.

Jason zag even een keurig geklede man die onmiddellijk daarna in de menigte opging. Hij zag eruit als een zakenman, eerder Latijns-Amerikaans of Spaans dan Italiaans, vooral door zijn kleding, en even verbaasde Jason zich over het feit dat die man hem überhaupt was opgevallen.

Toen zei een van de ambulancebroeders: 'Wilt u mee met uw vriend?' Jason knikte en klom de ambulance in. Daar ging hij op een laag stoeltje bij de voeten van Hayes zitten. Een van de broeders zat op een soortgelijk stoeltje, dichter bij het hoofd van Hayes. De ambulance schoot vooruit. Door de achterruit zag Jason het restaurant en de mensenmenigte steeds kleiner worden. Toen ze Hanover Street opdraaiden, moest hij zich vasthouden. De sirene was niet aangezet, maar het zwaailicht stond nog wel aan. Jason zag hoe het in de etalages van de winkels werd weerkaatst.

Het was een korte rit, van ongeveer vijf minuten. De ziekenbroeder probeerde een gesprekje aan te knopen, maar Jason maakte hem duidelijk dat hij wilde nadenken. Hij staarde naar het toegedekte lichaam van Hayes en probeerde deze ervaring te verwerken. Hij kon zich niet aan de indruk onttrekken dat de dood hem achtervolgde. Daardoor voelde hij zich op een merkwaardige manier verantwoordelijk voor Hayes, alsof de man nog in leven zou zijn als hij niet de pech had gehad Jason te ontmoeten. Jason wist, verstandelijk gesproken, dat dergelijke gedachten belachelijk waren, maar gevoelens houden niet altijd rekening met je verstand.

Na een scherpe bocht reed de ambulance een stukje achteruit en stopte. Toen het achterportier openging, zag Jason waar ze waren: op het binnenplein van het Massachusetts General Hospital. Dat was voor Jason bekend terrein. Drie jaar geleden had hij er immers nog gewerkt. Hij stapte uit de auto. De twee zieken-

broeders haalden de brancard handig uit de ambulance en zetten hem op zijn wielen. Zwijgend namen ze hem mee naar binnen en werden door een verpleegster naar een behandelkamer verwezen.
Hoewel Jason arts was, wist hij niet precies hoe een overlijden als dat van Hayes werd afgehandeld. Het verbaasde hem eigenlijk dat Hayes naar een polikliniek was gebracht, omdat niemand nog iets voor hem kon doen. Op hetzelfde moment drong het echter tot hem door dat formeel de dood nog moest worden vastgesteld.
In de kamer stond allerlei apparatuur, die in geval van nood meteen kon worden gebruikt. In een hoek bevond zich een wasbak. Jason waste Hayes' bloed van zijn handen. In een kleine spiegel boven de wasbak zag hij dat er ook nogal wat bloed op zijn gezicht zat. Nadat hij dat ook had afgespoeld, droogde hij zich af met papieren handdoeken. Er zat ook bloed op zijn jasje, overhemd en pantalon, maar daar kon hij op dat moment weinig aan doen. Toen hij klaar was, kwam er een dienstdoende assistent-arts naar binnen. Zonder pardon trok hij het laken weg dat over Hayes heen lag en pakte zijn stethoscoop. In het felle lamplicht zag het gezicht van Hayes er griezelig bleek uit.
'Bent u familie?' vroeg de man nonchalant, terwijl hij de stethoscoop op Hayes' borstkas drukte.
Toen hij de stethoscoop weer uit zijn oren had gehaald, zei Jason: 'Nee, ik ben een collega. We waren allebei verbonden aan Good Health.'
'Bent u arts?' vroeg de man nu met iets meer respect.
Jason knikte.
'Wat is er met uw vriend gebeurd?' vroeg de man en hij scheen met een lampje in Hayes' ogen.
'Hij is aan een tafeltje in een restaurant leeggebloed,' zei Jason opzettelijk bot, omdat hij zich enigszins beledigd voelde door de nonchalante houding van de assistent-arts.
'Echt waar? Te gek! Nou, dood is hij in ieder geval.' Hij trok het laken weer over Hayes' hoofd.
Het kostte Jason erg veel moeite de man niet te vertellen wat hij van diens houding dacht, maar hij wist dat het tijdverspilling zou zijn. In plaats daarvan liep hij de gang op, keek naar de wemelende mensen, herinnerde zich zijn eigen tijd daar. Het leek zo lang geleden, maar in feite was er niets veranderd.
Een halfuur later werd het lichaam van Hayes weer naar de ambulance gebracht. Jason liep erachteraan.
'Vinden jullie het goed als ik weer meega?' vroeg hij, onzeker over zijn motieven, omdat hij besefte dat hij waarschijnlijk een

lichte shock had.
'We gaan alleen naar het mortuarium,' zei de chauffeur, 'maar wat mij betreft kunt u mee.'
Toen ze het binnenplein af reden, zag Jason tot zijn verbazing iemand die eruitzag als de keurig geklede zakenman die hij bij het restaurant even had gezien. Toen haalde hij zijn schouders op. Dat zou wel erg toevallig zijn. Het merkwaardige was echter dat deze man er ook Spaans uitzag.
Jason was nooit in het mortuarium geweest. Toen ze Hayes' lichaam door de gehavende openslaande deuren duwden en verder liepen naar een ruimte met koelcellen, wenste hij dat hij niet mee was gegaan. De sfeer was er onaangenaam, zoals hij al had vermoed. De ruimte waar de koelcellen waren ondergebracht, was eens groot en eens wit geweest. Op de muren en de grond oude, bevlekte en gebarsten tegeltjes. Het stonk er naar ontsmettingsmiddelen, waardoor Jason aarzelde om adem te halen. Een gezette, roodaangelopen man met een rubberen schort voor en rubberen handschoenen aan, kwam aangelopen en hielp het lijk over te dragen naar een van de oude, niet al te schone brancards van het lijkenhuis. Toen verdwenen ze allemaal om de noodzakelijke papieren te gaan invullen.
Even bleef Jason nog staan en dacht aan het onverwachte einde van Hayes' leven als bekend wetenschapper. Toen herinnerde hij zich ineens hoe hij na de dood van Daniëlle naar het ziekenhuis was gegaan en hij liep snel de ruimte uit.
Het mortuarium van Boston was ongeveer vijftig jaar geleden gebouwd. Toen Jason de brede trap naar de kantoren opliep, zag hij een paar oude Egyptische figuren, die voor de nieuwbouw uit die periode typerend waren geweest. Het gebouw was in de loop der jaren echter wel achteruit gegaan. Het was nu donker, vies, ongepast. Jason kon zich niet voorstellen van welke afschuwelijke taferelen het allemaal getuige was geweest.
In een oud kantoortje vond hij de twee ziekenbroeders en de roodaangelopen werknemer van het mortuarium. Ze hadden het papierwerk achter de rug en lachten om het een of ander, zonder zich ook maar iets aan te trekken van de drukkende sfeer van de dood om hen heen.
Jason onderbrak hun gesprek om te vragen of een van de pathologen er op dit moment was.
'Ja,' zei de gezette man. 'Dokter Danforth is in de autopsieruimte bezig een noodgeval af te ronden.'
'Kan ik ergens op haar wachten?' vroeg Jason, die er niets voor voelde die ruimte te betreden.

'In de bibliotheek boven, naast het kantoor van dokter Danforth.'
Het was donker en stoffig in de bibliotheek en in de kast stonden ingebonden autopsie-verslagen die teruggingen tot de achttiende eeuw. Midden in de kamer stond een grote eikehouten tafel met zes stoelen. Wat belangrijker was: er stond ook een telefoon. Na enig nadenken besloot Jason Shirley te bellen. Hij wist dat ze gasten had, maar dacht dat ze dit wel zou willen weten.
'Jason!' riep ze. 'Kom je alsnog hierheen?'
'Helaas niet. Er zijn wat problemen.'
'Hoezo?'
'Dit zal wel een schok voor je zijn,' waarschuwde Jason. 'Ik hoop dat je zit.'
'Zeg me wat er aan de hand is,' zei Shirley met een van bezorgdheid hoger klinkende stem.
'Alvin Hayes is dood.'
Even bleef het stil. Op de achtergrond klonk ongepast gelach.
'Wat is er gebeurd?'
'Dat weet ik niet helemaal zeker,' zei Jason die haar de afschuwelijke details wilde besparen. 'Een soort inwendige medische catastrofe.'
'Zoiets als een hartaanval?'
'Iets dergelijks,' antwoordde Jason ontwijkend.
'Mijn hemel! Die arme man!'
'Ken je zijn familie? Ze hebben mij daarnaar gevraagd, maar ik weet er niets van.'
'Ik weet ook niet veel. Hij is gescheiden. Hij heeft kinderen, maar ik geloof dat die aan zijn vrouw zijn toegewezen. Ze woont ergens in de buurt van Manhattan; dat is zo ongeveer alles wat ik weet. De man was heel terughoudend over zijn privéleven.'
'Het spijt me dat ik je juist nu hiermee lastig val.'
'Doe niet zo idioot. Waar ben je?'
'In het mortuarium.'
'Hoe ben je daar gekomen?'
'Met de ambulance die Hayes' lichaam vervoerde.'
'Ik kom je ophalen.'
'Hoeft niet. Ik neem wel een taxi als ik met de patholoog-anatoom heb gesproken.'
'Hoe voel je je?' vroeg Shirley. 'Het moet een afschuwelijke ervaring zijn geweest.'
'Ik heb me wel eens beter gevoeld,' gaf Jason toe.
'Dan kom ik je ophalen.'
'En je gasten dan?' protesteerde Jason zwakjes. Hij voelde zich schuldig omdat hij haar etentje had geruïneerd, maar niet schul-

dig genoeg om haar aanbod af te slaan. Hij wist dat hij niet alleen kon zijn na de gebeurtenissen van deze avond.
'Die kunnen wel voor zichzelf zorgen,' zei Shirley. 'Waar ben je precies?'
Jason gaf haar wat aanwijzingen en hing toen op. Hij legde zijn hoofd in zijn handen en sloot zijn ogen.
'Sorry,' zei een diepe stem met een licht Iers accent. 'Bent u dokter Howard?'
'Inderdaad,' zei Jason en hij ging geschrokken rechtop zitten.
Er kwam een zwaargebouwde man de bibliotheek in. Hij had een breed gezicht, zware oogleden, een brede neus en vierkante kaken. Zijn haar was donker, met hier en daar een rode gloed.
'Ik ben rechercheur Michael Curran, afdeling moordzaken.' Hij stak een brede eeltige hand uit.
Jason gaf hem zijn hand, uit het evenwicht gebracht door de plotselinge verschijning van de rechercheur, die hem van top tot teen taxerend opnam.
'Een van de agenten, Mario, meldde dat u bij het slachtoffer was,' zei Curran en ging zitten.
'Onderzoekt u de dood van Hayes?'
'Een routinekwestie. Te oordelen naar de beschrijving van Mario was het een nogal dramatisch gebeuren. Ik wil niet dat er later vragen worden gesteld en dat ik moeilijkheden met mijn baas krijg.'
'Ik begrijp het,' zei Jason. De verschijning van Curran deed hem denken aan Hayes' bewering dat iemand hem wilde vermoorden. Hoewel de dood van de man eerder een natuurlijke oorzaak leek te hebben, besefte Jason dat hij voornamelijk was meegegaan naar het mortuarium om hier zekerheid over te krijgen.
'Ik moet u de gebruikelijke vragen stellen,' zei Curran. 'Was de dood van dokter Hayes naar uw mening te verwachten? Ik bedoel... was de man ziek?'
'Niet voor zover mij bekend is, hoewel ik de indruk had dat hij zich niet goed voelde toen ik hem vanmiddag en vanavond zag.'
Currans oogleden gingen iets omhoog. 'Hoe bedoelt u dat?'
'Hij zag er hondsberoerd uit. Toen ik hem dat zei, gaf hij toe dat hij zich niet lekker voelde.'
'Wat waren de symptomen?' vroeg de rechercheur, die een klein aantekenboekje te voorschijn had gehaald.
'Vermoeidheid, een maag die van streek was, last van zijn gewrichten. Ik dacht dat hij misschien koorts had, maar daar ben ik niet zeker van.'
'Wat vond u van die symptomen?'

'Ik was er niet gerust op,' gaf Jason toe. 'Ik heb hem gezegd dat hij beter eens naar mijn spreekkamer kon komen, om een aantal proeven te laten uitvoeren. Hij stond er echter op elkaar buiten het ziekenhuis te ontmoeten.'
'Waarom?'
'Ook daar ben ik niet zeker van.' Jason gaf een beschrijving van Hayes' ogenschijnlijk paranoïde gedrag en zijn verhaal over een wetenschappelijke doorbraak.
Nadat Curran dat alles had opgeschreven, keek hij op.
'Wat bedoelt u precies met paranoïde?' vroeg hij, nu duidelijk meer op zijn hoede.
'Hij zei dat iemand hem volgde en dat die hem en zijn zoon wilde vermoorden.'
'Heeft hij gezegd wie dat was?'
'Nee,' zei Jason. 'Om eerlijk te zijn dacht ik dat hij last had van waandenkbeelden. Hij gedroeg zich vreemd. Ik was bang dat hij een zenuwinzinking zou krijgen.'
'Juist.' Curran maakte weer een aantekening. Jason keek toe. De man had de eigenaardige gewoonte af en toe aan zijn pen te likken.
Op dat moment verscheen er een vrouw in de deuropening. Ze liep om de tafel heen naar Jason toe. Jason en de detective gingen meteen staan. De vrouw was klein, iets meer dan een meter vijftig. Ze stelde zich voor als dokter Margaret Danforth. Haar stem vormde een scherp contrast met haar lengte, en galmde in de ruimte.
'Gaat u zitten,' zei ze, glimlachend naar Curran, die ze blijkbaar kende.
Jason dacht dat de vrouw ergens tussen de vijfendertig en de veertig jaar oud moest zijn. Ze had een klein, fraai gevormd gezicht met sterk gebogen wenkbrauwen, die haar iets onschuldigs gaven. Haar haren waren kort geknipt en sterk krullend. Ze had een donkere, eenvoudige jurk aan met een kanten kraag. Het kostte Jason moeite zich voor te stellen dat zij een van de pathologen van Boston was.
'Wat is het probleem?' vroeg ze, direct ter zake. Er zaten donkere kringen onder haar ogen en Jason vermoedde dat ze al vanaf die ochtend vroeg aan het werk was.
'De onverwachte dood van een arts in een restaurant in North End,' antwoordde Curran, die op de achterpoten van zijn stoel balanceerde. 'Kennelijk heeft de man een grote hoeveelheid bloed uitgebraakt...'
'Opgehoest zou een betere term zijn,' onderbrak Jason hem.

'Hoezo?' vroeg Curran, die zijn stoel met een klap weer op zijn vier poten zette. Hij likte aan zijn pen om een correctie aan te brengen.
'Braken betekent dat het uit de maag afkomstig zou zijn. Dit bloed kwam echter duidelijk uit zijn longen. Het was felrood en schuimend.'
'Schuimend. Dat is een goed woord,' zei Curran, die zich voorover boog om de correctie aan te brengen.
'Ik neem aan dat het bloed uit een slagader was,' zei dokter Danforth.
'Dat denk ik wel,' antwoordde Jason.
'Hetgeen betekent...?' vroeg Curran.
'Waarschijnlijk een ruptuur van de aorta,' zei Danforth. Ze hield haar handen in haar schoot gevouwen, alsof ze ergens op theevisite was. 'De aorta is de grote ader die het hart verlaat,' voegde ze er omwille van Curran aan toe. 'Die vervoert zuurstofrijk bloed door het lichaam.'
'Dank u,' zei Curran.
'Het klinkt als longkanker of een aneurysma,' ging Danforth verder. 'Een aneurysma is een abnormale verwijding van een bloedvat.'
'Nogmaals mijn dank,' zei Curran. 'Het is wel zo gemakkelijk als mensen weten dat ik ergens niets van af weet.'
Jason moest even denken aan Peter Falk in de rol van inspecteur Columbo. Hij was er zeker van dat Curran van veel dingen iets af wist.
'Bent u dat met me eens, collega?' vroeg Danforth en ze keek Jason aan.
'Ik denk dat het longkanker is,' zei Jason. 'Hayes rookte erg veel.'
'Met die mogelijkheid moeten we dan zeker rekening houden.'
'Er is geen sprake van vuil spel?' vroeg Curran, die de patholoog-anatoom vanonder zijn wenkbrauwen aankeek.
Dokter Danforth lachte kort. 'Als de diagnose luidt zoals ik verwacht dat die zal luiden, is er alleen maar een vuil spelletje gespeeld door zijn Schepper, of door de tabaksindustrie.'
'Dat dacht ik al,' zei Curran, die zijn notitieboekje dichtsloeg en de pen opborg.
'Gaat u de autopsie nu verrichten?' vroeg Jason.
'Mijn hemel, nee!' antwoordde dokter Danforth. 'We zouden het kunnen doen als er een dringende reden voor bestond. Die is er echter niet. Morgenochtend zullen we het meteen doen. Rond half elf moeten de eerste resultaten bekend zijn, dus u kunt dan opbellen als u dat wilt.'

Curran legde zijn handen op de tafel, alsof hij wilde opstaan. In plaats daarvan zei hij: 'Dokter Howard heeft verklaard dat het slachtoffer dacht dat iemand hem wilde vermoorden. Dat klopt toch?'
Jason knikte.
'Dus... Zou u dat tijdens de autopsie in gedachten willen houden?' vroeg Curran aan dokter Danforth.
'Natuurlijk. We houden trouwens altijd rekening met alle mogelijkheden. Dat is onze taak. Als u me nu wilt excuseren? Ik zou graag naar huis gaan. Ik heb nog niet eens de tijd gehad om iets te eten.'
Jason voelde zich een beetje misselijk worden en vroeg zich af hoe Margaret Danforth honger kon hebben als ze de hele dag in lijken had gesneden. Toen ze de trap afliepen, verwoordde Curran tegenover hem die gedachte ook. Hij bood Jason een lift aan, maar Jason vertelde hem dat hij zou worden afgehaald door een vriendin. Zodra hij dat had gezegd, ging de buitendeur open en liep Shirley naar binnen.
'Een stuk!' zei Curran met een knipoog en hij liep door.
Shirley zag er inderdaad schitterend uit. Ze had een roodzijden, nauwsluitende japon aan met een brede leren ceintuur. Ze straalde zoveel leven en vitaliteit uit, dat ze in het vieze mortuarium totaal niet op haar plaats leek te zijn. Jason voelde de irrationele drang om haar zo snel mogelijk mee te nemen, bang dat ze door een kwade kracht zou worden beroerd. Zij verzette zich daar echter tegen. Ze had haar armen om zijn hals geslagen en drukte zijn hoofd tegen het hare, met een gemeend vertoon van medeleven. Jason voelde dat hij zich ontspande. Die reactie verbaasde hem. Hij merkte zelfs dat hij tegen zijn tranen moest vechten, alsof hij een puber was, en wist zich met zijn houding niet zo goed raad.
Toen liet ze hem een beetje los om hem te kunnen aankijken. Hij slaagde erin te grijnzen. 'Wat een dag!'
'Wat een dag!' herhaalde ze instemmend. 'Moet je om de een of andere reden nog hier blijven?'
Jason schudde zijn hoofd.
'Dan neem ik je mee naar huis,' zei ze en trok hem snel mee naar buiten, waar ze haar BMW had neergezet op een plaats waar parkeren verboden was. Ze stapten in en ze startte snel de motor.
'Alles in orde met jou?' vroeg Shirley toen ze naar Massachusetts Avenue reden.
'Ik voel me al veel beter.' Jason keek naar Shirleys profiel, dat af en toe verlicht werd door het schijnsel van lantarenpalen. 'Ik voel

me een beetje overdonderd door al die sterfgevallen, alsof ik daar persoonlijk iets aan had moeten doen.'
'Je bent te streng voor jezelf. Je kunt je niet voor iedereen verantwoordelijk voelen. Bovendien was Hayes geen patiënt van jou.'
'Dat weet ik.'
Ze reden een tijdje zwijgend verder. Toen zei Shirley: 'Het is tragisch van Hayes. Hij was zo ongeveer een genie en kan niet ouder geweest zijn dan vijfenveertig.'
'Hij was even oud als ik,' zei Jason. 'We waren jaargenoten toen we studeerden.'
'Dat wist ik niet. Hij zag er veel ouder uit.'
'Vooral de laatste tijd,' zei Jason.
Ze passeerden Symphony Hall, waar mensen in avondkleding net naar buiten kwamen.
'Wat had de patholoog te melden?' vroeg Shirley.
'De autopsie wordt morgenochtend pas verricht, maar de doodsoorzaak is vermoedelijk kanker.'
'Een autopsie? Wie heeft daar opdracht toe gegeven?'
'Dat hoeft niemand te doen als er door de patholoog vraagtekens worden gezet achter de doodsoorzaak.'
'Waarom is dat dan gebeurd? Je zei toch dat de man een hartaanval had gekregen.'
'Dat heb ik niet gezegd. Ik zei dat het iets dergelijks was. In ieder geval is het kennelijk gebruikelijk dat er na een onverwachte dood een autopsie wordt verricht. Er was zelfs een detective bij, die mij enige vragen heeft gesteld.'
'Het lijkt me verspilling van het geld van de belastingbetalers,' zei Shirley en ze draaide linksom, Beacon Street in.
'Waar gaan we heen?' vroeg Jason ineens.
'Ik neem je mee naar mijn huis. Mijn gasten zijn er nog wel en wat afleiding zal je goed doen.'
'Nee, geen sprake van,' reageerde Jason. 'Ik heb geen enkele behoefte aan het gezelschap van andere mensen.'
'Weet je dat zeker? Ik wil niet dat je gaat zitten tobben. Die gasten van me zullen het heus wel begrijpen als je een beetje afwezig bent.'
'Shirley, ik ben te moe om te gaan discussiëren. Ik heb slaap nodig, en ik voel me een wrak.'
'Best, als je het zo stelt,' zei Shirley, die bij de volgende zijstraat linksaf sloeg, toen weer linksaf Commonwealth Avenue op, richting Beacon Hill. 'Ik ben bang dat de dood van Hayes een zware slag voor het GHP zal zijn,' zei ze na een stilte. 'We rekenden erop dat hij opzienbarende resultaten zou boeken. Ik zal het wel zwaar

te verduren krijgen, omdat ik degene ben die hem in dienst heeft genomen.'

'Ook jij kunt je niet verantwoordelijk voelen voor zijn lichamelijke conditie, zoals je mij daarnet hebt voorgehouden,' reageerde Jason.

'Dat weet ik, maar probeer jij dat maar eens duidelijk te maken aan de Raad van Bestuur!'

'In dat geval denk ik dat ik nog meer slecht nieuws voor je heb,' zei Jason. 'Hayes was ervan overtuigd dat hij een belangrijke wetenschappelijke doorbraak had gerealiseerd. Iets heel bijzonders. Weet jij daar iets van af?'

'Niets!' zei Shirley geschrokken. 'Heeft hij je er meer over verteld?'

'Helaas niet,' antwoordde Jason. 'Verder was ik er niet zeker van of ik hem nu wel of niet moest geloven. Hij gedroeg zich op zijn zachtst gezegd nogal vreemd en beweerde dat iemand hem wilde vermoorden.'

'Denk je dat hij een zenuwinzinking had?'

'Ik heb aan die mogelijkheid gedacht.'

'Die arme man. Als hij inderdaad een heel belangrijke ontdekking heeft gedaan, lijdt het GHP een dubbel verlies.'

'Als er sprake van een dergelijke ontdekking is, kunnen we die dan niet achterhalen?'

'Je hebt Hayes duidelijk niet gekend,' zei Shirley. 'Hij was een buitengewoon eenzelvig man, zowel op het persoonlijke als op het professionele vlak. De helft van wat hij wist, was alleen in zijn hoofd opgeslagen.'

Ze reden om Boston Garden heen, toen via de randweg naar Beacon Hill, een fraaie woonwijk in het centrum van Boston, waar het rijden bemoeilijkt werd door de vele straten met eenrichtingverkeer.

Nadat Shirley Charles Street was overgestoken, reed ze Mt. Vernon Street in en draaide Louisburg Square op. Toen Jason had besloten zijn woning in een voorstad op te geven om het eens in de stad zelf te proberen, had hij het geluk gehad een klein appartement te vinden dat uitkeek op dat plein. Het bevond zich in een groot huis, waarvan een deel door de eigenaar werd bewoond, die er echter zelden was. Een perfect plekje voor Jason, omdat er bij het appartement ook een eigen parkeerplaats hoorde, iets wat in Boston goud waard was.

Jason stapte de auto uit en boog naar het geopende portierraampje. 'Bedankt voor het ophalen. Dat heeft veel voor me betekend.' Hij kneep even in Shirleys schouder.

Shirley pakte plotseling Jasons das vast en trok zijn hoofd naar het hare toe. Toen drukte ze haar lippen even hard op de zijne, trapte het gaspedaal in en reed weg.
Jason bleef op het trottoir staan, in de lichtcirkel van de straatlantaren, en keek toe hoe ze richting Pinckney Street verdween. Toen draaide hij zich om en zocht naar zijn huissleutel. Hij was blij dat ze in zijn leven was gekomen en dacht voor het eerst na over de mogelijkheid van een echte relatie.

3

Het was geen rustige nacht geweest. Iedere keer als Jason zijn ogen dichtdeed, had hij de vragende uitdrukking op Hayes' gezicht gezien, vlak voor de catastrofe begon. Telkens had hij dat afschuwelijke gevoel van hulpeloosheid weer gekregen dat hem had overvallen toen hij Hayes had zien leegbloeden.
Ook onderweg naar zijn werk dacht hij er nog steeds aan en hij herinnerde zich toen dat hij iets vergeten was te vertellen zowel aan Curran als aan Shirley. Hayes had gezegd dat zijn ontdekking geen geheim meer was en al werd gebruikt. Wat dat dan ook mocht betekenen. Jason nam zich voor in de kliniek meteen de detective te bellen, maar zodra hij binnenkwam, werd hij naar de intensive care geroepen.
Het ging heel erg slecht met Brian Lennox. Nadat Jason hem even had onderzocht, besefte hij dat hij maar weinig voor de man kon doen. Henry Sarnoff, die het door Jason aangevraagde cardiologische onderzoek had verricht, was al evenmin optimistisch gestemd, maar had wel beloofd zijn onderzoek die ochtend voort te zetten. De enige hoop op redding zou eventueel een operatie kunnen zijn.
'Moeten we een poging tot reanimatie in werking stellen als er sprake is van een hartstilstand?' vroeg een van de verpleegsters hem. 'Zelfs zijn nieren lijken nu niet meer te functioneren.'
Jason haatte dergelijke beslissingen, maar zei vastberaden dat er in zo'n geval wel degelijk gereanimeerd moest worden, zeker tot alle resultaten van het onderzoek van dokter Sarnoff bekend waren.
De rest van Jasons ronde verliep al even beroerd. De patiënten met suikerziekte gingen er niet op vooruit. Bij twee van hen werkten de nieren niet goed en bij de derde dreigde dat te gebeuren. Het beroerde was dat ze niet om die reden in het ziekenhuis waren opgenomen. Die nierkwaal had zich aangediend terwijl Jason hen voor andere symptomen behandelde.
Jasons twee leukemie-patiënten reageerden ook heel anders dan verwacht op de behandeling. Beiden hadden ernstige hartproblemen gekregen, terwijl ze waren opgenomen voor ademhalingsmoeilijkheden. Met zijn twee AIDS-patiënten ging het plotseling

snel bergafwaarts. De enigen met wie het goed ging waren twee jonge meisjes met een leverontsteking.
De laatste patiënt was een vijfendertigjarige man, die was opgenomen om zijn hartkleppen te controleren. Als kind had hij last gehad van reumatische koortsen. Gelukkig was zijn toestand stabiel.
Toen Jason naar zijn kamer liep, merkte hij dat het bericht over Hayes' dood in de kliniek al algemeen bekend was. Claudia was verschrikkelijk nieuwsgierig, maar Jason weigerde erover te praten. Ze bleef vragen stellen en hij beval haar terug te gaan naar de balie. Later bood hij zijn verontschuldigingen aan en vertelde in het kort wat er was gebeurd. Om half elf kreeg hij een telefoontje van Henry Sarnoff, die hem slecht nieuws te melden had. De conditie van de kransslagader van Brian Lennox was heel beroerd. Er was sprake van een zich snel uitbreidende atherosclerose en een operatie was zinloos. Sarnoff zei dat hij nog nooit zo'n snelle ontwikkeling op dit gebied had gezien, en vroeg Jason toestemming er een verslag van te maken. Jason zei dat hij daar geen enkel bezwaar tegen had.
Na Sarnoffs telefoontje bleef Jason enige minuten stil zitten. Nadat hij zich emotioneel had voorbereid, belde hij de intensive care en vroeg naar de verpleegster die Brian Lennox verzorgde. Toen zij aan de telefoon kwam, besprak hij met haar de resultaten van Sarnoffs onderzoek. Toen vertelde hij haar dat hij afzag van eventuele reanimatie. Het lijden van de man hoefde niet onnodig te worden gerekt nu zijn toestand hopeloos was. Zij was het met hem eens. Nadat hij de hoorn weer op de haak had gelegd, staarde hij naar het toestel. Op momenten als deze vroeg hij zich af waarom hij ooit medicijnen was gaan studeren.
In de lunchpauze besloot Jason de resultaten van de autopsie van Hayes persoonlijk te gaan bekijken. In het daglicht zag het mortuarium er minder griezelig uit - niets anders dan een vervallen, niet al te schoon gebouw. Zelfs de Egyptische motieven waren eerder grappig dan indrukwekkend. Jason liep meteen door naar het smalle kantoor van Margaret Danforth, naast de bibliotheek. Ze zat over haar bureau gebogen en at iets dat eruit zag als een hamburger. Ze gebaarde hem glimlachend dat hij binnen moest komen.
'Welkom.'
'Het spijt me dat ik stoor,' zei Jason en ging zitten. Opnieuw verbaasde hij zich erover dat een zo klein, vrouwelijk type als Margaret een lijkschouwer was.
'Dat hindert niet. Ik heb Hayes vanmorgen onder handen gehad.'

Ze leunde achterover in haar stoel, die zacht kraakte. 'Ik was een beetje verbaasd. Het was geen kanker.'
'Wat was het dan wel?'
'Een aneurysma van de aorta, waardoor de luchtpijp is doorboord. De man heeft toch nooit syfilis gehad?'
Jason schudde het hoofd. 'Niet dat ik weet. Ik betwijfel of dat ooit het geval is geweest.'
'Het zag er vreemd uit,' zei Margaret. 'Vindt u het erg als ik verder eet? Over een paar minuten moet ik met een volgende autopsie beginnen.'
'Helemaal niet,' zei Jason en vroeg zich meteen weer af hoe ze een hap door haar keel kon krijgen. Zijn eigen maag was lichtelijk opstandig. In het gebouw hing een onaangename lucht.
'Wat zag er vreemd uit?'
Margaret kauwde, slikte een hap door. 'De aorta zag er bros, brokkelig uit. Net als de luchtpijp, trouwens. Iets dergelijks heb ik nog nooit gezien, behalve bij een autopsie die ik heb verricht op een man die honderdveertien jaar was geworden. Kunt u zich dat voorstellen? Er heeft een heel verhaal over in *The Globe* gestaan. Hij was vierenveertig toen de Eerste Wereldoorlog uitbrak. Verbazingwekkend!'
'Wanneer zal het rapport van het microscopisch onderzoek klaar zijn?'
'Over twee weken,' zei Margaret met een verontschuldigend gebaar. 'We krijgen te weinig geld om voldoende personeel te kunnen aantrekken. Dus duurt het vrij lang voordat dergelijke rapporten zijn geschreven.'
'Als ik wat materiaal mag meenemen, zouden we op ons eigen lab het een en ander kunnen onderzoeken.'
'Ik hoop dat u er begrip voor zult kunnen opbrengen dat wij dat zelf moeten doen.'
'Het is niet mijn bedoeling die taak van u over te nemen,' zei Jason. 'Maar daarnaast kunnen wij ook een onderzoek verrichten, om de resultaten wat sneller te krijgen.'
'Tsja, waarom niet?' Margaret stond op, nam nog een grote hap van haar hamburger en gaf Jason een teken dat hij haar moest volgen. Ze liepen een trap op, naar de autopsieruimte.
Dat was een lange, rechthoekige kamer met vier tafels van roestvrij staal, die loodrecht op de langste muur stonden. De geur van formaldehyde en andere vloeistoffen was bedwelmend. Twee tafels waren bezet, de andere twee werden net schoongemaakt. Margaret voelde zich in die omgeving volkomen thuis en kauwde nog op het laatste hapje van haar lunch terwijl ze naar het aan-

recht liep. Daar bekeek ze een hele reeks flessen met plastic doppen en zette er een paar apart. Toen haalde ze, stuk voor stuk, de inhoud eruit, legde die op een snijplank neer en sneed er een stukje af met iets dat veel leek op een gewoon keukenmes. Toen pakte ze een paar schone flesjes, plakte daar etiketten op, deed er formaldehyde in en vervolgens de stukjes die ze had afgesneden. Toen ze daarmee klaar was, stopte ze de flesjes in een papieren zak en gaf die aan Jason. Het was allemaal heel efficiënt uitgevoerd.

Terug in de kliniek liep Jason door naar de afdeling pathologie, waar hij dokter Jackson Madsen aantrof achter zijn microscoop. Dokter Madsen was een lange, magere man, die er trots op was dat hij op zijn zestigste nog steeds marathons liep. Zodra hij Jason zag, uitte hij zijn medeleven met de geschiedenis met Hayes.

'Hier blijft ook niet veel geheim,' constateerde Jason een beetje zuur.

'Natuurlijk niet,' zei Jackson. 'In sociaal opzicht is dit medisch centrum net een dorp. Het gedijt op roddel.' Hij zag de bruinpapieren zak. 'Heb je iets voor me?'

Jaon vertelde hem wat er in de flesjes zat, en hij voegde daaraan toe dat het twee weken zou duren voordat het lab van de lijkschouwer het onderzoek zou hebben afgerond. Daarna vroeg hij of Jackson er bezwaar tegen zou hebben de meegebrachte specimens te onderzoeken.

'Dat zal ik met alle plezier voor je doen,' zei Jackson, die de zak van Jason overnam. 'Tussen haakjes: wil je mijn bevindingen horen over Harring?'

Jason slikte. 'Natuurlijk.'

'Hartruptuur. De eerste die ik in jaren heb gezien. Opengebarsten linker hartkamer. Vrijwel het hele hart lijkt bij het infarct betrokken te zijn geweest, evenals alle kransslagaders. Iets dergelijks had ik echt in jaren niet meer gezien.'

Wat stellen preventieve onderzoeken in 's hemelsnaam voor, dacht Jason. Hij vond het nodig zichzelf te verdedigen door Jackson te vertellen dat hij Harrings medische dossier nog eens heel aandachtig had bestudeerd, en op een ECG dat nog geen maand voor Harrings dood was gemaakt, niets bijzonders had kunnen ontdekken.

'Misschien moet je die apparaten van je dan maar eens laten controleren,' zei Jackson. 'De conditie van het hart van die man was beroerd. Morgen zijn de resultaten van het microscopisch onderzoek bekend.'

Jason liep de afdeling pathologie af en dacht na over Jacksons opmerkingen. Het idee dat er met een apparaat iets mis kon zijn, was nog niet bij hem opgekomen. Maar toen hij zijn kamer had bereikt, was hij al tot de conclusie gekomen dat dat onmogelijk was. Als het apparaat niet fatsoenlijk werkte hadden ze dat op allerlei manieren moeten merken. Bovendien werden de normale ECG's en de stress-ECG's door verschillende apparaten gemaakt. Toen hij daarover nadacht bedacht hij opeens iets anders. Hayes moest voor zijn aanstelling in de kliniek medisch zijn onderzocht, net zoals dat met hem en met ieder ander was gebeurd.
Nadat Claudia hem de telefonisch binnengekomen boodschappen had doorgegeven, vroeg hij haar eens na te gaan of er een medisch dossier van dokter Alvin Hayes was, en dat voor hem te halen als dat inderdaad het geval was. In de tussentijd ontliep hij Sally en ging naar de afdeling radiologie, om te kijken of daar röntgenfoto's van Hayes waren. Dat bleek zo te zijn. Zes maanden tevoren waren zuiver routinematig röntgenfoto's van de borstkas van de man gemaakt. Hij bekeek de film even en ging er toen mee naar een van de vier radiologen, Milton Perlman. Jason beschreef Hayes' dood en vertelde zijn collega de bevindingen van de autopsie. Toen overhandigde hij hem de film. Samen liepen ze naar Miltons spreekkamer, waar de radioloog de foto's een volle minuut lang zwijgend bekeek.
'Geen sprake van een aneurysma,' zei hij toen. 'De aorta ziet er normaal uit. Niet verkalkt.'
'Hoe kan het dan gebeurd zijn?' vroeg Jason.
'Tsja.' Milton controleerde de naam op de film. 'Natuurlijk bestaat de kans dat we namen hebben verwisseld, maar dat betwijfel ik toch sterk. Als de man is overleden aan de gevolgen van een aneurysma, moet dat de afgelopen maand zijn ontstaan.'
'Ik heb nog nooit gehoord dat zoiets kan gebeuren.'
'Wat kan ik verder nog zeggen?' zei Milton en hij hief zijn handen ten hemel.
Jason liep naar zijn eigen spreekkamer terug en dacht verder over het probleem na. Een aneurysma kon snel groter worden, vooral wanneer er sprake was van een vaatziekte in combinatie met hoge bloeddruk. Hij bekeek Hayes' medische dossier, dat inmiddels was gevonden, en zag dat zijn bloeddruk en harttonen normaal waren geweest. Er zat weinig anders op dan de resultaten van het laboratoriumonderzoek af te wachten. Misschien had Hayes een vreemde besmettelijke ziekte opgelopen, die zijn bloedvaten en zijn aorta had aangetast. Voor het eerst vroeg Jason zich af of hij te maken had met het begin van een nieuwe

en afschuwelijke ziekte.
Hij verruilde zijn colbertje voor een witte jas, liep zijn spreekkamer uit en botste bijna tegen Sally op.
'Je ligt achter op je schema!' zei ze berispend.
'Wat dan nog?' vroeg Jason en liep naar onderzoekkamer A.
Door een combinatie van hard werken en meevallers wist Jason de opgelopen achterstand weer in te lopen. De meevallers waren dat er die dag geen nieuwe patiënten waren die uitgebreid moesten worden onderzocht, en ook geen bekende patiënten met nieuwe problemen. Om drie uur kon hij zelfs even een pauze inlassen, omdat een patiënt de afspraak had afgezegd.
De hele middag lang kon Jason de affaire-Hayes niet uit zijn gedachten zetten. Nu hij even wat tijd vrij had, ging hij naar de bovenste verdieping, waar het laboratorium van dokter Alvin Hayes was ondergebracht. Misschien dat Hayes' assistente er enig idee van had of de man werkelijk een belangrijke doorbraak had gerealiseerd.
Zodra Jason de lift uit stapte, had hij het gevoel in een andere wereld te zijn beland. De Raad van Bestuur had, als lokkertje voor Hayes, een splinternieuw laboratorium laten bouwen, dat een groot deel van die verdieping in beslag nam.
Bij de lift, in de ontvangstruimte, stonden gemakkelijke leren stoelen. Er lag hoogpolig tapijt en Jason zag zelfs een boekenkast waarin recente werken over de moleculaire biologie stonden. Naast de ontvangstruimte lag een kamer waarin bezoekers witte jassen moesten aantrekken, evenals beschermhoezen over hun schoenen. Jason draaide aan de deurknop. De deur bleek open te zijn en hij liep naar binnen.
Snel trok hij jas en beschermers aan en probeerde de binnendeur. Zoals hij al had verwacht, was die op slot. Naast de deur zag hij een bel. Daar drukte hij op en wachtte. Boven de deurpost zag hij een rood lichtje knipperen op een televisiecamera. Toen ging de deur open en liep Jason naar binnen.
Het lab was verdeeld in twee afdelingen. De eerste was wit betegeld en voorzien van witte formica meubels. Het bestond uit een grote ruimte en verscheidene kantoren aan een kant daarnaast. Door de neonlampen had het geheel iets duizelingwekkends. Overal zag Jason geavanceerde apparatuur, die hem volslagen onbekend was. De eerste afdeling werd van de tweede gescheiden door een afgesloten stalen deur. Op een bordje daarnaast stond: VERBODEN TOEGANG. DIEREN EN BACTERIOLOGISCHE KWEKEN.
Bij een van de grote tafels op de eerste afdeling zat een hoogblonde vrouw, die Jason wel eens in de cafetaria van de kliniek

had gezien. Ze had een scherp gezicht, een vrij grote neus en haren die strak in een knotje waren opgestoken. Jason zag dat haar ogen rood waren, alsof ze had gehuild.
'Ik ben dokter Jason Howard,' zei hij en stak zijn hand uit. 'Het spijt me dat ik u stoor.' Ze gaf hem een hand; haar huid voelde koel aan.
'Hélène Brennquivist,' zei ze met een licht Scandinavisch accent.
'Hebt u even tijd voor me?'
Hélène reageerde niet. In plaats daarvan deed ze haar aantekenboekje dicht en schoof een stapel petrischalen opzij.
'Ik zou u een paar vragen willen stellen,' ging Jason verder. Hij zag dat ze het griezelige vermogen had een volkomen neutrale uitdrukking aan te nemen.
'Is dit, of was dit het laboratorium van dokter Hayes?' vroeg Jason met een weids handgebaar.
Ze knikte.
'Ik neem aan dat u met dokter Hayes samenwerkte?'
Weer een knikje, minder duidelijk dan het eerste. Jason had het gevoel dat de vrouw zich al in de verdediging gedrongen voelde.
'Ik neem aan dat u het trieste nieuws over dokter Hayes al heeft gehoord?' Ditmaal knipperde ze met haar ogen en Jason meende tranen te zien glanzen.
'Ik was bij dokter Hayes toen hij overleed,' zei Jason en hij keek Hélène heel aandachtig aan. Afgezien van die waterige ogen leek ze volslagen emotieloos en Jason vroeg zich af of verdriet zich ook op deze manier kon manifesteren. 'Vlak voordat Hayes overleed, vertelde hij me dat hij een belangrijke wetenschappelijke doorbraak had gerealiseerd...'
Jason ging niet verder, hopend op een reactie. Die kwam niet. Hélène staarde hem alleen aan.
'Wel, was daar sprake van?' vroeg Jason en hij boog zich naar haar toe.
'Ik wist niet dat u was uitgesproken. Het was geen vraag, weet u,' zei ze.
'Inderdaad,' gaf Jason toe. 'Ik hoopte alleen dat u zou reageren, en ook dat u weet waar dokter Hayes op doelde.'
'Ik ben bang van niet. Andere mensen hebben me inmiddels al dezelfde vraag gesteld. Ik heb er helaas geen idee van waar dokter Hayes op kan hebben gedoeld.'
Jason bedacht dat Shirley die ochtend wel meteen naar deze vrouw zou zijn gegaan.
'Bent u verder de enige die hier in het laboratorium heeft gewerkt?'

'Inderdaad. We hadden een secretaresse, maar die heeft dokter Hayes drie maanden geleden ontslagen. Hij had het idee dat ze haar mond niet dicht kon houden.'
'Ten aanzien van wat? Waarover mocht ze niet praten?'
'Van alles en nog wat. Dokter Hayes was een zeer eenzelvige man, vooral waar het zijn werk betrof.'
'Dat begin ik te beseffen,' zei Jason. Zijn aanvankelijke indruk dat Hayes paranoïde was, leek te worden bevestigd. Toch hield hij vol. 'Wat voor werk doet u precies, mevrouw Brennquivist?'
'Ik ben moleculair bioloog, net als dokter Hayes, maar lang niet zo begaafd als hij. Ik maak gebruik van bepaalde recombinante DNA-technieken om een colibacil, een bacterie, in verschillende proteïnen te veranderen waar dokter Hayes belangstelling voor had.'
Jason knikte, alsof hij het begreep. Hij had de term 'recombinante DNA' wel eens gehoord, maar had er slechts een heel vaag idee van wat dat betekende. Na zijn studie was er op dat terrein werkelijk sprake geweest van een explosieve kennistoename. Een ding herinnerde hij zich echter wel: de angst van velen dat nieuwe DNA-combinaties bacteriën zouden kunnen produceren die nieuwe en onbekende ziekten konden veroorzaken. Denkend aan Hayes' onverwachte dood, vroeg hij: 'Hadden jullie hier nieuwe en potentieel gevaarlijke strengen geproduceerd?'
'Nee,' zei Hélène zonder aarzelen.
'Hoe kun je daar zo zeker van zijn?'
'Om twee redenen. In de eerste plaats heb ik die proeven verricht, en niet dokter Hayes. In de tweede plaats gebruiken we colibacillen die buiten een laboratorium niet kunnen groeien.'
'O,' zei Jason en hij knikte bemoedigend.
'Dokter Hayes was geïnteresseerd in groei en ontwikkeling. Het merendeel van zijn tijd was hij bezig met het isoleren van de groeifactoren uit de axis tussen de hypothalamus en de hypofyse, die verantwoordelijk zijn voor de puberteit en de seksuele ontwikkeling. Groeifactoren zijn proteïnen. Ik twijfel er niet aan dat u dat weet.'
'Natuurlijk.' *Wat een eigenaardige vrouw,* dacht Jason. In eerste instantie had ze haar mond nauwelijks opengedaan, maar nu ze zich op wetenschappelijk terrein bevond, kon ze uitstekend uit haar woorden komen.
'Dokter Hayes gaf me een proteïne en dan probeerde ik die te produceren aan de hand van recombinante DNA-technieken. Dat ben ik hier ook aan het doen.' Ze draaide zich om naar een stapel petrischalen, pakte er een, haalde het deksel eraf. Toen liet ze

hem aan Jason zien. Hij zag witte klompjes van bacteriologische kolonies.
Hélène zette de schaal weer weg. 'Dokter Hayes was gefascineerd door het aan- en uitzetten van genen, om het maar eens populair te zeggen, het evenwicht tussen repressie en expressie en de rol van de repressieve-proteïnen. Hij heeft het groeihormoon-gen als prototype gebruikt. Wilt u soms zijn laatste schematische voorstelling van chromosoom 17 zien?'
'Natuurlijk,' zei Jason en hij dwong zichzelf te glimlachen.
Er ging een zoemer, waardoor het zachte geruis van de elektronische apparatuur even onhoorbaar werd. Voor Hélène lichtte een scherm op en daarop zagen ze vier mensen en een hond in de hal. Jason herkende twee van hen meteen: Shirley Montgomery en detective Michael Curran. De andere twee waren onbekenden voor hem.
'O, mijn hemel,' zei Hélène en ze stak een hand uit naar een drukknop.
Jason ging staan toen de mensen het laboratorium binnen kwamen. Shirley keek even verbaasd toen ze Jason zag, maar stelde toen detective Curran rustig aan Hélène voor. Zodra de agent Hélène vragen begon te stellen, pakte Shirley Jasons arm vast en nam hem mee naar het dichtstbijzijnde kantoor, dat van Hayes moest zijn geweest. Aan de muren hingen foto's van menselijke geslachtsorganen tijdens de verschillende stadia van de puberteit. Ze waren allemaal ingelijst in roestvrij stalen lijsten.
'Interessante decoratie,' merkte Jason droog op.
Shirley deed alsof ze de foto's niet eens zag. Haar gewoonlijk zo rustige gezicht stond nu bezorgd en geïrriteerd.
'Deze affaire begint uit de hand te lopen.'
'Hoezo?'
'De politie heeft gisteravond een anonieme tip gekregen dat dokter Alvin Hayes een drugshandelaar was. Ze hebben zijn appartement doorzocht, en een aanzienlijke hoeveelheid heroïne, cocaïne en contant geld gevonden. Nu hebben ze een gerechtelijk bevel om zijn laboratorium te onderzoeken.'
'Mijn god,' zei Jason, die opeens de aanwezigheid van de hond begreep.
'En verder hebben ze ook nog ontdekt dat hij met een vrouw samenwoonde die Carol Donner heet.'
'Die naam klinkt bekend.'
'Dat zou niet mogen,' zei Shirley streng. 'Carol Donner werkt als exotische danseres in de nachtclub *Cabaret* in de Combat Zone.'
'Mijn hemel!' zei Jason grinnikend.

'Jason, dit is absoluut niet om te lachen!' reageerde Shirley boos.
'Ik lach niet. Ik ben alleen superverbaasd.'
'Als jij dat al bent, hoe zal de Raad van Bestuur hier dan op reageren? En dan te bedenken dat ik erop heb gestaan Hayes in dienst te nemen. De dood van die man was al beroerd genoeg. Dit wordt nog een ware nachtmerrie voor onze public relations.'
'Wat ga je nu doen?'
'Ik heb geen flauw benul,' gaf Shirley toe. 'Op dit moment zegt mijn intuïtie me dat het het beste is zo weinig mogelijk te ondernemen.'
'Wat denk je over die zogenaamde doorbraak van Hayes?'
'Ik denk dat die man aan het fantaseren was. Mijn hemel, hij heeft zich ingelaten met verdovende middelen en een soort buikdanseres!'
Ze liep terug naar de grote laboratoriumruimte, waar detective Curran nog altijd druk met Hélène aan het praten was. De twee andere mannen en de hond doorzochten het lab methodisch. Jason keek nog even toe en excuseerde zich toen, om naar zijn spreekkamer terug te gaan. Hij moest nog een aantal patiënten in de polikliniek behandelen en moest daarna nog zijn ronde doen. Hij was er nu van overtuigd dat Hayes op de rand van een zenuwinzinking had gestaan, en niet aan het begin van een doorbraak. Voordat hij naar huis ging, liep hij echter toch bij de bibliotheek langs om een boekje mee te nemen met de titel *Recombinante DNA: een inleiding voor leken.*
Het was zoals gewoonlijk druk op het spitsuur en toen Jason voor zijn appartement de handrem aantrok, was hij blij dat hij weer heelhuids thuis was gekomen. Hij nam zijn aktentas mee naar boven en zette die neer op het bureau, in de kleine studeerkamer met uitzicht op het plein. De nu bladerloze olmen staken als skeletten tegen de lucht af, die al donker was, al was het pas kwart voor zeven. Jason trok een joggingpak aan en rende Mt. Vernon Street af, stak Storrow Drive over en ging verder langs de Charles. Pas bij de universiteit van Boston draaide hij om. Er waren, anders dan in de zomer, maar weinig mensen aan het joggen. Op de terugweg hield hij even halt bij een winkel om wat verse vis te kopen, evenals alle ingrediënten voor een salade en een fles Californische Chardonnay-wijn.
Jason kookte graag en nadat hij een douche had genomen, stoofde hij de vis met een beetje knoflook en olijfolie. Daarna was de sla aan de beurt. Toen haalde hij de wijn uit de ijskast en schonk voor zichzelf een glas in, waarna hij alles op een dienblad zette en dat meenam naar zijn studeerkamer. Hij pakte het boekje

over DNA en ging op zijn gemak zitten.
Het eerste deel van het boekje was een soort overzicht. Jason wist dat desoxyribonucleïnezuur, beter bekend als DNA, een molecule was die was gevormd als een spiraalvormige, dubbel gewonden keten. Die ketens waren als traptreden met elkaar verbonden door de kernbasen, die de eigenschap hadden zich op heel specifieke manieren met elkaar te verbinden. Bepaalde DNA-moleculen werden genen genoemd en ieder gen bracht een aparte proteïne voort.
Jason nam een slokje wijn en wilde verder lezen. Het boek was goed en helder geschreven. Hij vond sommige details interessant, zoals het feit dat iedere menselijke cel vier biljoen basisparen had. Het volgende deel van het boek ging over bacteriën, en het gegeven dat die zich snel en gemakkelijk konden vermenigvuldigen. Binnen enkele dagen konden triljoenen identieke cellen uit een enkele cel zijn ontstaan. Dat was belangrijk, omdat genetici bacteriën gebruikten als 'ontvangers' van kleine DNA-fragmenten. Dat 'vreemde' DNA werd dan opgenomen binnen het eigen DNA van zo'n bacterie, waarna bij celdeling de oorspronkelijke fragmenten weer vrijkwamen. De bacterie met het 'nieuwe' DNA-materiaal werd een recombinante streng genoemd, en de nieuwe DNA-molecule recombinante DNA. Tot dusver begreep hij het allemaal nog wel.
Jason at wat vis en sla en spoelde die weg met wijn. Het volgende hoofdstuk werd iets ingewikkelder. Dat behandelde hoe de genen in de DNA-molecule hun respectievelijke proteïnen produceerden. In eerste instantie werd er een kopie van het DNA-segment gemaakt met een molecule die 'boodschapper-DNA' werd genoemd. Het boodschapper-DNA dirigeerde vervolgens de produktie van het proteïne, door middel van een proces dat transcriptie werd genoemd. Jason nam nog een slokje wijn. Het laatste deel van het hoofdstuk was bijzonder interessant, omdat daarin werd verklaard waardoor genen geactiveerd of juist gedeactiveerd werden.
Jason stond op uit zijn bureaustoel en liep via de huiskamer de keuken in. Daar schonk hij voor zichzelf nog een glas wijn in. In zijn studeerkamer ging hij even voor het raam staan en staarde naar buiten, naar de lichtjes in het St. Margaretklooster aan de overkant. Hij vond het nog altijd amusant dat er een klooster in de meest favoriete wijk van Boston stond: 'Laat de materialistische wereld achter u, word non en verhuis naar Louisburg!' Jason glimlachte, ging zitten en nam het boek weer ter hand. Hij las de paragrafen over de expressiviteit van genen. Het was gecompli-

ceerd en fascinerend. Het bleek dat men ongelooflijk veel proteïnen had ontdekt die dienden als repressor van functies van genen. Die proteïnen hechtten zich aan het DNA vast, of zorgden ervoor dat het DNA zich opkrulde, waardoor de desbetreffende genen werden ingekapseld.

Jason deed het boek dicht. Hij had genoeg gelezen. Bovendien wist hij nu dat hij onbewust op zoek was geweest naar die verhandeling over de controle op functies van genen. Toen hij die las, moest hij meteen denken aan de opmerking van Hélène, en van Hayes zelf, over diens belangstelling voor het 'aan- en uitzetten' van genen.

Jason pakte zijn glas en liep de huiskamer in. Terwijl hij afwezig met een hand over de kristallen kandelaars op de schoorsteenmantel streek, dacht hij na over de diverse mogelijkheden. Wat kon Hayes hebben bedoeld toen hij het had gehad over een belangrijke wetenschappelijke doorbraak? Jason weigerde nu even aan de mogelijkheid te denken dat Hayes last had gehad van waandenkbeelden, of aan grootheidswaanzin had geleden. Hij was tenslotte een wetenschappelijk onderzoeker van wereldformaat geweest en had keihard gewerkt. Dus was er een kans dat hij de waarheid had gesproken. Als hij een ontdekking had gedaan, moest die te maken hebben met het activeren of deactiveren van genen, en waarschijnlijk ook met groei en ontwikkeling. Jason dacht even terug aan de foto's van de genitaliën.

Hij werd uit zijn overpeinzingen gehaald door het rinkelen van de telefoon. Het bleek de hoofdzuster van de intensive care te zijn. 'Brian Lennox is net overleden aan de gevolgen van asystolie.'

'Ik kom eraan.' Jason legde de telefoon op de haak. Weer hing de schaduw van de dood als een dreigende donderwolk boven zijn hoofd.

4

Jason schrok wakker van de wekkerradio. Snel zette hij die nog wat harder, bang dat hij anders weer in slaap zou vallen, omdat hij een groot deel van de nacht bezig was geweest met het troosten van de vrouw van Brian Lennox. Hij haalde beneden zijn krant op, schoor zich, nam een douche en liet het koffiezetapparaat zijn dagelijkse wonder verrichten. Toen hij zich had aangekleed, rook het hele appartement naar vers gezette koffie. Met een kop in zijn hand liep hij naar zijn studeerkamer en pakte de *Boston Globe*.

Hij was van plan meteen de sportpagina op te slaan, maar zijn aandacht werd getrokken door een kop op de voorpagina: DOKTER, DRUGS EN DANSERES. Het was bepaald geen vleiend artikel voor dokter Alvin Hayes. Hayes' schokkende dood werd breed uitgemeten en ten onrechte in verband gebracht met de verdovende middelen die in zijn appartement waren gevonden. Zijn affaire met de danseres werd zelfs vergeleken met de zaak van een hoogleraar aan Tufts Medical School, die was veroordeeld wegens de moord op een hoertje. Bij het artikel waren twee foto's geplaatst: de foto van Hayes die op de omslag van *Time* had gestaan, en een foto van een vrouw die de Club Cabaret binnenging, met als onderschrift: 'Carol Donner betreedt haar werkterrein.' Jason kon niet zien hoe de vrouw eruitzag, want ze hield een hand voor haar gezicht. Op de achtergrond een poster met de tekst: TOPLESS STUDENTEN. Dat zal wel, dacht Jason met een glimlach.

Hij las de rest van het artikel en kreeg medelijden met Shirley. De politie meldde dat er een aanzienlijke hoeveelheid heroïne en cocaïne was gevonden in het appartement in Southend, waar Hayes met Carol Donner had gewoond.

Jason ging naar de kliniek en moest constateren dat het niet goed ging met zijn patiënten. Matthew Cowen, die de dag daarvoor een hartcatheterisatie had gehad, vertoonde eigenaardige symptomen, die schrikbarend veel leken op die van Cedric Harring: gewrichtspijn, constipatie en een droge huid. Normaal gesproken zou Jason zich daar nauwelijks zorgen over hebben gemaakt, maar door de recente gebeurtenissen gaven ze hem een onbehaaglijk gevoel. Weer riepen ze het beeld op van een onbekende, besmettelijke ziekte die hij niet in bedwang kon krijgen. Hij was bang dat het ook met Matthew mis zou gaan.

Nadat hij voor Cowen een dermatologisch onderzoek had aangevraagd, liep hij somber naar zijn kantoor. Claudia vertelde hem dat ze de dossiers van de patiënten die Jason de afgelopen tijd voor controle had gezien, had doorgewerkt tot en met de letter P. Ze had die patiënten opgebeld, en had ontdekt dat er slechts twee waren die klaagden over problemen met hun gezondheid.

Jason pakte de twee dossers en sloeg ze open. Het eerste was van Holly Jennings, het tweede van Paul Klinger. Beiden waren nog geen maand geleden gecontroleerd. 'Bel hen terug om een nieuwe afspraak te maken, maar doe het zo voorzichtig mogelijk, zodat ze niet in paniek raken,' beval Jason.

'Het zal niet meevallen hen niet ongerust te maken. Wat moet ik zeggen?'

'Zeg maar dat ik graag een paar proeven over wil doen, of zo. Bedenk maar iets geloofwaardigs.'

Later die dag besloot hij eens te kijken of hij op een vriendelijke manier nog wat informatie uit Hayes' assistente Hélène zou kunnen lospeuteren, maar toen hij haar zag, maakte ze meteen duidelijk dat ze zich op geen enkele manier door hem zou laten inpakken.

'Heeft de politie nog iets gevonden?' vroeg hij, hoewel hij het antwoord op die vraag al kende. Shirley had hem, meteen nadat de politie was vertrokken, opgebeld om te zeggen dat er niets was gevonden.

Hélène schudde haar hoofd.

'Ik weet dat u het druk hebt,' zei Jason, 'maar zou u een ogenblik voor mij kunnen vrijmaken? Ik wil u nog een paar dingen vragen.'

Nu hield ze op met werken en draaide zich naar hem toe.

'Dank u,' zei hij glimlachend.

Haar gezichtsuitdrukking veranderde niet. Ze keek niet onvriendelijk, maar gewoon neutraal.

'Ik moet telkens weer denken aan die opmerking van dokter Hayes over een belangrijke doorbraak,' zei Jason. 'Weet u zeker dat u geen idee hebt van wat dat kan zijn geweest? Het zou tragisch zijn als een echt belangrijke medische ontdekking verloren ging.'

'Ik heb u al verteld wat ik wist,' zei Hélène. 'Ik kan u zijn laatste schematische voorstelling van chromosoom zeventien laten zien.

Zou u daar iets aan hebben?'
'Misschien.'
Hélène liep voorop naar het kantoor van Hayes, en negeerde de foto's aan de muur. Jason was daar niet toe in staat en vroeg zich af wat voor soort man in die omgeving had kunnen werken. Hélène haalde een vel papier te voorschijn, waarop de sequentie van de basisparen stond weergegeven van de DNA-molecuul, dat een onderdeel vormde van chromosoom zeventien. Het aantal basisparen was ontzagwekkend: vele honderdduizenden.
'Dokter Hayes concentreerde zich hierop,' zei Hélène en ze wees op een aantal roodomcirkelde paren. 'Dat zijn de genen die in verband worden gebracht met het groeihormoon. Het is een zeer ingewikkelde materie.'
'Inderdaad,' bevestigde Jason. Hij wist dat hij nog heel wat meer zou moeten lezen om dit werkelijk te kunnen begrijpen.
'Is het mogelijk dat dit schema tot een belangrijke doorbraak heeft geleid?'
Hélène dacht even na en schudde toen haar hoofd. 'De techniek is al enige tijd bekend.'
'Heeft het iets te maken met kanker? Kan het zijn dat dokter Hayes iets nieuws over kanker heeft ontdekt?'
'We hebben ons helemaal niet met kanker beziggehouden,' zei Hélène.
'Maar als hij belangstelling had voor celdelingen en het proces van volwassen worden, kan hij toevallig iets over kanker hebben ontdekt. Vooral omdat hij zoveel belangstelling had voor de werking van genen.'
'Ik denk wel dat dat mogelijk is,' zei Hélène zonder enthousiasme.
Jason wist zeker dat Hélène niet zo behulpzaam was als ze zou kunnen zijn. Als assistente van Hayes moest ze er toch enig idee van hebben waar die man mee bezig was geweest. Hij kon haar echter op geen enkele manier dwingen die informatie te geven.
'Zijn er ook labrapporten?' vroeg hij.
Hélène liep terug naar haar bureau, trok een lade open en haalde daar een dossier uit. 'Dat is alles wat ik heb.'
Het dossier was voor driekwart vol. Jason zag dat er alleen losse gegevens in stonden, zonder nadere uitleg; hij wist dat hij daar niets aan had.
'Verder geen rapporten of verslagen?'
'Die waren er wel,' gaf Hélène toe, 'maar ze werden door dokter Hayes in eigen beheer gehouden, zeker de laatste drie maanden. Maar het grootste deel van zijn kennis zat in zijn hoofd. Hij had

een fantastisch geheugen, vooral voor cijfers...'
Even zag Jason de ogen van Hélène oplichten, en hij hoopte dat ze een beetje los zou komen. Dat gebeurde echter niet.
Ze zweeg weer, pakte het dossier van Jason aan en legde het terug in de lade.
'Ik wil u nog een vraag stellen,' zei Jason, zoekend naar woorden. 'Heeft dokter Hayes zich de afgelopen weken naar uw idee normaal gedragen? Toen ik hem zag, leek hij bang en oververmoeid.' Met opzet zwakte hij zijn woorden wat af.
'Naar mijn idee gedroeg hij zich normaal.'
Niet te geloven! dacht Jason. Nu was hij er zeker van dat Hélène het achterste van haar tong niet liet zien, maar helaas kon hij daar niets aan doen. Hij bedankte haar, excuseerde zich en nam de lift naar beneden. Handig ontweek hij Sally, liep naar het hoofdgebouw en nam weer de lift, naar de afdeling pathologie.
Jackson Madsen was in het scheikundig laboratorium; hij had problemen met een of ander apparaat. Twee technici waren druk in de weer en Jackson was blij dat hij met Jason naar zijn kantoor kon gaan.
Daar legde hij een glasplaatje onder de microscoop. 'Je zult je ogen niet kunnen geloven,' zei hij tegen Jason, die achter de microscoop ging staan. 'Zie je dat bloedvat?' Jason knikte. 'Zie je dat de holte bijna helemaal is dichtgeslibd? De ergste vorm van atherosclerose die ik ooit heb gezien. Dat roze spul ziet eruit als amyloïd. Het is verbazingwekkend, zeker omdat hij beweert dat zijn ECG normaal was. Ik zal je ook nog iets anders laten zien.' Jackson legde een tweede glasplaatje onder de microscoop. 'Kijk maar eens!'
'Wat hoor ik nu te zien?'
'Kijk eens hoe opgezwollen de celkernen zijn. En dat roze spul, dat is beslist amyloïd.'
'Wat betekent dat?'
'Het lijkt wel alsof het hart van die man werd belegerd. Zie je de ontstoken cellen?'
Jason, die niet gewend was met een microscoop te werken, had ze in eerste instantie niet gezien. Nu zag hij ze wel.
'Wat denk je dat er aan de hand is?'
'Daar ben ik niet zeker van. Hoe oud was die man ook alweer?'
'Zesenvijftig.' Jason ging rechtop staan. 'Bestaat er een kans dat we te maken hebben met een onbekende besmettelijke ziekte?'
Jackson dacht even na, schudde toen zijn hoofd. 'Nee, dat denk ik niet. Het lijkt me iets metabolisch te zijn, maar meer kan ik er ook niet over zeggen. O, er is nog iets,' voegde hij daaraan toe

en legde weer een ander glasplaatje onder de microscoop. 'Dit is een deel van de rode hersencellen. Kijk er eens naar en vertel me dan wat je ziet.' Jason tuurde en zag een neuron, met een duidelijke kern en een donker gevlekte granulaire rand eromheen. Hij beschreef wat hij zag.

'Het is lipofuscine,' zei Jackson, 'oftewel in vet opgelost pigment.' Hij haalde het glasplaatje weg.

Jason ging rechtop staan. 'Hoe komt dat daar?'

'Ik wou dat ik het wist. Op zich zeggen die symptomen niet zoveel, maar ik vermoed wel dat die Harring van jou doodziek was. Deze specimens hadden van mijn grootvader afkomstig kunnen zijn.'

'Dat is de tweede keer dat ik iets dergelijks hoor,' zei Jason langzaam. 'Kun je dat nader toelichten?'

'Nee, het spijt me. Ik wou dat ik je kon helpen. Ik ben van plan nog wat proeven te doen om te kijken of er in het hart en elders ook amyloïd aanwezig was. Ik zal je de resultaten zo spoedig mogelijk laten weten.'

'Dank je,' zei Jason. 'En het onderzoek naar de specimens van Hayes?'

'Dat is nog niet klaar.'

Jason ging weer naar de polikliniek. Als arts had hij altijd al vraagtekens gezet achter het nut van bepaalde proeven, procedures en medicijnen. Hij had echter nooit enige reden gehad om aan zijn eigen competentie te twijfelen. Het was zelfs zo dat hij zichzelf altijd beschouwde als een arts die boven het gemiddelde uitstak. Nu was hij daar niet meer zo zeker van. Dergelijke gedachten waren verontrustend, vooral omdat hij na de dood van Daniëlle zijn werk als het allerbelangrijkste in zijn leven beschouwde.

'Waar was je?' vroeg Sally, die Jason staande hield toen hij probeerde onopgemerkt zijn spreekkamer binnen te glippen. Na een paar minuten had ze hem al overstelpt met allerlei kleine problemen, die gelukkig zijn volledige aandacht opeisten. Pas na twaalven had hij de tijd even op adem te komen. Zijn laatste patiënt zou naar India gaan en had daar wat adviezen en inentingen voor nodig. Toen was Jason klaar.

Claudia probeerde hem ertoe over te halen met haar en een paar andere secretaresses te gaan lunchen, maar Jason sloeg die uitnodiging af. Hij liep zijn kantoor weer in en begon te piekeren. Het ergste was dat hij zich gefrustreerd voelde. Hij voelde aan dat er iets helemaal mis was, maar wist niet wat het was, noch wat hij eraan zou kunnen doen. Hij voelde zich eenzaam.

'Verdomme!' riep hij en sloeg met zijn vlakke hand op het bureaublad, zo hard dat allerlei papieren rondstoven. Hij moest voorkomen dat hij depressief zou worden. Hij moest iets doen. Snel verruilde hij zijn witte jas voor een colbertje, pakte zijn pieper en ging naar zijn auto, om naar het hoofdbureau van politie in Boston te rijden.

Daar werd Jason door een agent naar de vierde verdieping verwezen. Zodra hij de lift uit stapte, zag hij de rechercheur door de gang lopen, met een volle mok koffie in zijn hand. Curran had geen jasje aan en het bovenste knoopje van zijn overhemd was los. Onder zijn linkerarm bengelde een leren, veel gedragen holster. Toen hij Jason zag, leek hij hem even niet te herkennen, tot Jason hem herinnerde aan de ontmoeting in het mortuarium en in de kliniek.

'O ja. De zaak Alvin Hayes.'

Hij nam Jason mee naar zijn kantoor, dat sober was ingericht met een metalen bureau en een metalen dossierkast. Aan de muur hing een kalender, waarop het korfbalschema van de Boston Celtics stond aangegeven.

'Wilt u koffie?' vroeg Curran en zette zijn eigen mok neer.

'Nee, dank u.'

'Heel verstandig,' reageerde Curran. 'Iedereen klaagt over koffie uit automaten, maar dit spul is beslist dodelijk.' Hij schoof een metalen stoel bij en gebaarde Jason te gaan zitten.

'Wat kan ik voor u doen, dokter?'

'Dat weet ik niet. De kwestie Hayes zit me niet lekker. Zoals u weet, heb ik u verteld dat die man zei dat hij een belangrijke ontdekking had gedaan. Ik denk dat er een goede kans bestaat dat hij de waarheid heeft gesproken. Hij was tenslotte een onderzoeker van wereldformaat en was werkzaam op een terrein waar nog veel uitgezocht moet worden.'

'Wacht eens. Hebt u ook niet tegen me gezegd dat Hayes volgens u een zenuwinzinking had?'

'Op dat moment vond ik dat hij zich zeer vreemd gedroeg; ik dacht dat hij paranoïde was en aan waandenkbeelden leed. Nu ben ik daar niet meer zo zeker van. Stel dat hij een belangrijke ontdekking heeft gedaan, maar dat nog niet wereldkundig wilde maken omdat hij zijn ontdekking nog verder wilde perfectioneren? Stel dat iemand daarachter kwam en hoe dan ook wilde voorkomen dat Hayes' ontdekkingen bekend zouden worden?'

'En hem dus heeft vermoord?' onderbrak Curran hem ietwat neerbuigend. 'Dokter, u lijkt iets belangrijks te vergeten. Hayes is volgens de patholoog-anatoom een natuurlijke dood gestorven.

Er waren geen schotwonden; er zat geen mes in zijn rug. Bovendien handelde hij in verdovende middelen. We hebben in zijn appartement in South End heroïne, cocaïne en contant geld gevonden. Geen wonder dat hij zich paranoïde gedroeg. Dat wereldje is hard.'
'Was die anonieme tip niet een beetje vreemd?' vroeg Jason, ineens nieuwsgierig.
'Zoiets gebeurt regelmatig. Er is iemand pisnijdig en hij belt ons dan op, om op die manier wraak te nemen.'
Jason staarde de rechercheur aan. Hij vond het verhaal over die verdovende middelen eigenaardig, maar wist niet precies waarom. Toen herinnerde hij zich dat Hayes met een exotische danseres had samengewoond. Misschien was het dus wel helemaal niet zo vreemd.
Alsof hij Jasons gedachten kon lezen, zei Curran: 'Luister, dokter. Ik waardeer het dat u de moeite hebt genomen hierheen te komen, maar feiten zijn feiten. Ik weet niet of die man iets had ontdekt, maar één ding kan ik u wel vertellen. Als hij in verdovende middelen handelde, gebruikte hij die ook. Dat is het bekende patroon. Ik heb de zedenpolitie gevraagd te kijken of hij in hun dossiers voorkwam. Dat bleek niet zo te zijn, maar dat hoeft niet meer te betekenen dan dat hij nog nooit was gepakt. Hij mag blij zijn dat zijn dood een natuurlijke oorzaak had. In ieder geval kan ik het niet verantwoorden de afdeling Moordzaken tijd aan zijn overlijden te laten besteden.'
'Toch denk ik dat er meer achter zit.'
Curran schudde zijn hoofd.
'Dokter Hayes probeerde me iets te vertellen,' hield Jason vol. 'Ik denk dat hij hulp nodig had.'
'Natuurlijk. Hij wilde u waarschijnlijk bij zijn handeltje betrekken. Laat ik u een goede raad geven, dokter. Vergeet deze hele kwestie!' Hij stond op, om aan te geven dat het gesprek afgelopen was.
Jason liep naar buiten, ging achter het stuur van zijn auto zitten en dacht na over zijn gesprek met rechercheur Curran. De man was vriendelijk geweest, maar had duidelijk weinig waarde gehecht aan Jasons gedachten en intuïtie. Terwijl Jason de wagen startte, herinnerde hij zich nog iets anders dat Hayes over zijn ontdekking had gezegd. Hij had die 'ironisch' genoemd. Dat was een eigenaardige manier om een belangrijke wetenschappelijke doorbraak te typeren...
In de kliniek begon Jason meteen aan zijn ronde, patiënten onderzoekend, luisterend, raad gevend, medeleven tonend. Dat

vond hij een van de plezierigste aspecten van het vak: mensen die zich letterlijk en figuurlijk voor hem openstelden. Hij voelde zich bevoorrecht en een deel van zijn zelfvertrouwen keerde terug.

Toen het bijna vier uur was, liep hij naar onderzoekkamer C en pakte het dossier dat daar lag. Hij herinnerde zich de naam. Paul Klinger, de man die hij kort geleden had gekeurd. Jason las snel zijn bevindingen van toen door. De man leek gezond; hij had een laag cholesterolgehalte en een normaal ECG. Jason liep de kamer in.

Klinger was slank, had blond haar en straalde het zelfvertrouwen uit van een welgestelde Amerikaan. 'Wat is er mis?' vroeg hij bezorgd.

'Niets, eigenlijk.'

'Maar uw secretaresse zei dat er een paar proeven opnieuw moesten worden gedaan. Dat ik vandaag hierheen moest komen.'

'Er is echt niets om bezorgd over te zijn. Toen ze hoorde dat u zich niet echt lekker voelde, vond ze dat we u nog maar eens moesten nakijken.'

'Ik ben net herstellende van een griep,' zei de man. 'Die hadden de kinderen van school meegenomen. Ik voel me alweer veel beter. Het enige vervelende is dat ik een week geen gymnastiekoefeningen heb kunnen doen.'

De griep verontrustte Jason niet. Gezonde mensen gingen daar niet aan dood. Toch onderzocht hij Paul Klinger zorgvuldig en maakte een aantal ECG's. Tot slot zei hij dat hij zou opbellen als de bloedproeven iets bijzonders te zien zouden geven.

Na twee andere patiënten was Holly Jennings aan de beurt, een vierenvijftigjarige vrouw, die tot de directie van een van de grootste reclame-adviesbureaus van Boston behoorde. Ze was niet gelukkig met deze oproep en maakte van haar hart beslist geen moordkuil. In de wachtkamer had ze rustig zitten roken, ondanks het feit dat het verboden was.

'Wat is er in 's hemelsnaam aan de hand?' vroeg ze Jason meteen. Hij had haar een maand geleden gecontroleerd en gezond bevonden, alhoewel hij haar wel had aangeraden te stoppen met roken en de extra kilo's kwijt te raken die ze tijdens de afgelopen vijf jaar was aangekomen.

'Ik hoorde dat u zich niet goed voelde,' zei Jason zacht. Hij zag dat ze er moe uitzag en donkere kringen onder haar ogen had.

'Uw secretaresse zei dat er een paar proeven overgedaan moesten worden. Wat is er de vorige keer dan misgegaan?'

'Niets. Ik had behoefte aan een vervolgonderzoek. Vertelt u me

eens hoe u zich voelt.'
'Jezus Christus! U sleept me hierheen, maakt me doodsbang en zorgt dat ik twee presentaties misloop om even gezellig een babbeltje met mij te kunnen maken? Had dit niet telefonisch kunnen worden afgehandeld?'
'Tsja, nu u hier toch bent, kunt u me net zo goed vertellen hoe u zich voelt.'
'Moe.'
'En verder?'
'Over het geheel genomen beroerd. Ik slaap slecht en heb weinig honger. Niets bijzonders. Nou ja, dat is niet helemaal waar. Ik heb last van mijn ogen. Zelfs op kantoor moet ik vaak een zonnebril opzetten.'
'En verder?' vroeg Jason, die weer bang begon te worden.
Holly haalde haar schouders op. 'Om de een of andere idiote reden heb ik last van haaruitval.'
Hij onderzocht de vrouw zo zorgvuldig mogelijk. Haar hartslag was sneller, haar bloeddruk hoger dan normaal, maar die feiten konden op stress worden afgeschreven. Haar huid was droog, vooral bij haar handen en voeten. Het ECG wees op een mogelijk iets lagere zuurstoftoevoer naar het hart. Toen hij aandrong op een stress-ECG, weigerde ze dat.
'Kan ik daar niet een keer voor terugkomen?'
'Ik wil het liever nu doen,' hield Jason vol. 'Ik zou u zelfs willen verzoeken een paar dagen in het ziekenhuis te blijven.'
'Maakt u een grapje? Daar heb ik absoluut de tijd niet voor. Bovendien voel ik me nu ook weer niet zó beroerd. Waarom komt u eigenlijk met zo'n voorstel?'
'Om u eens grondig te laten controleren, ook door een cardioloog en een oogarts.'
'Volgende week maandag of dinsdag dan maar. Voor die tijd kan ik echt niet.'
Met tegenzin liet Jason Holly gaan. Hij kon haar er op geen enkele manier toe dwingen in het ziekenhuis te blijven en hij had niets specifieks om haar ervan te overtuigen dat er grote problemen dreigden. Hij kon zich slechts baseren op een gevoel, een heel onaangenaam gevoel.

Toen Jason thuis was gekomen, werkte hij het gebruikelijke programma af. Joggen, boodschappen doen bij Da Luca, een kippetje ditmaal, eten in de oven zetten, een douche nemen en met een ijskoud biertje naar zijn studeerkamer gaan. Hij maakte het zichzelf gemakkelijk en las verder in het boekje over DNA. Hij begon

te begrijpen hoe Hayes bepaalde genen had kunnen isoleren. Hélène Brennquivist was daar die ochtend waarschijnlijk ook mee bezig geweest. Als je eenmaal een geschikte bacteriekolonie had gevonden, moest die worden gecultiveerd, totdat er triljoenen bacteriën waren. Daarna werden uit DNA de bacteriën door middel van enzymen losgeweekt en gedeeld, tot het gewenste gen was geïsoleerd en gezuiverd. Later kon het weer worden ingebracht in verschillende bacteriën, in die delen van het DNA die door de onderzoeker konden worden geactiveerd. In die vorm trad de recombinante streng op als een soort miniatuurfabriek, die het eiwit produceerde waarvoor hij was geprogrammeerd. Van die methode had Hayes zich bediend om zijn menselijk groeihormoon te produceren. Hij was begonnen met menselijk DNA, het gen dat zorgde voor de aanmaak van groeihormonen, was tot klonen overgegaan met behulp van bacteriën en had de recombinante strengen vervolgens weer gebruikt. Door lactose aan de cultuur toe te voegen, werd Hayes' recombinant gevormde bacterie geactiveerd om het menselijk groeihormoon te gaan produceren.
Jason dronk zijn biertje op en liep naar de keuken om er nog een te pakken. Hij was behoorlijk onder de indruk van wat hij had gelezen. Geen wonder dat geleerden als Hayes een beetje eigenaardig waren. Ze wisten dat ze het vermogen hadden het leven te manipuleren. Jason vond dat geweldig en tegelijkertijd heel verontrustend. De DNA-technologie kon veel goeds, maar ook veel kwaads doen.
Nu Jason dit alles wist, was hij nog meer geneigd te denken dat Hayes weliswaar aan spanningen had blootgestaan, maar wel de waarheid had gesproken, in ieder geval over die wetenschappelijke doorbraak. Hij was niet zo zeker van Hayes' bewering dat iemand hem wilde vermoorden, en wenste dat hij hem de afgelopen maanden wat vaker had gezien. Hij vond het jammer dat hij niet meer van hem af wist.
Jason deed de oven open om naar zijn kippetje te kijken. Het werd al lekker bruin en zag er heerlijk uit. Hij zette een pan water op om rijst te koken en liep toen terug naar zijn studeerkamer. Daar legde hij zijn benen op het bureaublad en begon aan het volgende hoofdstuk over laboratoriumtechnieken. Het eerste deel ging over de methoden waarmee DNA-moleculen werden gesplitst met enzymen die endonuclasen werden genoemd. Jason moest het verscheidene malen doorlezen, want het was een zeer lastige materie.
Het hoge signaal van het rookalarm zorgde ervoor dat Jason wak-

ker schrok. Hij vloog overeind en rende naar de keuken. De rijst was drooggekookt en de teflon-laag was aangebrand. Jason zette de pan meteen onder de stromende kraan, waar ze spetterde en siste. Hij zette de afzuigkap aan, maakte een raam in de huiskamer open en zag de rook langzaam verdwijnen. Het alarm zweeg. Jason was blij dat zijn huisbaas zoals gewoonlijk de stad uit was.

Toen Jason zijn eten had klaargemaakt, zonder rijst, liep hij met zijn bord naar de studeerkamer en duwde papieren en boek opzij. Terwijl hij begon te eten, zag hij de voorpagina van de *Boston Globe* met de kop DOKTER, DRUGS EN DANSERES. Hij pakte de krant met zijn linkerhand op en keek nog eens naar de foto van Carol Donner. Het idee dat Hayes met die vrouw had samengewoond, vond hij verbazingwekkend. Hij vroeg zich af of Hayes in de ban was geraakt van de eeuwenoude mannelijke fantasie een hoertje te kunnen redden dat, ondanks haar werk, een hart van goud had. Gezien de achtergrond en opleiding van de man leek hem dat hoogst onwaarschijnlijk. Maar zoals Curran had gezegd: feiten zijn feiten. Hayes had met die vrouw samengewoond. Jason legde de krant weg.

Nadat hij had nagekeken wat voor literatuur hij over een droge huid kon vinden, hetgeen niet veel bleek te zijn, nam hij de vuile vaat mee naar de keuken en waste alles af. Telkens weer zag hij de foto van Carol Donner voor zich, die een hand voor haar gezicht hield. Hij keek op zijn horloge. Half elf. 'Waarom niet?' zei hij hardop. Misschien dat die vrouw hem een aanwijzing zou kunnen geven over de doorbraak van Hayes. In ieder geval had hij niets te verliezen. Hij trok een trui en een tweedjasje aan en ging op pad.

Vanaf Beacon Hill was het maar een kwartiertje lopen naar de Combat Zone, maar je belandde dan wel opeens in een heel andere wereld. Beacon Hill was een welgestelde wijk. De Combat Zone was precies het tegenovergestelde. Jason liep langs de rand van Boston Common naar Washington Street, met zijn ontelbare hoeveelheid cafés. Er liepen zwervers rond, luidruchtige studenten, en arbeiders uit Dorchester. De *Club Cabaret* bevond zich in het midden van de straat, tussen een pornobioscoop en een sekswinkel.

Jason ging naar binnen. De bar bevond zich in een lange, donkere ruimte. Een houten podium in het midden werd verlicht door een spotje. De bar zelf had een U-vorm, om het podium heen. Rock-muziek schalde uit grote luidsprekers, die aan weerszijden van de trap waren geplaatst.

Het stonk er naar sigaretterook en een goedkope luchtverfrisser, en het was druk. Veel mannen stonden bij de bar over hun glazen heen gebogen. Achter de bar waren zitjes, waar Jason talloze vrouwen in laag uitgesneden jurken zag zitten. Hij vond een lege barkruk. Een serveerster in een wit overhemd en een strak zwart shortje nam vrijwel meteen zijn bestelling op.
Toen ze hem zijn flesje bier en een glas overhandigde, kwam er een halfnaakte danseres de trap af en paradeerde over de vloer. Jason keek naar haar en hun blikken kruisten elkaar even. Zij keek verveeld. Haar gezicht was zwaar opgemaakt en haar geblondeerde haar zag eruit als stro. Jason schatte haar op een jaar of vijfendertig. Zeker niet de leeftijd van een studente!
Hij keek om zich heen en zag de mannen al even verveeld kijken. Jason dronk het bier uit het flesje, omdat hij er niets voor voelde in deze tent een glas aan zijn lippen te zetten.
Toen het rock and roll-nummer was afgelopen, wachtte de danseres op het volgende nummer. Jason zag dat er op haar rechter dijbeen een hart was getatoeëerd.
Met veel tromgeroffel startte de volgende plaat en de blondine begon meteen weer te dansen, ondertussen haar topje uittrekkend. Nu had ze niets anders meer aan dan een minuscuul slipje dat haar billen vrijliet, en haar hooggehakte schoenen. Nog altijd reageerden de mannen bij de bar niet. Het enige dat ze deden, was hun glas of een sigaret naar hun lippen brengen. Toen de vrouw langs de rand van het podium verder danste, werd haar af en toe een dollarbiljet toegestopt.
Jason keek nog even naar haar, en nam toen de omgeving weer in zich op. Iets verderop zag hij aan een tafeltje een man in een donker pak en met een sigaar in zijn mond zitten, die door een zonnebril een dossier aan het bestuderen was. Jason verbaasde zich over het feit dat die man iets kon zien en kwam tot de conclusie dat hij tot de leiding van dit etablissement moest behoren. Een aantal bodybuilders, met speknekken en witte T-shirts, stonden in de buurt van het tafeltje, met hun dikke armen over elkaar geslagen. Ze keken voortdurend onderzoekend om zich heen.
Toen de plaat was afgelopen, pakte de blonde danseres haar spulletjes bij elkaar en rende de trap op. Hier en daar werd even geapplaudisseerd. Zodra de muziek weer begon, kwam er een andere vrouw de trap af en draaide rond op het podium. Ze had een felgekleurd zigeunerkostuum aan en had de oudere zuster van de eerste danseres kunnen zijn.
Na drie kwartier vroeg Jason zich af of Carol Donner wel zou dansen. Hij informeerde daarnaar bij een van de serveersters.

'Ze is de volgende. Wilt u nog iets drinken?'
Jason schudde zijn hoofd. Hij had meer dan genoeg aan dat ene biertje. Toen hij weer eens om zich heen keek, zag hij dat er verscheidene danseressen naar beneden waren gekomen. Ze spraken even met de man met de zonnebril, en daarna mengden ze zich onder de klanten om hun dure drankjes af te troggelen. Jason probeerde zich tevergeefs voor te stellen dat Hayes, de beroemde moleculair bioloog, hier bij de bar had gestaan.
De muziek werd even onderbroken en de lichten werden gedimd. Toen werd er voor het eerst een microfoon aangezet om de volgende danseres aan te kondigen: de beroemde Carol Donner. De verveelde stamgasten gingen opeens kaarsrecht zitten en er werd hier en daar gefloten.
De muziek was nu zachter. Zodra de danseres op het podium stond, werden de lichten weer feller. Jason kon zijn ogen niet geloven. Carol Donner was een beeldschone jonge vrouw. Haar huid zag er glanzend en gezond uit en haar ogen straalden. Ze had een nauwsluitende tricot aan, met beenwarmers en een band om haar voorhoofd, alsof ze meedeed aan een les aerobic dancing. Ze liep op blote voeten. Met een moeiteloze gratie danste ze over het podium en Jason zag dat ze er echt plezier in had.
Ze trok de beenwarmers uit, vervolgens de zijden sjerp die om haar middel had gezeten, toen de tricot. Het publiek juichte toen ze topless de trap weer op ging.
Zodra ze was verdwenen, sloeg de verveling weer toe bij de stamgasten. Jason wachtte af of Carol zich net als die andere vrouwen weer beneden zou vertonen, maar na twintig minuten concludeerde hij dat dat waarschijnlijk niet zou gebeuren. Hij liet zich van de barkruk glijden en liep naar de man met de zonnebril. Een van de bodybuilders zag hem aankomen en nam een dreigende houding aan.
'Het spijt me dat ik u stoor,' zei Jason, 'maar zou ik misschien met Carol Donner kunnen spreken?'
De man haalde de sigaar uit zijn mond. 'Wie ben jij in godsnaam?' Jason wilde zijn echte naam liever niet noemen en terwijl hij aarzelde, gaf de man met de zonnebril een van de bodybuilders een teken. Jason voelde dat zijn arm werd vastgepakt, waarna hij naar de uitgang werd gemanoeuvreerd.
'Ik wil alleen...' Hij kreeg de kans niet nog iets te zeggen. De man pakte hem nu letterlijk in zijn kraag en nam hem mee langs de bar, het donkere gordijn bij de ingang door, terwijl Jasons voeten de grond nog maar net konden raken. Toen werd hij op een vernederende manier de straat op gegooid.

5

Nadat Jason door de wekkerradio was gewekt, moest hij geruime tijd onder de douche blijven staan voordat hij het idee had dat hij deze dag aankon. Toen hij de vorige avond van zijn onaangename bezoek aan de *Club Cabaret* thuis was gekomen, had hij meteen moeten doorgaan naar het ziekenhuis. Een van zijn AIDS-patiënten, een zekere Harvey Rachman, had een hartstilstand gekregen. Alle pogingen om hem te redden waren tevergeefs. Jason was erdoor van streek geraakt en de opmerking van de hoofdverpleegster dat de man in ieder geval verder lijden was bespaard, troostte hem nauwelijks. Jason had de indruk dat de dood steeds verder oprukte.

Het enige positieve dat hij tijdens zijn ronde die ochtend in het ziekenhuis kon constateren, was dat een van zijn hepatitis-patiënten kon worden ontslagen. Jason vond het eigenlijk jammer. Nu had hij nog maar één patiënt met wie het goed ging.

Met Matthew Cowen ging het nog steeds niet beter. Hij begon nu ook slechter te zien. De symptomen zaten Jason dwars. Harring en Lennox hadden eveneens geklaagd over een teruglopend gezichtsvermogen in de weken voor hun overlijden en wéér moest hij denken aan de mogelijkheid van een onbekende ziekte, die verschillende organen kon aantasten. Hij gaf opdracht er een oogarts bij te halen. Toen hij zijn ronde had voltooid, ging hij naar de afdeling pathologie om te kijken of men al iets anders over Hayes te melden had. Misschien zou hij daarna kunnen verklaren waarom ogenschijnlijk gezonde mensen opeens catastrofale hartproblemen kregen.

Hij moest wachten, omdat Jackson net onderzoeksresultaten aan het doorbellen was naar de operatiekamer. Het bleek te gaan om iemand met borstkanker.

'Als zoiets gebeurt, voel ik me altijd flink beroerd,' zei Jackson zodra hij de hoorn op de haak had gelegd. Toen voegde hij daar met een iets vrolijker stem aan toe: 'Ik neem aan dat je in verband met Hayes hierheen bent gekomen?' Hij pakte een dossier, haalde daar een glasplaatje uit en legde dat onder de microscoop. 'Moet je eens kijken!'

'Dit is een stukje van de aorta van Alvin Hayes,' zei Jackson,

terwijl Jason door de microscoop tuurde. 'Het is geen wonder dat het ding is opengebarsten. Ik heb bij iemand van onder de zeventig nog nooit zo'n slechte aorta gezien, tenzij er sprake was van een duidelijke ziekte aan dat orgaan. Nu zal ik je nog eens iets anders laten zien. Dit is een deeltje van het hart van Hayes. Het ziet er net zo uit als dat van Harring. De kransslagaders zijn bijna helemaal dicht. Als Hayes' aorta er niet de brui aan had gegeven, zou hij zijn overleden aan een hartaanval. De man was een wandelende tijdbom. En dat niet alleen! Hij had ook een schildklierontsteking, net als Harring. Er waren zelfs zo veel overeenkomsten, dat ik de aorta van Harring nog eens heb bekeken. En zal ik je eens iets vertellen? De aorta van die man had het ook niet lang meer uitgehouden!'
'Wat betekent dit allemaal precies?'
Jackson haalde zijn schouders op. 'Ik weet het niet. Er zijn opvallende overeenkomsten tussen deze twee gevallen. In beide gevallen gaat het om een vergevorderde ontsteking, hoewel die volgens mij niet besmettelijk is. Het lijkt er eerder op dat hun afweersysteem niet meer functioneerde en zich tegen hun eigen organen heeft gekeerd.'
'Net zoals dat het geval is bij lupus?'
'Ja, iets dergelijks. In ieder geval was Alvin Hayes er heel beroerd aan toe. Bijna al zijn organen gingen hard achteruit.'
'Hij zei dat hij zich niet al te lekker voelde.'
'Ha!' riep Jackson uit. 'Dat is het understatement van het jaar!'
Jason ging weg en probeerde een verklaring te vinden voor de opmerkingen van Jackson. Weer moest hij denken aan een onbekende besmettelijke ziekte, al was Jackson dan kennelijk een andere mening toegedaan. Welke ziekte van het afweersysteem kon zo snel om zich heen grijpen? Jason wist zelf het antwoord: niet één.
Voordat hij naar zijn spreekkamer ging, besloot hij nog even een bezoekje te brengen aan het laboratorium van Hayes. Niet dat hij van Hélène enige hulp verwachtte, maar hij dacht dat ze misschien wel zou willen weten dat Hayes de laatste weken van zijn leven erg ziek was geweest. Tot zijn verbazing zag hij dat Hélène had gehuild.
'Wat is er aan de hand?'
Hélène schudde haar hoofd. 'Niets.'
'Waarom bent u niet aan het werk?'
'Ik ben klaar.'
Opeens besefte Jason dat deze vrouw zich verloren moest voelen, nu Hayes er niet meer was om haar opdrachten te geven. Kenne-

lijk was ze niet op de hoogte geweest van het grotere kader van het onderzoek en dus zou ze naar alle waarschijnlijkheid inderdaad wel niets weten over een eventuele belangrijke doorbraak. Hayes wilde alles voor zich houden, en nu zou de maatschappij niet meer van zijn eventuele ontdekking kunnen profiteren.
'Vindt u het erg als ik even met u praat?' vroeg Jason.
'Nee,' zei Hélène kortaf, op de haar typerende manier. Ze gebaarde hem naar het kantoor van Hayes te lopen. Jason had opnieuw moeite met de fotoserie van de genitaliën.
'Ik kom net van de afdeling pathologie,' begon hij zodra ze waren gaan zitten. 'Dokter Hayes lijkt heel erg ziek te zijn geweest. Weet u zeker dat hij nooit over zijn gezondheid heeft geklaagd?'
'Dat deed hij wel,' gaf Hélène opeens toe. 'Hij zei steeds dat hij zich zo zwak voelde.'
Jason staarde haar aan. Ze leek zachter en opener, en hij zag dat ze haar haren niet zoals gewoonlijk strak naar achteren had gestoken, maar los had laten hangen, tot op haar schouders.
'De laatste keer vertelde u me nog dat hij zich heel normaal had gedragen.'
'D at was ook zo, maar hij zei wel dat hij zich hondsberoerd voelde.'
Jason was er opnieuw van overtuigd dat de vrouw iets verborgen hield. Hij vroeg zich af waarom, maar voelde aan dat hij van het stellen van een rechtstreekse vraag niets wijzer zou worden.
'Mevrouw Brennquivist, ik wil u nogmaals en met nadruk vragen of u er echt geen idee van hebt waar dokter Hayes op kan hebben gedoeld toen hij me vertelde dat er sprake was van een belangrijke wetenschappelijke doorbraak.'
Ze schudde haar hoofd. 'Ik weet het werkelijk niet. Om u de waarheid te zeggen: het ging in het laboratorium niet erg goed de laatste tijd. Ongeveer drie maanden geleden gingen om de een of andere mysterieuze reden opeens de ratten dood, die we hadden ingespoten met stoffen die het groeihormoon moesten vrijmaken.'
'Waar kwamen die stoffen vandaan?'
'Uit de hersenen van ratten. Voornamelijk de hypothalamus. Dat had dokter Hayes zelf gedaan. Daarna heb ik ze verder geproduceerd met behulp van recombinante DNA-technieken.'
'Dus het experiment was een mislukking?'
'Helemaal. Net als ieder groot onderzoeker liet dokter Hayes zich daar echter niet door ontmoedigen. Hij ging nog harder aan het werk met andere proteïnen, helaas met dezelfde rampzalige resultaten.'

'Denkt u dat dokter Hayes loog toen hij me vertelde dat er sprake was van een belangrijke doorbraak?'
'Dokter Hayes loog nooit,' reageerde Hélène verontwaardigd.
'Hoe kunt u het dan verklaren? In eerste instantie dacht ik dat Hayes een zenuwinzinking kreeg. Nu ben ik daar niet meer zo zeker van. Wat denkt u?'
'Dokter Hayes had beslist geen last van een zenuwinzinking,' zei Hélène en ze ging staan, om duidelijk te maken dat zij het gesprek als beëindigd beschouwde. Ze wilde kennelijk niet dat haar overleden baas werd zwartgemaakt.
Teleurgesteld ging Jason naar zijn spreekkamer, waar al twee patiënten zaten te wachten. Tussen de twee onderzoeken in zag Jason kans even de onderzoeksresultaten van Holly Jennings te bekijken. De enige belangrijke verandering na de vorige onderzoeken was een verhoogde gamma-globine, waardoor Jason opnieuw moest denken aan de mogelijkheid van een epidemie die geen verband hield met aids, maar waarbij wel het afweersysteem was betrokken. Bij aids werd dat systeem uitgeschakeld. In dit geval leek het destructief te werk te gaan.
Rond een uur of half elf kreeg Jason een telefoontje van Margaret Danforth. Ze viel meteen met de deur in huis.
'Ik dacht dat u wel zou willen weten dat er in de urine van dokter Hayes sporen van cocaïne zijn aangetroffen.'
Dus Curran had gelijk, dacht Jason toen hij de hoorn op de haak legde. Hayes had drugs gebruikt. Jason wist echter niet of dat iets te maken had met Hayes' bewering dat hij iets belangrijks had ontdekt, zijn angst te worden vermoord, of zelfs zijn feitelijke overlijden.
Hij kon er echter niet verder over nadenken, omdat Sally nu de ene na de andere patiënt naar hem toe stuurde en hij steeds verder op zijn schema achter dreigde te raken. Toen kreeg hij ook nog een telefoontje van Shirley, die kennelijk had gehoord dat hij Hélène had gesproken.
'Jason, wil je je alsjeblieft nergens mee bemoeien? Laat die affaire-Hayes rusten.'
'Ik denk dat Hélène meer weet dan ze ons vertelt.'
'Aan wiens kant sta jij eigenlijk?'
'Oké,' zei hij en hij legde nogal abrupt de hoorn op de haak, omdat Madaline Krammer binnenkwam, een vrouw die al jaren een patiënte van hem was. Ze had een lichte, niet erg gevaarlijke hartkwaal maar klaagde nu opeens over opgezwollen enkels en pijn in haar borst. Ondanks de sterke medicijnen was ze hard achteruit gegaan, en Jason kwam tot de conclusie dat ze moest

worden opgenomen.
'Niet dit weekend,' protesteerde Madaline. 'Mijn zoon komt over uit Californië, met zijn pasgeboren baby. Ik heb mijn kleindochter nog nooit gezien. Alsjeblieft!' Madaline was een vrolijke vrouw van een jaar of vijfenzestig, met zilvergrijs haar. Jason was altijd al op haar gesteld geweest, omdat ze bijna nooit klaagde en hem dankbaar was voor de hulp die hij haar kon bieden.
'Madaline, het spijt me. Ik zou het echt niet voorstellen als het niet nodig was. De enige manier om je de juiste medicijnen te geven, is je voortdurend in de gaten te houden.'
Mopperend maar gelaten ging ze ermee akkoord. Jason droeg haar over aan de capabele Claudia, en zei dat hij later die dag nog een keer naar haar toe zou komen. Om vier uur 's middags had Jason de achterstand op zijn schema zo ongeveer ingelopen. Op de gang liep hij Roger Wanamaker tegen het lijf.
'Nu is het mijn beurt,' zei Roger, 'om je te vragen of ik even met je kan praten.'
'Natuurlijk,' zei Jason, die een collega nooit iets weigerde. Hij liep terug naar zijn spreekkamer en Roger deponeerde meteen een dossier op zijn bureau.
'Om te voorkomen dat je je eenzaam gaat voelen,' zei hij. 'Dat is het dossier van een drieënvijftigjarige leidinggevende figuur bij Data General, die daarnet morsdood is binnengebracht. Nog geen drie weken geleden had ik hem nog aan een zeer uitgebreide controle onderworpen.'
Jason maakte het dossier open en keek naar de ECG's en de resultaten van de laboratoriumproeven. De man had een hoog, maar geen fataal cholesterolgehalte.
'Een hartaanval?' vroeg hij en bekeek de röntgenfoto's van de borstkas van de man. Die zagen er volkomen normaal uit.
'Nee,' zei Roger. 'Een knots van een beroerte, midden onder een directievergadering. Zijn vrouw is woest op mij. Ze zei dat hij zich beroerd had gevoeld vanaf het moment dat hij hier was geweest.'
'Wat waren de symptomen?'
'Niets bijzonders. Slapeloosheid en spanningen, iets waar leidinggevenden tegenwoordig voortdurend over klagen.'
'Wat is er verdomme gaande?' vroeg Jason, zonder een antwoord van Roger te verwachten.
'Ik begrijp er niets van,' reageerde deze, 'maar ik heb het vervelende gevoel dat we te maken zullen krijgen met een of andere epidemie.'
'Ik heb met Madsen gesproken en hem gevraagd of het misschien

een onbekende besmettelijke ziekte kan zijn. Hij geloofde daar niet in, en zei dat het iets metabolisch was en wellicht auto-immuun.'
'Volgens mij kunnen we maar beter iets ondernemen. Heb je al een vergadering aangekondigd?'
'Nog niet,' gaf Jason toe. 'Ik heb Claudia opdracht gegeven alle patiënten die ik het afgelopen jaar heb gekeurd, op te bellen om te vragen hoe zij zich voelen. Misschien zou jij hetzelfde moeten doen.'
'Dat lijkt me een goed idee.'
'En de autopsie van deze man?' vroeg Jason, terwijl hij het dossier aan Roger teruggaf.
'Die wordt gedaan in het mortuarium.'
'Laat me weten wat de conclusies zijn.'
Toen Roger was vertrokken, besloot Jason in het begin van de volgende week de artsen bij elkaar te roepen. Hoewel hij niet wist hoe groot dit probleem precies was, stond het vast dat hij niet kon blijven toezien hoe ogenschijnlijk gezonde mensen opeens naar het mortuarium moesten worden afgevoerd.
Onderweg naar zijn laatste patiënt dacht Jason weer aan Carol Donner. Opeens kreeg hij een idee en hij liep even naar de centrale balie. Daar vroeg hij Claudia eens bij personeelszaken te informeren naar het huisadres van Hayes.
Toen liep hij door naar zijn spreekkamer en hij vroeg zich af waarom hij daar niet eerder aan had gedacht. Als Carol Donner met die man had samengewoond, zou hij thuis veel makkelijker met haar kunnen praten dan in de *Club Cabaret,* waar men haar duidelijk in bescherming nam. Misschien wist zij iets over de doorbraak van Hayes, of in ieder geval over zijn gezondheid.
Toen Jason met zijn laatste poliklinische patiënt van die dag klaar was, had Claudia het adres bemachtigd. Het was ergens in South End.
Nadat Jason de noodzakelijke correspondentie zo snel mogelijk had afgewerkt, ging hij naar de lift, om zijn ziekenhuisronde te doen. Hij begon met Madaline Krammer.
Ze zag er al beter uit. Een verhoogde dosis plasmiddelen had ervoor gezorgd dat haar handen en voeten aanzienlijk minder gezwollen waren, maar toen hij haar nog eens onderzocht, zag hij tot zijn schrik dat haar pupillen sterk vergroot waren en niet op licht reageerden. Daar maakte hij snel een aantekening van.
Voordat hij naar Matthew Cowen ging, pakte hij het dossier van de man om te zien wat de bevindingen van de oogarts waren geweest. Geschokt las hij dat er sprake was van een milde vorm

van staar aan beide ogen. Hij kon het niet geloven. Staar bij iemand van vijfendertig?
Hij herinnerde zich dat bij de autopsie op Connoly ook staar was geconstateerd. Hij herinnerde zich ook de grote pupillen van Madaline Krammer. Wat gebeurde er in 's hemelsnaam allemaal?
Toen hij Matthew sprak, werd hij nog meer in verwarring gebracht.
'Geeft u me soms vreemde medicijnen?' vroeg de man zodra hij Jason zag.
'Nee. Hoezo?'
'Omdat mijn haar uitvalt.' Hij trok aan een paar haren, die hij meteen in zijn hand hield en toen op zijn kussen deponeerde.
Jason pakte een haar en rolde die langzaam tussen zijn duim en wijsvinger heen en weer. De haar zag er normaal uit, behalve dan dat hij bij de wortel grijs was. Toen onderzocht hij Matthews hoofdhuid. Ook die was normaal, geen ontsteking of rode plekken.
'Hoe lang is dit al gaande?' vroeg hij, terwijl hij aan Brian Lennox dacht, evenals aan de opmerking van mevrouw Harring dat haar man opeens last had gekregen van haaruitval.
'Vandaag is het ineens veel erger geworden,' zei Matthew. 'Ik wil niet paranoïde klinken, maar het lijkt wel of opeens alles mis gaat met mij.'
'Een toevallige samenloop van omstandigheden,' zei Jason, om niet alleen Matthew, maar ook zichzelf een hart onder de riem te steken. 'Ik zal de dermatoloog nog eens naar u laten kijken. Misschien heeft het iets te maken met die droge huid. Is dat al wat beter geworden?'
'Nee, beroerder. Ik had niet naar het ziekenhuis moeten gaan.'
Jason was geneigd dat met hem eens te zijn, vooral omdat het met zo veel van zijn patiënten slecht ging. Toen hij zijn ronde had voltooid, was hij uitgeput. Hij vergat bijna dat een paar vrienden hem met goede bedoelingen hadden uitgenodigd voor het diner die avond, om hem kennis te laten maken met een aantrekkelijke vierendertigjarige advocate, Penny Lambert. Jason keek op zijn horloge, zag dat hij nog een uur de tijd had en besloot dat het de moeite niet waard was om naar huis te gaan. In plaats daarvan pakte hij een plattegrond van Boston en zocht Springfield Street op, waar Hayes had gewoond. Het bleek vlak bij Washington Street te zijn. Hij besloot erheen te rijden, omdat de kans groot was dat hij Carol Donner nu thuis zou aantreffen. Dat was echter makkelijker gezegd dan gedaan. Op Massachusetts Avenue belandde hij in een file. Toch zette hij door en vond

vlak bij het appartement van Hayes een parkeerplaats.
De buurt was een mengelmoes van opgeknapte en vervallen panden. Hayes' appartement bevond zich in een nog niet opgeknapt flatgebouw. Jason liep de hal in en zag dat verscheidene brievenbussen kapot waren en dat de toegangsdeur niet was afgesloten. Hayes' appartement bevond zich op de tweede verdieping. Jason liep de slecht verlichte trap op. Het rook er muf en vochtig.
Het gebouw was groot, met een appartement op iedere verdieping. Toen Jason op de tweede verdieping was aangekomen, struikelde hij bijna over een stapeltje kranten. Er was geen bel, dus klopte hij aan. Geen reactie. Hij klopte harder, waardoor de deur opensprong. Jason keek omlaag en zag dat het slot kort geleden moest zijn geforceerd. Een deel van de deurstijl ontbrak. Met zijn wijsvinger duwde hij de deur voorzichtig een eindje verder open. Die piepte. 'Hallo!' riep hij. Geen geluid, behalve een toilet dat werd doorgespoeld. Hij deed de deur achter zich dicht en liep door een donkere hal naar een tweede deur, die op een kier stond.
Jason keek naar binnen en kreeg meteen de neiging om rechtsomkeert te maken. De huiskamer, waarin eens fraaie antieke meubels moesten hebben gestaan, was veranderd in een puinhoop. Alle laden van het bureau en van een kast waren eruit gehaald en op de grond omgekeerd. De kussens van de bank waren opengesneden en de inhoud van een grote boekenkast was over de grond verspreid.
Jason liep voorzichtig tussen de rommel door en keek een kleine slaapkamer in, die er al even erg uitzag als de huiskamer. Toen liep hij door de hal naar de grote slaapkamer. Ook die was veranderd in een puinhoop. Iedere lade was leeggehaald en de kleren waren op de grond gesmeten. Hij zag dat het allemaal mannenkleren waren.
Opeens piepte de voordeur. Jason voelde de rillingen over zijn rug lopen. Hij wilde iets roepen, in de hoop dat het Carol Donner zou zijn, maar kon geen woord over zijn lippen krijgen. Stokstijf bleef hij staan, en spitste zijn oren. Misschien was de deur door de tocht verder opengegaan. Toen hoorde hij een geluid, alsof een schoen tegen een boek of een lade opbotste. Er was beslist iemand anders in het appartement en Jason had het gevoel dat die persoon wist dat hij er ook was. Er liepen zweetdruppels over zijn voorhoofd. Even moest hij denken aan Currans opmerking dat het drugswereldje gevaarlijk was. Hij vroeg zich af of hij het appartement uit zou kunnen sluipen. Maar hij zou dan weer door de hal moeten.

Opeens stond er een grote gestalte in de deuropening. Zelfs in het donker kon Jason zien dat die een wapen in zijn hand had. Zijn hart ging als een razende tekeer en hij dreigde volslagen in paniek te raken. Toch bleef hij stokstijf staan. Er kwam een tweede, iets kleinere figuur te voorschijn en samen kwamen ze dreigend op Jason af, stap voor stap. Jason wilde het uitschreeuwen van angst en wenste dat hij het op een lopen kon zetten.

6

Het volgende moment dacht Jason dat hij doodging. Hij zag een fel licht. Een seconde later besefte hij echter dat het wapen niet was afgeschoten, maar dat er een gloeilamp boven zijn hoofd was gaan branden. Hij leefde nog. Twee geüniformeerde agenten stonden voor hem. Jason was zo opgelucht, dat hij de mannen wel had kunnen omhelzen.
'Ben ik blij jullie te zien,' zei hij.
'Omdraaien,' beval de langste agent, Jasons opmerking negerend.
'Ik kan...' begon Jason, maar hij kreeg het bevel zijn mond te houden, zijn handen tegen de muur te leggen en zijn benen te spreiden.
De tweede agent fouilleerde hem en pakte zijn portefeuille. Toen ze zich ervan hadden vergewist dat hij ongewapend was, pakten ze hem bij de polsen en deden hem handboeien om. Toen namen ze hem mee, het appartement door, de trap af, naar buiten. Sommige voorbijgangers bleven staan om te kijken hoe hij werd gedwongen op de achterbank van een gewone personenauto plaats te nemen.
De agenten zwegen tijdens de rit naar het bureau en Jason kwam tot de conclusie dat het geen zin had iets uit te leggen voordat ze daar waren gearriveerd. Nu hij weer een beetje tot rust was gekomen, begon hij na te denken over wat hij moest doen. Hij nam aan dat hij wel een telefoongesprek zou mogen voeren en vroeg zich af of hij Shirley moest bellen, of de advocaat die hem had geholpen bij de verkoop van zijn huis en praktijk.
Na aankomst op het bureau brachten de agenten hem echter naar een lege kamer en lieten hem daar alleen. Toen ze de gang weer op waren gelopen, hoorde Jason een klik en hij besefte dat ze hem hadden opgesloten. Hij had nog nooit in de gevangenis gezeten en voelde zich verre van prettig.
Terwijl de minuten verstreken, besefte Jason de ernst van de situatie. Hij herinnerde zich dat Shirley hem had gezegd dat hij zich er verder niet mee moest bemoeien. Alleen God wist wat de gevolgen voor de kliniek zouden zijn als bekend werd dat hij was gearresteerd.

Eindelijk ging de deur dan toch weer open.
Rechercheur Michael Curran kwam binnen, gevolgd door de kleinere agent. Jason was blij Curran te zien, maar besefte meteen dat het gevoel niet wederzijds was. De lijnen in het gezicht van de man leken dieper dan ooit.
'Doe hem die handboeien af,' zei Curran zonder te glimlachen.
Jason ging staan toen de agent de boeien losmaakte. Hij keek Curran aan, probeerde de gedachten van die man te raden, maar slaagde daar niet in.
'Ik wil hem onder vier ogen spreken,' zei Curran tegen de geüniformeerde agent, die knikte en wegging.
'Hier zijn uw papieren,' zei Curran boos en hij gooide de portefeuille naar Jason. 'U bent kennelijk niet bereid naar goede raad te luisteren. Wat moet ik doen om u ervan te overtuigen dat er met het drugswereldje niet te spotten valt?'
'Ik wilde alleen met Carol Donner praten...'
'Geweldig. Dus gaat u zich ermee bemoeien en verknalt alles voor ons.'
'Zoals?' vroeg Jason, die boos begon te worden.
'Wij hebben dat appartement al in de gaten gehouden vanaf het moment dat we wisten dat het was doorzocht. We hoopten iemand te kunnen inrekenen die wat interessanter was dan u.'
'Dat spijt me.'
Curran schudde teleurgesteld zijn hoofd. 'Het had erger kunnen zijn. Er had u iets kunnen overkomen. Dokter, zou u zich alstublieft weer uitsluitend met uw patiënten willen bezighouden?'
'Laat u me gaan?' vroeg Jason vol ongeloof.
'Ja,' zei Curran en draaide zich om naar de deur. 'Ik ben niet van plan tijd aan u te gaan verspillen.'
Jason liep het bureau uit en nam een taxi naar Springfield Street, waar hij in zijn eigen auto stapte. Hij keek naar het flatgebouw en rilde. Het was een hoogst onplezierige ervaring geweest.
Jason was nu zo opgewonden, dat hij blij was dat hij die avond iets om handen had. De Alics, zijn vrienden, hadden aardige mensen uitgenodigd en het eten en de drankjes smaakten prima. De vrouw met wie ze hem in contact hadden willen brengen, Penny Lambert, bleek een soort yuppie te zijn, die zich klassiek kleedde, in een blauw pakje en een blouse met een immense strik. Gelukkig was ze wel vrolijk en opgewekt en had ze er geen problemen mee de stiltes te vullen, die ontstonden doordat Jason telkens weer moest denken aan het appartement van Hayes en aan de noodzaak om met Carol Donner te spreken.
Toen de koffie en cognac waren opgedronken, kreeg Jason op-

eens een idee. Als hij aanbood Penny naar huis te brengen, kon hij haar er misschien toe overhalen nog even iets te drinken in Carols club. Het was duidelijk dat Carol niet langer in het appartement van Hayes woonde. Jason had het gevoel dat hij wellicht eerder de kans zou krijgen met haar te praten als er een andere vrouw bij was. Penny nam zijn aanbod meteen aan en toen ze in de auto zaten, vroeg hij haar of ze zin had om iets avontuurlijks te doen.
'Hoe bedoel je dat?' vroeg ze voorzichtig.
'Ik dacht dat je misschien wel eens een andere kant van Boston zou willen zien.'
'Een disco?'
'Zoiets,' zei Jason, die heimelijk bedacht dat deze ervaring weleens goed voor Penny zou kunnen zijn. Ze was aardig, maar iets te voorspelbaar.
Ze ontspande zich, glimlachte en kletste aan één stuk door tot ze bij de *Club Cabaret* waren gearriveerd. 'Weet je zeker dat dit een goed idee is?' vroeg ze.
'Vooruit,' drong Jason aan. Onderweg had hij haar iets meer achtergrondinformatie gegeven, en haar verteld dat hij wilde praten met de jonge vrouw met wie dokter Hayes had samengeleefd. Penny kende het verhaal uit de kranten en was niet bepaald enthousiast, maar toch ging ze met hem mee naar binnen.
Vrijdag bleek een drukke avond te zijn voor de club. Jason pakte Penny's hand vast en baande zich moeizaam een weg tussen de mensen door, in de hoop de man met de donkere zonnebril en zijn twee lijfwachten te kunnen ontlopen. Een biljet van vijf dollar verzekerde hem van een tafeltje tegen een van de zijmuren. Vanaf die plaats konden zij de danseressen goed zien, maar ze zouden zelf half verborgen blijven door de klanten die twee rijen dik bij de bar stonden.
Ze waren binnengekomen tussen twee optredens in. Net toen ze iets te drinken hadden besteld, kwamen de luidsprekers met veel lawaai tot leven. Jasons ogen waren nu aan het halfdonker gewend en hij kon Penny's gezicht net zien. Ze knipperde nauwelijks met haar ogen.
Er verscheen een danseres, gehuld in een doorzichtig gewaad. Her en der werd gefloten. Penny bleef zwijgen. Toen Jason de serveerster voor de drankjes betaalde, vroeg hij of Carol Donner die avond zou optreden. Haar eerste optreden was om elf uur, kreeg hij te horen. Jason was opgelucht. Anders dan het appartement van Hayes, was zij dus met rust gelaten.
Toen de serveerster vertrok, zag hij dat de danseres alleen nog

haar minuscule slipje aan had en dat Penny haar lippen stevig op elkaar had geperst.
'Dit is walgelijk!' zei ze boos.
'Het is geen uitvoering van het symfonie-orkest van Boston.'
'Ze heeft zelfs cellulitis.'
Jason bekeek de danseres iets aandachtiger toen zij de trap weer op liep. Inderdaad, er zaten putjes aan de achterkant van haar dijbenen. Jason glimlachte. Typisch iets voor een vrouw om daarop te letten!'
'Genieten die mannen werkelijk?' vroeg Penny, nog steeds vol walging.
'Dat is een goede vraag. Ik weet het niet. De meesten kijken nogal verveeld.'
Niemand verveelde zich echter toen Carol verscheen. Net als de avond daarvoor ging iedereen rechtop zitten zodra ze met haar act begon.
'Wat vind je van haar?' vroeg Jason.
'Ze is een goede danseres, maar ik kan me niet voorstellen dat die vriend van jou iets met haar te maken heeft gehad.'
'Dat idee had ik ook,' zei Jason. Nu was hij daar niet meer zo zeker van. Carol Donner leek een heel andere persoonlijkheid te hebben dan hij zich eerst had voorgesteld.
Nadat Carol haar act had vertoond en zich opnieuw niet beneden liet zien, vond Jason het welletjes. Penny wilde graag weg en onderweg naar huis zei ze niet veel. Jason nam aan dat de *Club Cabaret* niet veel indruk op haar had gemaakt. Toen hij haar voor de deur afzette, nam hij niet eens de moeite te zeggen dat hij nog wel zou bellen. Hij wist dat de Alics teleurgesteld zouden zijn, maar vond dat ze maar hadden moeten weten dat deze vrouw zijn type niet was.
In zijn eigen appartement kleedde Jason zich uit en pakte weer het boek over DNA. Toen ging hij in bed zitten lezen. Omdat hij zich die middag zo uitgeput had gevoeld, verwachtte hij eigenlijk snel in slaap te zullen vallen, maar dat gebeurde niet. Hij las over bacteriofagen, een virus dat bepaalde bacteriën aantast en verteert, en hoe die door genetici konden worden gebruikt. Hij las een hoofdstuk over plasmiden, waarvan hij nog nooit had gehoord. Plasmiden bleken ringvormige, uit DNA bestaande organellen in het bacterielichaam te zijn, die zich trouw vermenigvuldigden wanneer de bacterie zich vermenigvuldigde. Ook zij waren heel belangrijk als transportmiddel voor het toevoegen van DNA-segmenten aan een bacterie.
Jason was nog altijd klaar wakker en keek op de klok. Het was

twee uur. Hij stond op, liep zijn huiskamer in en staarde naar Louisburg Square. Een auto kwam aangereden. Het was de man die het tuinappartement in Jasons huis huurde. Ook hij was arts en hoewel ze elkaar altijd vriendelijk groetten, wist Jason van de man eigenlijk alleen maar dat hij graag en veel met mooie vrouwen op stap ging. Nu kwam hij de auto uit in het gezelschap van een lachende blondine. Jason moest weer aan Carol Donner denken en wilde dat hij haar even kon spreken. Opeens kreeg hij een idee. Snel liep hij terug naar de slaapkamer, kleedde zich weer aan en liep naar buiten, naar zijn auto.

Hij was niet helemaal gerust op de mogelijke consequenties van zijn besluit, maar reed toch door naar Combat Zone. In tegenstelling tot de rest van de stad was het daar nog erg druk. Hij reed een keer langs de *Club Cabaret,* draaide, reed een zijstraat in en parkeerde zijn auto. In de portieken zag hij een paar louche figuren staan en hij kreeg een onbehaaglijk gevoel. Hij controleerde snel of de auto goed was afgesloten.

Een kwartiertje nadat hij zijn auto had neergezet, kwam er een grote groep mensen uit de club, die zich snel verspreidde. Een minuut of tien later verscheen een groep danseressen. Ze bleven voor de club nog even met elkaar staan praten en vertrokken toen. Carol was er niet bij. Net toen Jason bang werd dat hij haar was misgelopen, kwam ze naar buiten, in het gezelschap van een van de bodybuilders. Hij had een leren jasje over zijn T-shirt aangetrokken, dat echter niet was dichtgeritst. Ze sloegen rechtsaf, Washington Street in.

Jason startte zijn auto, zonder precies te weten wat hij nu moest doen. Gelukkig was het nog druk. Er waren veel auto's en veel voetgangers. Hij reed langzaam, om Carol niet uit het oog te verliezen, maar een agent gebaarde hem dat hij door moest rijden. Carol en haar begeleider sloegen linksaf, liepen een parkeerterrein op en stapten in een grote zwarte Cadillac.

Die zal ik in ieder geval niet snel uit het oog verliezen, dacht Jason. Hij had echter nog nooit een auto achtervolgd en ontdekte dat het moeilijker was dan hij had gedacht, vooral als je het ongemerkt wilde doen. De Cadillac reed om de Common heen, ging bij Charles Street in noordelijke richting verder, draaide linksom Beacon Street in, langs Hampshire House. Even verder werd de auto aan de linkerkant van de straat tot stilstand gebracht, naast een al geparkeerde auto. Het was het deel van de stad dat Back Bay werd genoemd. De huizen waren opgetrokken uit bruine bakstenen en waren gebouwd rond de eeuwwisseling. De meeste ervan waren verbouwd tot appartementen. Jason passeerde de

Cadillac op het moment dat Carol uitstapte. Hij ging wat langzamer rijden en keek in zijn achteruitkijkspiegel. Ze rende de trap op van een gebouw met een grote erker. Jason draaide linksom Exeter op, toen weer links naar Marlborough. Zodra hij Beacon Street weer had bereikt, zag hij dat de zwarte Cadillac in geen velden of wegen meer te bekennen was.

Jason zette zijn auto iets verderop neer. Om drie uur 's nachts was het heel rustig in Back Bay. Er waren geen voetgangers en slechts af en toe kwam er een auto voorbij. Hij liep het pad op naar het huis waarin Carol moest wonen. Het telde zes verdiepingen en achter geen van de ramen zag hij licht branden. Hij liep de hal in en keek naar de naambordjes. Het waren er veertien in totaal, maar tot zijn teleurstelling kon hij de naam Donner niet vinden.

Hij liep weer naar buiten en vroeg zich af wat hij moest doen. Hij herinnerde zich een smal steegje tussen Beacon en Marlborough, liep om het huizenblok heen en telde de huizen. Op de vierde verdieping zag hij licht branden. Hij nam aan dat het Carols appartement was, omdat het onwaarschijnlijk was dat er verder nog iemand anders wakker was.

Jason was van plan terug te lopen en op de juiste bel te drukken. Zodra hij zich omdraaide, zag hij iemand op hem af komen lopen. Toen de afstand tussen hen kleiner werd, ging Jason steeds langzamer lopen en bleef toen staan, in de hoop dat de man hem gewoon zou passeren. Tot zijn schrik zag hij dat het de bodybuilder was. Zijn leren jack hing open en het witte T-shirt stond strak gespannen over zijn gespierde borstkas. Het was de man die hem de avond daarvoor de *Club Cabaret* uit gesmeten had.

De man liep op Jason af. Jason schatte hem op een jaar of vijfentwintig. Hij had een rond gezicht, wat suggereerde dat hij steroïden gebruikte. Het voorspelde weinig goeds. Jasons hoop dat de man hem niet zou herkennen, werd meteen de grond in geboord.

'Wat doe jij verdomme hier, griezel?'

Dat was alles wat Jason nodig had. Hij draaide zich bliksemsnel om en begon de andere kant op te rennen. Helaas legden zijn schoenen met leren zolen het af tegen de gymschoenen van de bodybuilder.

'Smerige gluurder!' schreeuwde de man en pakte hem vast.

Jason wist een linkse te ontduiken en greep het dijbeen van de man vast, in de hoop hem daardoor ten val te kunnen brengen. Helaas bleek dat hij net zo goed de poot van een piano had kunnen vastpakken. Jason werd overeind getrokken. Omdat hij wist

dat het een ongelijke strijd was, besloot hij het met woorden te proberen. 'Waarom zoek je niet iemand van je eigen maat?'
'Omdat ik niet van gluurders houd,' zei de bodybuilder en hij tilde Jason bijna van de grond.
Jason slaagde erin zich uit zijn jasje te wurmen en rende snel het steegje in, onderweg een vuilnisbak omgooiend.
'Ik zal je leren dat je beter uit de buurt van Carol kunt blijven!' brulde de andere man, die de vuilnisbak wegtrapte en de achtervolging inzette. Jason had nu baat bij het feit dat hij al jarenlang jogde. De bodybuilder was snel, maar begon wel steeds moeizamer adem te halen. Toen Jason bijna het einde van het steegje had bereikt, gleed hij uit over de kiezelsteentjes. Op het moment dat hij weer overeind krabbelde, greep een grote hand zijn schouder vast en draaide hem om.

7

'Halt, politie!' Een stem verbrak de stilte van de Bostonse nacht. Jason bleef stokstijf staan, net als de bodybuilder. Opeens gingen de portieren open van een auto die bij het uiteinde van het steegje geparkeerd stond en sprongen drie rechercheurs in burger naar buiten. 'Tegen de muur, benen spreiden!' kreeg Jason voor de tweede maal te horen. Hij gehoorzaamde meteen, maar de bodybuilder leek er even over na te moeten denken.
'Jij hebt verdomd veel mazzel,' gromde hij tegen Jason en volgde toen het bevel van de agenten op.
'Houd je mond!' schreeuwde een politieman. Jason en zijn achtervolger werden snel gefouilleerd. Toen moesten ze zich omdraaien, met hun handen achter hun hoofd. Een agent pakte een zaklantaarn en bekeek hun identiteitsbewijzen.
'Bruno DeMarco?' vroeg hij en richtte zijn zaklantaren op de bodybuilder. Bruno knikte. De zaklantaarn werd op Jason gericht.
'Dokter Jason Howard?'
'Dat klopt.'
'Wat is hier gaande?' vroeg de agent in burger.
'Die griezel hier probeerde mijn vriendin lastig te vallen,' zei Bruno woedend. 'Hij volgde haar.'
De politieman keek van Bruno naar Jason en weer terug. Toen liep hij naar de auto en pakte iets van de achterbank. Hij overhandigde Bruno zijn portefeuille en beval hem naar huis en naar bed te gaan. In eerste instantie leek Bruno het niet te begrijpen. Toen borg hij zijn portefeuille op.
'Ik zal die smoel van jou niet vergeten, schoft!' riep hij naar Jason en verdween toen richting Beacon Street.
'En u de auto in!' zei de agent tegen Jason.
Jason was stomverbaasd. Hij kon niet geloven dat ze de uitsmijter hadden laten gaan en hem vasthielden. Net toen hij daarover zijn beklag wilde doen, pakte de agent zijn arm vast en dwong hem plaats te nemen op de achterbank van de politiewagen.
'U begint verdomd lastig te worden,' zei rechercheur Curran, die in de auto een sigaret zat te roken. 'Ik had u door dat stuk geboefte in elkaar moeten laten slaan.'

Jason was sprakeloos.
'Ik hoop dat u er enig idee van hebt hoe u deze zaak voor ons aan het verpesten bent,' ging Curran verder. 'Eerst hielden we het appartement van Hayes in de gaten. U kwam de zaak verknallen. Nu hielden we Carol Donner in de gaten en meende u opnieuw tussenbeide te moeten komen. We kunnen dit hele onderzoek net zo goed staken. Waar staat uw auto? Ik neem tenminste aan dat u met de auto hierheen bent gekomen?'
'Die staat om de hoek,' zei Jason tam.
'Dan zou ik u willen voorstellen hem op te halen en naar huis te gaan. Daarna zou het verstandig zijn als u zich verder uitsluitend met uw patiënten bemoeide en dit onderzoek aan ons overliet. U maakt het ons onmogelijk ons werk te doen.'
'Het spijt me,' zei Jason. 'Ik wist niet...'
'Gaat u alstublieft weg!'
Jason stapte de politiewagen uit en vond zichzelf nogal stom. Natuurlijk hadden ze Carol in de gaten gehouden. Als zij met Hayes had samengewoond, zou zij ook wel iets met drugs te maken hebben. Gezien haar werk kon je daar eigenlijk wel bijna van uitgaan. Jason stapte zijn auto in, bedacht dat zijn jasje nog ergens buiten moest liggen, haalde zijn schouders op en reed naar huis.
Het was half vier toen hij de trap naar zijn appartement op liep en plichtsgetrouw de dienst opbelde die in zijn afwezigheid de telefoontjes voor hem aannam. Toen hij achter Carol Donner aan was gegaan, had hij zijn pieper niet meegenomen en hij hoopte dat niemand hem had gebeld. Hij was te moe om nu een noodgeval aan te kunnen. Het ziekenhuis had niet gebeld, maar er was wel een boodschap van Shirley, met het verzoek haar op te bellen, hoe laat het ook was. Het scheen dringend te zijn.
Stomverbaasd draaide Jason haar nummer en aan de andere kant van de lijn werd meteen opgenomen. 'Waar was je in vredesnaam?'
'Dat is een verhaal op zich.'
'Ik wil je om een gunst vragen. Kun je meteen hierheen komen?'
'Het is half vier.'
'Ik zou het je niet vragen als het niet belangrijk was.'
Jason deed een ander jasje aan en liep terug naar de auto. Tijdens de rit naar Brookline vroeg hij zich af wat er aan de hand was. Het enige dat voor hem vaststond, was dat het iets met Hayes te maken moest hebben.
Shirley woonde aan Lee Street, een bijzonder sfeervolle straat die om het Brookline Reservoir heen liep en naar een woonwijk

leidde vol oude huizen.
Toen Jason de oprit naar haar huis op draaide, zag hij achter vrijwel alle ramen licht branden. Hij zette zijn auto voor de deur neer, die meteen door Shirley werd geopend.
'Bedankt voor je komst,' zei ze en omhelsde hem even. Ze had een witte kasjmier trui aan en een gebleekte spijkerbroek en voor het eerst sinds Jason haar had leren kennen, leek ze van streek te zijn.
Ze nam hem mee naar een grote huiskamer en stelde hem voor aan twee leidinggevende functionarissen van het GHP, die eveneens zichtbaar van streek waren. Jason gaf eerst Bob Walthrow een hand, een kleine, kalende man, en toen Fred Ingelnook, een man die sprekend op Robert Redford leek.
'Heb je zin in een borrel?' vroeg Shirley. 'Je ziet eruit alsof je best iets kunt gebruiken.'
'Alleen wat mineraalwater,' zei Jason. 'Ik ben bekaf. Wat is er aan de hand?'
'Nog meer problemen. Ik heb een telefoontje gekregen van de bewakingsdienst. Er is vannacht ingebroken in het laboratorium van Hayes. Er is vreselijk veel schade aangericht.'
'Vandalisme?'
'Daar zijn we niet zeker van.'
'Het lijkt mij hoogst onwaarschijnlijk,' zei Bob Walthrow. 'Iemand is ergens naar op zoek geweest.'
'Is er iets meegenomen?' vroeg Jason.
'Dat weten we nog niet,' antwoordde Shirley, 'maar dat is niet het probleem. We willen dit uit de kranten houden. Good Health kan niet nog meer negatieve publiciteit gebruiken. Twee grote bedrijven staan op het punt een contract met ons te sluiten. Als ze horen dat de politie denkt dat er in het lab van Hayes naar drugs is gezocht, is de kans groot dat zij zich zullen terugtrekken.'
'De patholoog-anatoom van de gemeente heeft me verteld dat er cocaïnesporen in de urine van Hayes zijn aangetroffen,' zei Jason.
'Verdomme!' reageerde Bob Walthrow. 'Laten we maar hopen dat de kranten dat niet horen.'
'We moeten proberen de schade zoveel mogelijk beperkt te houden,' zei Shirley.
'Hoe denk je dat te doen?' vroeg Jason, die zich afvroeg waarom hij erbij was gehaald.
'De Raad van Bestuur wil die inbraak stil houden.'
'Dat zou nog wel eens moeilijk kunnen zijn,' zei Jason en nam

een slokje van zijn mineraalwater. 'De kranten zullen het via de politie toch wel te horen krijgen.'
'Daar gaat het nu juist om. We hebben in principe besloten dit niet aan de politie te melden, maar wilden eerst jouw mening daarover horen.'
'Mijn mening?' vroeg Jason verbaasd.
'Nu ja, de mening van de medische staf. Jij bent op dit moment chef de clinique en we dachten dat jij de anderen hier voorzichtig over zou kunnen polsen.'
'Dat zou ik kunnen doen,' zei Jason en hij vroeg zich af hoe hij de artsen kon polsen zonder dat de buitenwacht daar iets van merkte. 'Maar als je mijn persoonlijke mening wilt horen, moet ik je zeggen dat ik dit helemaal geen goed idee vind. Bovendien zal de verzekering niets uitbetalen als de politie hier niet van in kennis wordt gesteld.'
'Daar zit wat in,' zei Fred Ingelnook.
'Ja, maar dat is toch van ondergeschikt belang tegenover de schade die onze p.r. hierdoor zou lijden,' zei Shirley. 'We zullen in ieder geval wachten met aanmelden tot we mensen van de verzekering hebben gesproken en Jason de andere artsen heeft gepolst.'
'Dat lijkt me een goed idee,' zei Fred Ingelnook.
'Prima,' zei Bob Walthrow.
Shirley stuurde Ingelnook en Walthrow naar huis, maar hield Jason staande, die ook wilde opstappen. Ze vroeg hem de volgende morgen om acht uur in de kliniek te zijn. 'Ik heb Hélène gevraagd er dan ook te zijn. Misschien kunnen we samen achterhalen wat er aan de hand is.'
Jason knikte en vroeg zich nog steeds af waarom Shirley hem dit alles niet over de telefoon had kunnen vertellen. Hij was echter te moe om daar lang over na te denken. Snel gaf hij haar een kusje op haar wang en liep enigszins wankel terug naar zijn auto, in de hoop twee of drie uur te kunnen slapen.

8

Die zaterdagmorgen liep een vermoeide Jason even na achten het kantoor van Shirley in. De muren waren bedekt met donkere, mahoniehouten panelen en op de grond lag een dik, groen tapijt. Het leek wel het kantoor van een bankdirecteur. Shirley sprak over de telefoon met iemand van een verzekeringsmaatschappij, dus ging Jason zitten en wachtte. Nadat ze had opgehangen, zei ze: 'Wat die verzekering betreft, had je gelijk. Ze zijn niet van plan uit te betalen als de inbraak niet officieel bij de politie wordt gemeld.'
'Meld die dan.'
'Laten we eerst maar eens kijken hoe groot de schade is en wat er wordt vermist.'
Ze namen de lift naar de bovenste verdieping, waar iemand van de bewakingsdienst de tussendeur voor hen openmaakte. Ze namen niet de moeite witte jassen en beschermhoezen voor hun schoenen aan te trekken.
Het laboratorium was veranderd in een puinhoop, net als Hayes' appartement. Alle laden en kasten waren leeggehaald, maar de zeer geavanceerde apparatuur was met rust gelaten, zodat het meteen duidelijk was dat er geen sprake kon zijn van vandalisme. Iemand was ergens naar op zoek geweest. Jason keek even Hayes' kantoor in. Alle bureauladen en dossierkasten waren opengetrokken en leeggehaald.
Hélène Brennquivist verscheen in de deuropening van de tweede afdeling en zag spierwit. Ze had haar haren weer strak naar achteren gestoken, maar nu ze geen witte jas aan had, zag Jason dat ze een aantrekkelijk figuurtje had.
'Is er iets gestolen?' vroeg Shirley haar meteen.
'Ik kan de boeken waarin ik mijn gegevens noteer nergens vinden, en er zijn ook een paar kweken weg. Het ergste is nog wel wat er met de dieren is gebeurd.'
'Hoezo?' vroeg Jason en zag dat haar gewoonlijk uitdrukkingloze gezicht nu trilde van angst.
'Misschien kunnen jullie beter meekomen. Ze zijn allemaal gedood.'
Jason liep de stalen deur door en rook meteen een doordrin-

gende, zure stank. Hij deed het licht aan en zag een grote ruimte, waarin de kooien in lange rijen stonden opgesteld, soms wel zes verdiepingen hoog.
Jason liep langs de dichtstbijzijnde rij. Achter hem ging de deur met een klik dicht. Hélène had niet overdreven. Alle dieren die hij zag, waren dood, lagen in verwrongen houdingen op de bodem van hun kooi, vaak met bebloede tongen, alsof ze daar in hun doodsstrijd hard op hadden gebeten.
Opeens bleef Jason staan. In enige grote kooien zag hij iets waarvan zijn maag zich bijna omdraaide: ratten, zoals hij ze nog nooit eerder had gezien. Ze waren immens groot, bijna even groot als varkens, en hun kale, zweepachtige staarten waren even dik als Jasons polsen. Hun tanden waren zo'n twaalf centimeter lang. Jason liep verder en zag konijnen van hetzelfde formaat, en daarna witte muizen die de afmetingen hadden van een kleine hond.
Deze kant van de genetica vervulde hem met afschuw. Hoewel hij bang was voor wat hij nog meer te zien zou krijgen, dwong een morbide nieuwsgierigheid hem verder te gaan. Langzaam lopend keek hij in de andere kooien en zag vervormingen van bekende dieren. Hij werd er misselijk van. Hier was de wetenschap krankzinnig geworden. Konijnen met meerdere koppen, muizen met meer dan vier poten en extra ogen. Het experimenteren met primitieve bacteriën was in de ogen van Jason nog wel acceptabel. Het werken met zoogdieren was echter iets heel anders!
Hij liep terug naar de andere afdeling, waar Shirley en Hélène de kweken aan het controleren waren geweest.
'Heb jij die dieren wel eens gezien?' vroeg Jason Shirley vol walging.
'Helaas wel, toen Curran hier was. Ik denk er maar liever niet meer aan.'
'Heeft onze kliniek zijn goedkeuring gegeven aan dergelijke experimenten?'
'Nee,' antwoordde Shirley. 'We hebben Hayes zijn gang laten gaan, domweg omdat niemand eraan dacht dat we hem eens zouden moeten controleren.'
'Zo kunnen beroemdheden ongestraft doen en laten wat ze willen,' zei Jason cynisch.
'De dieren hoorden bij zijn onderzoek naar de groeihormonen,' zei Hélène, om haar overleden baas te verdedigen.
'Laat maar,' zei Jason, die op dat moment niets voor een discussie over ethiek voelde. 'In ieder geval zijn ze allemaal dood.'

'Allemaal?' zei Shirley. 'Wat vreemd. Wat is er volgens jou gebeurd?'
'Vergif,' zei Jason grimmig. 'Ik begrijp echter absoluut niet waarom iemand die naar verdovende middelen op zoek gaat, de moeite neemt een reeks laboratoriumdieren te doden.'
'Kun jij dit verklaren?' vroeg Shirley boos aan Hélène.
De jongere vrouw schudde haar hoofd en keek nerveus om zich heen.
Shirley bleef Hélène aanstaren, die zenuwachtig begon te worden. Jason keek toe, geïntrigeerd door het plotseling agressieve optreden van Shirley.
'Je kunt beter meewerken,' zei ze, 'want anders zul je ernstig in de problemen komen. Dokter Howard is ervan overtuigd dat je iets achterhoudt. Als dat zo is en wij ontdekken het, zal dat niet direct bevorderlijk voor je carrière zijn. Heb je me goed begrepen?'
'Ik heb alleen de bevelen van dokter Hayes opgevolgd,' zei Hélène en haar stem brak.
'Wat voor bevelen?' vroeg Shirley en liet haar stem dalen tot een dreigend gefluister.
'We hebben hier wat free-lance werk gedaan.'
'Op welk terrein?'
'Dokter Hayes deed een klus voor een bedrijf dat Gene Incorporated heet. We hebben daar een hormoon voor geproduceerd door middel van recombinante technieken.'
'Wist je dat het dokter Hayes niet was toegestaan voor anderen te werken?'
'Dat heeft hij me verteld,' gaf Hélène toe.
Shirley keek Hélène nog een minuut lang aan. Toen zei ze: 'Ik wil niet dat je hier met iemand over spreekt. Je moet een volledige lijst maken van alle dieren en alle dingen die in dit laboratorium worden vermist of zijn beschadigd, en die kom je dan meteen naar mij toe brengen. Heb je dat begrepen?'
Hélène knikte.
Jason liep achter Shirley aan het laboratorium uit. Zij was er, anders dan hij, in geslaagd door de façade van Hélène heen te breken, maar ze had niet de juiste vragen gesteld.
'Waarom heb je haar niet gevraagd naar die doorbraak van Hayes?' vroeg hij zodra ze bij de lift stonden.
Shirley bleef de knop indrukken en was duidelijk nog steeds woedend.
'Daar heb ik niet aan gedacht. Iedere keer als ik denk dat we het probleem Hayes in bedwang hebben, dient zich weer iets nieuws

aan. In zijn contract had ik nadrukkelijk laten vastleggen dat er niet mocht worden bijverdiend.'
'Dat doet er nu niet meer zoveel toe,' zei Jason en hij stapte na Shirley de lift in. 'De man is dood.'
Ze zuchtte. 'Je hebt gelijk. Misschien reageer ik te fel. Ik wou alleen dat we deze hele affaire konden afsluiten.'
'Ik denk nog steeds dat Hélène meer weet dan ze ons vertelt.'
'Dan zal ik nogmaals met haar praten.'
'Vind je niet dat je de politie erbij moet halen, zeker nu je de dieren hebt gezien?'
'Als ik dat doe, krijgen we de kranten ook meteen op ons dak, en dat betekent nog meer problemen. Afgezien van de dieren lijkt verder niets waardevols te zijn beschadigd.'
Jason hield zijn mond. Het melden van de inbraak was duidelijk iets dat door de ziekenhuisleiding moest worden gedaan. Hij was meer geïnteresseerd in de doorbraak van Hayes en hij wist dat de politie en de kranten hem daar niet bij zouden kunnen helpen. Hij vroeg zich af of Hayes' ontdekking iets te maken kon hebben met die monsterlijke dieren. Door de gedachte alleen al liepen hem de rillingen over zijn rug.
Jason begon zijn ronde met Matthew Cowen. Helaas was er weer iets nieuws aan de hand. Matthew gedroeg zich nu opeens vreemd. Een paar minuten daarvoor hadden de verpleegsters hem zwervend in de gang aangetroffen, terwijl hij allerlei onzin mompelde. Nu was hij in bed vastgebonden en keek Jason aan alsof die een volslagen onbekende was. De man wist duidelijk niet meer hoe laat het was, waar hij was en wie hij was. Volgens Jason kon dat slechts één ding betekenen: via de gewonde hartkleppen van de man waren er embolieën, waarschijnlijk bloedklonters, in zijn hersenen terechtgekomen. Met andere woorden: hij had een of misschien zelfs wel meerdere beroertes gekregen.
Jason riep meteen een neuroloog op, evenals de cardioloog die deze patiënt al eerder had gezien. Hoewel hij er even over dacht meteen anticoagulantia toe te dienen, besloot hij daarmee te wachten tot hij met de neuroloog had kunnen overleggen. In de tussentijd liet hij de man aspirine en persantine toedienen, om het samenklonteren van bloedplaatjes tegen te gaan. Een beroerte was altijd een verontrustende ontwikkeling en een heel slecht teken.
Snel maakte Jason de rest van zijn ronde af. Net toen hij naar huis wilde gaan om eindelijk zijn bed in te kunnen duiken, werd hij via de luidsprekers opgeroepen naar de afdeling Acute op-

name, in verband met een van zijn patiënten. Binnensmonds vloekend rende hij naar beneden, in de hoop dat het probleem, wat het dan ook was, makkelijk zou kunnen worden opgelost. Helaas bleek dat niet zo te zijn.
Toen hij buiten adem op de polikliniek arriveerde, was men al bezig met de patiënt. Een snelle blik op de monitor maakte hem duidelijk dat er geen sprake was van enige activiteiten van het hart.
'Is er in de ambulance nog hartslag of ademhaling geconstateerd?'
'Nee,' zei Judith. 'Ze voelt trouwens al koud aan.'
Jason raakte het been van de vrouw even aan en moest dat met Judith eens zijn. Haar gezicht was van hem afgekeerd.
'Wie is het?' vroeg Jason, terwijl hij zich intuïtief voorbereidde op een klap.
'Holly Jennings.'
Jason had het gevoel dat iemand hem een keiharde stomp in zijn maag had gegeven. 'Mijn god!' mompelde hij.
'Is alles in orde met jou?' vroeg Judith.
Jason knikte. Toen hij Holly de afgelopen donderdag had gezien, had hij problemen vermoed, maar niet dit. Hij kon domweg het feit niet accepteren dat Holly net als Cedric Harring was overleden, nog geen maand nadat ze uitgebreid was gekeurd en gezond bevonden, en twee dagen nadat hij haar nogmaals had gezien.
Hij pakte de telefoon en draaide met trillende vingers het nummer van Margaret Danforth.
'Weer geen bestaande hartkwalen?' vroeg ze.
'Inderdaad.'
'Waar zijn jullie in 's hemelsnaam mee bezig?'
Jason gaf geen antwoord. Hij probeerde Margaret zover te krijgen dat ze de autopsie in de kliniek konden doen, maar de vrouw aarzelde.
'We kunnen het vandaag doen,' zei Jason, 'en dan krijgt u het rapport begin volgende week binnen.'
'Het spijt me,' zei Margaret, die opeens een beslissing nam. 'Ik zet zo mijn vraagtekens bij het een en ander en ik denk dat ik wettelijk verplicht ben die autopsie te verrichten.'
'Dat begrijp ik. Ik neem aan dat u wel bereid bent ons enig materiaal te geven, waardoor we hier ook aan de slag kunnen gaan?'
'Hmmm,' zei Margaret zonder enthousiasme. 'Om u de waarheid te zeggen, weet ik niet eens of dat wettelijk is toegestaan. Ik zal ernaar informeren, zeker omdat ik liever geen twee weken wil

wachten op de onderzoeksresultaten.'
Jason ging naar huis, liet zich op zijn bed vallen en sliep vier uur. Toen werd hij gewekt door een telefoontje van de neuroloog, die hem het een en ander over Matthew wilde vragen. Hij wilde anticoagulantia toedienen, en een CAT-scan laten maken.
Jason verzocht hem te doen wat hij het beste achtte. Toen probeerde hij weer in slaap te vallen, maar dat lukte niet. Hij was te zeer geschokt, maakte zich te veel zorgen. Hij stond op. Het was een sombere dag in de late herfst en het miezerde, waardoor Boston er afschuwelijk uitzag. Hij ijsbeerde door zijn appartement, vechtend tegen een depressie, zoekend naar iets om zijn gedachten af te leiden. Toen trok hij makkelijke kleren aan en liep naar zijn auto. In het besef dat hij waarschijnlijk om problemen vroeg, reed hij naar Beacon Street en zette zijn auto neer voor de deur van Carols appartement.
Tien minuten later leek het wel alsof God eindelijk had besloten hem eens een gunst te verlenen, want Carol kwam naar buiten. Ze had een spijkerbroek en een coltrui aan en haar dikke, bruine haar in een paardestaart opgebonden. Nu zag ze er inderdaad uit als de jonge studente voor wie de *Club Cabaret* reclame maakte. Ze keek omhoog, klapte een gebloemde paraplu uit en liep de straat af, Jason passerend, die meteen half wegdook, omdat hij onredelijke angst had dat ze hem zou herkennen.
Toen ze een eindje verder was gelopen, stapte Jason zijn auto uit en ging achter haar aan. Bij Dartmouth Street was hij haar even kwijt, maar op Commonwealth Avenue ontdekte hij haar weer. Hij bleef achter haar aan lopen en keek in de tussentijd voortdurend om zich heen om te zien of er figuren als Bruno of Curran in de buurt waren. Op de hoek van Darthmouth en Boylston bleef Jason bij een krantenkiosk staan en bladerde een tijdschrift door. Carol passeerde hem, wachtte tot het stoplicht op groen sprong, stak toen snel over. Jason keek naar mensen en auto's, op zijn hoede voor alles wat er ook maar enigszins verdacht uitzag. Niets wees er echter op dat Carol niet alleen was.
Ze liep nu langs de openbare bibliotheek en Jason vermoedde dat ze onderweg was naar de Copley Plaza Shopping Mall. Nadat hij voor het tijdschrift had betaald, dat *The New Yorker* bleek te zijn, ging hij weer achter haar aan. Toen ze haar paraplu inklapte en Copley Plaza in liep, versnelde Jason zijn pas. Het was een groot complex, waarin ook een hotel was ondergebracht, en hij wist dat hij haar snel kwijt zou kunnen raken.
Drie kwartier lang bestudeerde Jason etalages en *The New Yorker*, terwijl hij steeds aandachtig om zich heen keek. Carol liep vrolijk

van Louis Vuitton naar Ralph Lauren en Victoria's Secret. Op een gegeven moment meende Jason dat ze werd gevolgd, maar de man in kwestie bleek haar alleen te willen versieren. Toen hij haar eindelijk aansprak, wees ze hem kennelijk bliksemsnel zijn plaats, want hij verdween snel.
Even na half vier verdween Carol met haar pakjes en paraplu in *Au Bon Pain*. Jason ging achter haar aan en stond naast haar bij de zelfbedieningsbalie. Hij maakte van de gelegenheid gebruik om haar mooie ovale gezicht te bekijken, haar gladde, olijfkleurige huid en de donkere ogen. Ze was een knappe jonge vrouw. Jason schatte haar op een jaar of vierentwintig.
'Een mooie dag voor een kopje koffie,' zei hij, in de hoop zo contact te kunnen leggen.
'Ik geef de voorkeur aan thee.'
Jason glimlachte schaapachtig. Hij was niet goed in het voeren van een informeel gesprekje. 'Thee is ook lekker,' zei hij.
Carol bestelde soep, thee en een croissant en nam haar dienblad mee naar een van de grote tafels.
Jason bestelde een cappucino, aarzelde alsof hij geen plaatsje kon vinden, en liep toen op de tafel af waaraan zij had plaats genomen.
'Heeft u er bezwaar tegen als ik hier kom zitten?' vroeg hij en schoof een stoel naar achteren.
Sommige mensen aan de tafel keken op, onder wie Carol. Een man schoof zijn pakjes opzij en Jason ging zitten, terwijl hij vaag glimlachend om zich heen keek.
'Wat een toeval dat we naast elkaar zitten,' zei hij tegen Carol.
Carol keek hem over haar theekop aan en zei niets, maar dat hoefde ook niet. Haar gezichtsuitdrukking maakte haar irritatie volkomen duidelijk.
Opeens besefte Jason dat zij de indruk moest hebben dat hij haar ook wilde versieren. 'Sorry, ik wil u niet lastig vallen. Ik ben dokter Jason Howard en ik was een collega van dokter Alvin Hayes. Ik weet dat u Carol Donner bent en ik zou heel graag even met u willen praten.'
'U werkt voor het GHP?' reageerde Carol achterdochtig.
'Ja. Ik ben op dit moment chef de clinique.'
'Hoe weet ik dat u niet liegt?'
'Ik kan u mijn papieren laten zien.'
'Oké.'
Jason wilde zijn portefeuille te voorschijn halen, maar Carol pakte zijn arm vast.
'Laat maar. Ik geloof u wel. Alvin heeft me het een en ander over

u verteld en hij zei dat u daar de beste klinische arts was.'
'Ik voel me gevleid,' zei Jason, die ook lichtelijk verbaasd was, gezien het weinige contact dat hij met Hayes had gehad.
'Sorry dat ik zo achterdochtig was,' zei Carol, 'maar met name de laatste dagen word ik zo vaak lastig gevallen. Waar wilt u over praten?'
'Over dokter Hayes. In de eerste plaats wil ik u zeggen dat zijn dood een groot verlies voor ons is en ik wil u mijn medeleven betuigen.'
Carol haalde haar schouders op.
Jason wist niet hoe hij die reactie moest interpreteren. 'Het kost me nog steeds moeite te geloven dat dokter Hayes iets met drugs te maken had. Wist u daarvan?'
'Ja, maar de kranten zitten er wel naast. Alvin gebruikte heel weinig, meestal marihuana, soms cocaïne en zeker geen heroïne.'
'Hij handelde er niet in?'
'Absoluut niet. Gelooft u me. Als dat wel zo was, dan had ik dat geweten.'
'Maar in zijn appartement is een grote hoeveelheid drugs en contant geld gevonden.'
'De enige verklaring die ik daarvoor kan bedenken, is dat de politie die zelf in het appartement heeft verstopt. Alvin had van beide altijd te weinig. Als hij eens wat extra geld had, stuurde hij dat naar zijn gezin.'
'U bedoelt zijn ex-vrouw?'
'Ja, zij had de kinderen toegewezen gekregen.'
'Waarom zou de politie zoiets doen?' vroeg Jason, die in haar opmerking een echo hoorde van het paranoïde gedrag van Hayes.
'Dat weet ik niet, maar ik kan geen andere verklaring geven voor het feit dat die verdovende middelen er waren. Ik kan u verzekeren dat hij ze niet had toen ik die avond om negen uur wegging.'
Jason boog zich iets naar haar toe en sprak zachter. 'Op de avond dat dokter Hayes is overleden, vertelde hij me over een belangrijke wetenschappelijke doorbraak van hem. Heeft hij daar met u wel eens over gesproken?'
'Hij heeft wel eens iets gezegd, maar dat is al drie maanden geleden.'
Even dacht Jason dat Carol het raadsel voor hem zou oplossen, maar ze vertelde hem meteen dat ze niet wist waarop die ontdekking betrekking had.
'Heeft hij u niet in vertrouwen genomen?'
'De laatste tijd niet meer. We waren een beetje uit elkaar

gegroeid.'
'Maar u woonde nog wel met hem samen, of hadden de kranten dat ook mis?'
'Nee, we woonden nog samen, maar op het laatst alleen nog als huisgenoten. Hij was echt veranderd. Hij voelde zich niet alleen lichamelijk beroerd; zijn hele persoonlijkheid veranderde. Hij leek teruggetrokken en gedroeg zich bijna paranoïde. Hij zei telkens weer dat hij u wilde spreken en ik heb getracht hem ertoe over te halen dat ook te doen.'
'U hebt er werkelijk geen idee van wat hij heeft ontdekt?'
'Het spijt me,' zei Carol met een verontschuldigend handgebaar. 'Ik kan me alleen herinneren dat hij die doorbraak 'ironisch' noemde. Ik herinner me dat, omdat ik het een eigenaardige manier vond om een succes te beschrijven.'
'Tegen mij heeft hij hetzelfde gezegd.'
'Dan was hij in ieder geval consequent. Het enige andere dat hij heeft gezegd, was dat ik het zou kunnen waarderen als alles goed zou gaan, omdat ik zo mooi was. Dat heeft hij letterlijk zo gezegd.'
'Is hij er niet verder op doorgegaan?'
'Nee. Meer heeft hij niet gezegd.'
Jason nam een slokje cappucino en staarde naar Carols gezicht. Hoe zou een ironische ontdekking belangrijk kunnen zijn voor haar schoonheid? Hij probeerde die verklaring in verband te brengen met zijn vermoeden dat de ontdekking van Hayes iets te maken had met een geneeswijze voor kanker. Dat lukte hem niet.
'Ik ben blij dat ik u heb ontmoet,' zei Carol, die haar thee op had en opstond.
Jason kwam overeind, zo onhandig, dat hij zijn stoel moest vastpakken omdat die anders zou zijn omgevallen. Haar plotselinge vertrek verraste hem.
'Ik wil niet onbeleefd zijn,' zei ze, 'maar ik heb een afspraak. Ik hoop dat u het mysterie kunt oplossen. Alvin heeft heel hard gewerkt. Het zou een tragedie zijn als hij iets belangrijks had ontdekt dat nu voor altijd verloren zou zijn gegaan.'
'Dat vind ik ook. Kunnen we elkaar nog eens ontmoeten? Ik zou nog zoveel met u willen bespreken.'
'Misschien wel, maar ik heb het erg druk. Wanneer dacht u?'
'Morgen? Een zondagse brunch?'
'Dan zouden we laat moeten afspreken. Ik werk 's avonds en zaterdag is het altijd het drukst.'
Dat kon Jason zich best indenken. 'Neemt u mijn uitnodiging alstublieft aan. Het zou belangrijk kunnen zijn.'

'Goed dan. Morgen om twee uur. En waar?'
'Wat zou u denken van *Hampshire House?*'
'Ik zal er zijn.' Ze pakte haar tas en paraplu, glimlachte nog even naar hem en liep weg.

Carol keek op haar horloge en versnelde haar pas. De onverwachte ontmoeting met Jason had eigenlijk niet binnen haar strakke schema gepast en ze wilde niet te laat zijn voor de bespreking met de man die haar proefschrift begeleidde. De vorige avond en de vroege middag was ze druk bezig geweest met het bijschaven van het derde hoofdstuk van haar dissertatie en ze wilde graag horen wat de hoogleraar ervan vond. Ze ging met de roltrap naar beneden en dacht na over haar gesprek met dokter Howard.
Het was een verrassing geweest die man opeens in levenden lijve te zien nadat ze al zoveel over hem had gehoord. Alvin had haar verteld dat Jason zijn vrouw had verloren en op die tragedie had gereageerd door volledig van omgeving te veranderen en zich op zijn werk te storten. Carol had dat verhaal fascinerend gevonden, omdat haar proefschrift onder meer ging over het verwerken van verdriet. Dokter Jason Howard leek een perfecte casus te zijn.
De portier van het *Weston Hotel* blies op zijn schrille fluitje. Terwijl de taxi naar Carol toe reed, moest ze voor zichzelf toegeven dat haar belangstelling voor dokter Jason Howard niet alleen beroepshalve was gewekt. Ze vond de man ongewoon aantrekkelijk en besefte dat het feit dat ze zijn kwetsbare plekken kende, zijn aantrekkelijkheid voor haar nog verhoogde. Zelfs zijn onhandige wijze van contact leggen had wel iets.
'Harvard Square,' zei Carol toen ze in de taxi stapte. Ze merkte dat ze zich verheugde op de brunch van de volgende dag.

Jason zat nog altijd achter zijn koud wordende koffie en moest voor zichzelf toegeven dat hij diep onder de indruk was geraakt van Carols onverwachte intelligentie en haar charme. Hij had verwacht kennis te maken met een jong meisje uit de een of andere kleine stad dat, aangelokt door iemand met geld of drugs, de middelbare school had verlaten. Ze bleek echter een charmante, volwassen vrouw te zijn, die zich ongetwijfeld in ieder gesprek uitstekend zou weten te handhaven. Triest dat zo iemand in zo'n onguur wereldje was terechtgekomen...
Het aanhoudende signaal van zijn pieper haalde hem uit zijn overpeinzingen. Hij zette de pieper af en zag de mededeling DRINGEND aan en uit knipperen, gevolgd door een telefoonnummer

dat hij niet kende. Hij belde in *Au Bon Pain*.
'Fijn dat u belt, dokter Howard. U spreekt met mevrouw Farr. Mijn echtgenoot, Gerald Farr, heeft vreselijke pijn in zijn borst en hij kan nauwelijks ademhalen.'
'Bel een ambulance,' zei Jason, 'en laat hem naar de kliniek brengen. Is de heer Farr een patiënt van mij?' De naam klonk hem bekend in de oren, maar hij kon hem niet zo snel thuisbrengen.
'Ja. Twee weken geleden hebt u hem gekeurd. Hij is vice-president-directeur van de Boston Banking Company.'
O nee, dacht Jason, terwijl hij de hoorn op de haak legde. *Het gebeurt weer*. Hij rende het winkelcentrum uit, besloot zijn eigen auto later op te halen en dook een taxi in.
Hij was eerder in de kliniek dan de Farrs, vertelde Judith wat er moest gebeuren en belde een anaesthesist. Tot zijn vreugde bleek Philip Barnes dienst te hebben.
Toen Jason Gerald Farr zag, wist hij meteen dat zijn bange voorgevoel terecht was geweest. De man had ontzettend veel pijn. Hij zag heel bleek en er parelden zweetdruppeltjes op zijn voorhoofd.
Een eerste ECG toonde al aan dat een groot deel van het hart van de man was beschadigd. De patiënt werd wat rustiger na het toedienen van morfine en zuurstof, en verder kreeg hij lidocaïne om een onregelmatige hartslag te voorkomen. Farr bleek echter niet op die medicijnen te reageren. Jason bekeek een volgende ECG en had de indruk dat het infarct zich verder uitbreidde.
Hij was zo wanhopig, dat hij van alles en nog wat probeerde, maar niets hielp. Om vijf minuten voor vier bleef Gerald Farrs hart stilstaan.
Jason wilde het zoals gewoonlijk niet opgeven en begon met reanimatiepogingen. Verschillende malen kregen ze het hart weer aan de praat, maar iedere keer stopte het weer.
Farr kwam niet één keer bij bewustzijn. Om kwart over zes verklaarde Jason de patiënt officieel dood.
'Verdomme!' zei hij, walgend van zichzelf en het leven in het algemeen. Vloeken deed hij zelden of nooit. Judith Reinhart, die dat wist, legde haar hoofd tegen Jasons schouder en sloeg een arm om zijn hals.
'Jason, je hebt gedaan wat je kon. Niemand had meer kunnen doen. Onze mogelijkheden zijn beperkt.'
'De man is pas achtenvijftig,' zei Jason, terwijl hij moeite deed om zijn tranen binnen te houden.
Judith gaf de verpleegsters en assistent-artsen opdracht de behandelkamer te verlaten. Toen liep ze terug naar Jason en legde

haar handen op zijn schouders. 'Jason, kijk me aan.'
Aarzelend draaide hij zijn hoofd. Er viel een traan op zijn wang, langs zijn neus. Zacht maar nadrukkelijk zei ze hem dat hij zich het niet zo persoonlijk moest aantrekken. 'Ik weet dat twee sterfgevallen op een dag moeilijk te verwerken zijn, maar dat is niet jouw schuld.'
Jason wist, rationeel gezien, dat ze gelijk had, maar gevoelsmatig was het een heel ander verhaal. Bovendien had Judith er geen idee van hoe slecht het ging met zijn patiënten die in de kliniek waren opgenomen, vooral met Matthew Cowen, en hij wilde haar dat eigenlijk liever niet vertellen. Voor het eerst dacht hij er serieus over zijn vak op te geven. Helaas had hij er geen idee van wat hij dan wel zou moeten doen, want hij was nergens anders voor opgeleid.
Nadat hij Judith had beloofd dat hij zich goed zou houden, liep hij de gang op, naar mevrouw Farr, en bereidde zich voor op haar te verwachten woede. Zij had echter kennelijk besloten de schuld op haar eigen schouders te nemen. Ze zei dat haar man een weeklang had geklaagd dat hij zich niet lekker voelde, maar dat ze zijn klachten had genegeerd omdat hij altijd nogal kleinzerig was geweest. Jason probeerde de vrouw te troosten zoals Judith hem had getroost, met even weinig succes.
Hij belde Margaret Danforth op, die het lichaam van Gerald Farr voor een autopsie opeiste en Jason toen vertelde over haar bevindingen met Holly Jennings.
'Ik neem die nare opmerking van vanmorgen terug,' zei ze. 'Jullie hebben gewoon pech. Die Jennings was er even beroerd aan toe als Cedric Harring. Al haar bloedvaten waren slecht, niet alleen haar hart.'
'Dat troost me nauwelijks,' zei Jason. 'Ik had haar pas gekeurd en toen leek alles in orde te zijn. Afgelopen donderdag heb ik nog eens een ECG gemaakt en dat vertoonde slechts minimale veranderingen.'
'Meent u dat? Wacht maar eens tot u het materiaal kunt bekijken dat ik u zal toesturen. De kransslagaders zijn voor ruwweg negentig procent dichtgeslibd, niet plaatselijk, maar overal. Een operatie zou niets hebben uitgehaald. Tussen twee haakjes: ik heb navraag gedaan en we kunnen u rustig het een en ander toesturen van de casus Jennings. Ik moet daar echter wel een formeel, schriftelijk verzoek voor binnenkrijgen.'
'Geen probleem. Geldt hetzelfde voor Farr?'
'Natuurlijk.'
Jason nam een taxi terug naar de plaats waar hij zijn auto had

geparkeerd en reed naar huis. Ondanks de mist en de regen ging hij joggen. Het deed hem goed onder de modder te komen en doornat te worden en nadat hij een douche had genomen, was hij iets minder geëmotioneerd en depressief. Net toen hij erover begon te denken wat hij die avond zou eten, belde Shirley op en nodigde hem uit bij haar te komen. In eerste instantie wilde Jason nee zeggen. Toen besefte hij dat hij nog altijd te depressief was om alleen te kunnen zijn en nam haar uitnodiging aan. Nadat hij iets fatsoenlijks had aangetrokken, stapte hij in zijn auto en reed in westelijke richting naar Brookline.

Vlucht 409 van Easter Flights – die vanuit Miami non-stop naar Boston vloog – naderde de landingsbaan. Om zeven uur zevenendertig stond het toestel op de grond. Juan Díaz sloot zijn tijdschrift en keek naar het in mist gehulde Boston. Dit was zijn tweede reis naar die stad en al te gelukkig was hij er niet mee. Hij vroeg zich af waarom iemand uit vrije wil in een stad met zo'n slecht klimaat kon blijven wonen. Tijdens zijn vorige bezoek, een paar dagen geleden, had het ook al geregend. Vol heimwee dacht hij aan Miami, waar de laat begonnen herfst eindelijk een einde had gemaakt aan de zinderende zomerhitte.
Hij haalde zijn reistas onder de stoel voor hem vandaan en vroeg zich af hoe lang hij in Boston moest blijven. De vorige keer was hij er slechts twee dagen geweest en had hij niets hoeven doen. Zou hij nu evenveel geluk hebben? Hij kreeg zijn vijfduizend dollar uiteindelijk toch wel.
Het vliegtuig taxiede naar de aankomsthal. Juan keek trots om zich heen. Hij wenste dat zijn familie op Cuba hem nu kon zien. Zouden zij niet verbaasd zijn? Hij vloog eersteklas! Hoewel de regering van Castro hem tot levenslange gevangenisstraf had veroordeeld, was hij al na acht maanden vrijgelaten. Hij werd eerst naar Mariel gestuurd en toen, tot zijn verbazing, naar de Verenigde Staten. Dat was zijn straf voor het feit dat hij wegens meerdere moorden en verkrachtingen was veroordeeld! Het was zoveel makkelijker om dit soort werk in de Verenigde Staten te doen.
Het vliegtuig kwam tot stilstand. Juan stond op en rekte zich uit. Nadat hij bij de lopende band zijn koffer had opgehaald, nam hij een taxi naar het *Royal Sonesta Hotel,* waar hij zich inschreef als Carlos Hernandez uit Los Angeles. Hij had zelfs een creditcard op die naam, met een geldig nummer. Dat wist hij zeker, want hij had het overgenomen van een afrekening die hij in een winkelcentrum op de grond had gevonden.

Toen hij eenmaal lekker op zijn kamer zat en zijn tweede zijden pak in de kast had gehangen, ging hij achter het bureau zitten en draaide het nummer in Miami dat hem was opgegeven. Toen er werd opgenomen, zei hij dat hij een wapen nodig had, liefst met een kaliber van .22. Toen dat eenmaal was geregeld, haalde hij naam en adres van het slachtoffer te voorschijn en keek op een door het hotel geleverde plattegrond waar hij moest zijn. Het was dicht in de buurt.

De avond met Shirley was een groot succes. Ze aten kip, artisjokken en rijst. Daarna namen ze een Grand Marnier, bij de open haard in de huiskamer, en keuvelden gezellig. Jason hoorde dat Shirleys vader arts was geweest en dat ze er vroeger wel over had gedacht hem daarin te volgen.
'Mijn vader heeft me echter omgepraat. Hij zei dat de geneeskunde snel aan het veranderen was.'
'Daar had hij gelijk in.'
'Hij zei me dat het zou worden overgenomen door grote bedrijven en dat iemand die werkelijk iets om de geneeskunde gaf, de management kant zou moeten opgaan. Dus ben ik toen bedrijfskunde gaan studeren en ik geloof dat ik daarmee een juiste keuze heb gemaakt.'
'Dat geloof ik ook,' zei Jason, die dacht aan de enorme groei van het papierwerk en de problemen die zich konden voordoen wanneer een arts van incompetentie werd verdacht. De geneeskunde was inderdaad veranderd. Het feit dat hij nu voor een vast salaris voor een organisatie als het GHP werkte, getuigde daarvan. Tijdens zijn studie was hij altijd van de veronderstelling uitgegaan dat hij een eigen praktijk zou hebben en houden. Dat was een van de dingen die de studie voor hem zo aantrekkelijk hadden gemaakt.
Tegen het einde van de avond kwam er even een ongemakkelijk moment. Jason wilde weggaan, maar Shirley vroeg hem te blijven.
'Denk je werkelijk dat dat een goed idee is?' vroeg Jason.
Ze knikte.
Jason was daar niet zo zeker van. Hij zei dat hij vroeg in de kliniek moest zijn en haar niet wakker wilde maken.
Shirley zei dat ze altijd om half acht opstond, ook op zondag.
Ze staarden elkaar enige tijd aan; het gezicht van Shirley glansde in de gloed van de open haard.
'Zonder verplichtingen,' zei ze zacht. 'Ik weet dat we geen van beiden te hard van stapel kunnen lopen. Laten we gewoon bij

elkaar blijven. We hebben allebei aan behoorlijk wat spanningen blootgestaan.'
'Goed,' zei Jason, beseffend dat hij de kracht niet had zich tegen haar voorstel te blijven verzetten. Bovendien voelde hij zich gevleid omdat Shirley zo aandrong. Hij begon iets meer open te staan voor het idee dat hij niet alleen om iemand anders kon geven, maar iemand anders ook om hem.
Jason sliep echter niet de hele nacht. Om half vier voelde hij een hand op zijn schouder en ging rechtop zitten, even zonder te weten waar hij was. In het vage licht kon hij Shirleys gezicht nauwelijks zien.
'Sorry dat ik je wakker heb gemaakt, maar er is telefoon voor je.' Ze gaf hem de hoorn.
Jason bedankte haar. Hij had de telefoon niet eens horen rinkelen. Hij steunde op een elleboog en drukte de hoorn tegen zijn oor. Het moest slecht nieuws zijn, dacht hij, en dat klopte. Matthew Cowen was overleden, waarschijnlijk aan de gevolgen van een zware beroerte.
'Is de familie al geïnformeerd?' vroeg Jason.
'Ja. Ze wonen in Minneapolis en zeiden dat ze morgenochtend hierheen zouden komen.'
'Bedankt,' zei Jason en gaf afwezig de hoorn terug aan Shirley.
'Zijn er problemen?'
Jason knikte. 'Een jonge patiënt van me is overleden. Hij was een jaar of vijfendertig. Hij had een reumatische hartkwaal en was opgenomen om te onderzoeken of een operatie hem zou kunnen helpen.'
'Hoe ernstig was die kwaal?'
'Ernstig. Drie van de vier hartkleppen waren aangetast en die hadden allemaal moeten worden vervangen.'
'Dus de risico's waren groot,' constateerde Shirley.
'Zeker. Het kan riskant zijn om drie hartkleppen te vervangen. Bovendien staat vast dat zijn longen, nieren en lever ook de nodige klappen hadden gekregen. Het zou een moeilijke operatie zijn geworden, maar daar stond wel tegenover dat hij nog jong was.'
'Misschien was dit toch wel het beste en is hem veel lijden bespaard gebleven. Hij had misschien een groot deel van zijn leven in een ziekenhuis moeten doorbrengen.'
'Misschien wel,' zei Jason zonder overtuiging. Hij wist dat Shirley probeerde hem weer een beetje op te vrolijken, en dat kon hij waarderen. Hij gaf een klopje op haar dijbeen, door haar dunne nachtgoed heen. 'Bedankt voor je steun.'

Toen Jason naar zijn auto rende, leek het buiten ontzettend koud. Het regende nog steeds, harder dan de avond daarvoor. Hij zette de verwarming aan en masseerde zijn dijbenen, om de bloedcirculatie goed op gang te krijgen. Hij had één voordeel: er was geen verkeer op de weg. Op zondagochtend was de stad verlaten. Shirley had geprobeerd hem ertoe over te halen te blijven, omdat hij toch niets meer voor de man kon doen en de familie de volgende morgen pas zou aankomen. Dat was waar, maar toch vond Jason dat hij het aan deze patiënt verplicht was alsnog naar hem toe te gaan. Bovendien wist hij dat hij toch niet meer zou kunnen slapen. Niet nu hij weer een sterfgeval moest verwerken.
Het parkeerterrein van de kliniek was vrijwel leeg. Jason kon zijn auto vlak voor de ingang neerzetten. Toen hij zijn auto uit stapte, denkend aan Matthew Cowen, merkte hij de donkere gestalte die naast de ingang stond niet op. Opeens dook de man op Jason af. De laatste schreeuwde het uit, omdat hij iets dergelijks helemaal niet had verwacht. De man bleek echter een van de dronken zwervers te zijn die regelmatig in de polikliniek opdoken om te bedelen. Met een trillende hand gaf Jason hem een dollar, in de hoop dat de man daar wat eten voor zou kopen.
Shirley had gelijk gehad. Jason kon niets anders doen dan een laatste aantekening maken in het dossier van Matthew Cowen. Hij ging het lichaam bekijken. Matthews gelaatsuitdrukking was in ieder geval kalm en, zoals Shirley had gezegd, was hem verder lijden bespaard gebleven. In stilte bood Jason de dode man zijn verontschuldigingen aan.
Hij riep de dienstdoende arts op, verzocht hem de familie om toestemming voor een autopsie te vragen en zei dat hij die zondag niet voortdurend bereikbaar zou zijn. Toen liep hij het ziekenhuis uit en ging terug naar zijn appartement. Op zijn bed lag hij nog enige tijd naar het plafond te staren, omdat hij na al die sterfgevallen niet in slaap kon komen. Hij vroeg zich af wat voor baan hij binnen de farmaceutische industrie zou kunnen krijgen.

9

Cedric Harring, Brian Lennox, Holly Jennings, Gerald Farr en nu Matthew Cowen. Jason had binnen zo'n kort tijdsbestek nog nooit zoveel patiënten verloren. De hele nacht door werden zijn dromen beheerst door hun gezichten en toen hij rond een uur of elf wakker werd, voelde hij zich net zo uitgeput als wanneer hij helemaal niet had geslapen. Hij dwong zichzelf net als iedere zondag negen kilometer te joggen, nam een douche en kleedde zich toen zorgvuldig: 'n lichtgeel overhemd met 'n witte boord en manchetten, een donkerbruine pantalon en een bruingeruit jasje van linnen en zijde. Hij was blij dat hij die afspraak met Carol had gemaakt, want een beetje afleiding kon hij best gebruiken.
Hampshire House bevond zich aan Beacon Street en zag uit op het stadspark van Boston. In tegenstelling tot de dag daarvoor was de lucht nu blauw, met hier en daar een wolkje. De Amerikaanse vlag boven de ingang van *Hampshire House* wapperde in het herfstbriesje. Jason was er ruim op tijd en vroeg om een tafeltje aan het raam op de eerste verdieping. Er brandde een open haard en een pianist speelde evergreens.
Jason keek eens naar de mensen om zich heen. Ze waren allemaal keurig gekleed, voerden levendige gesprekken en waren zich duidelijk niet bewust van een medische ramp die de stad dreigde te overspoelen... Hij riep zichzelf tot de orde. Het had geen enkele zin zijn verbeelding op hol te laten slaan. Een paar sterfgevallen betekenden nog geen epidemie en bovendien was hij er niet eens zeker van dat het besmettelijk was. Toch bleef hij maar aan die onverklaarbare sterfgevallen denken.
Carol arriveerde om vijf minuten over twee. Jason stond op en zwaaide om haar aandacht te trekken. Ze had een mooie witte blouse en een zwartwollen pantalon aan. Weer verbaasde het Jason hoe jong en onschuldig ze eruitzag als ze niet in de club werkte. Ze zag hem, glimlachte en liep, een beetje buiten adem leek het wel, naar zijn tafeltje.
'Sorry dat ik aan de late kant ben,' zei ze en legde haar suède jasje, een canvas tas vol papieren en een schoudertas op een lege stoel neer. Terwijl ze dat deed, keek ze een paar keer naar de deur.

'Verwacht u iemand?' vroeg Jason.
'Ik hoop van niet, maar ik heb een krankzinnige baas die een beetje al te beschermerig is ingesteld. Vooral sinds de dood van Alvin. Hij geeft me het merendeel van de tijd een soort van lijfwacht mee. 's Avonds heb ik daar geen bezwaar tegen, maar overdag vind ik het niet prettig. Die bonk spierballen stond vanmorgen weer voor mijn deur. Ik heb hem weggestuurd, maar dat hoeft niet te betekenen dat hij niet tòch achter me aan is gekomen.'
Jason vroeg zich af of hij haar moest vertellen dat hij Bruno tegen het lijf was gelopen, maar besloot dat niet te doen. Pas toen het eten was gekomen en er nog altijd geen spoor van Bruno te bekennen viel, konden ze zich een beetje ontspannen.
'Ik zou mijn baas waarschijnlijk dankbaar moeten zijn,' zei Carol. 'Hij is heel goed voor me. Op dit moment woon ik in een van zijn appartementen in Beacon Street en ik hoef niet eens huur te betalen.'
Jason wilde niet speculeren over de redenen waarom Carols baas haar in een aardig appartement had willen stoppen. Hij wist zich met zijn houding niet zo goed raad en begon aan de gebakken eieren.
'Wat wilde u me verder nog vragen?' zei Carol, die haar vork pakte en een fikse hap toast nam.
'Hebt u zich nog iets herinnerd over die ontdekking van Alvin Hayes?'
'Nee. Trouwens... als hij zijn werk eens een keer met mij besprak, begreep ik er vrijwel niets van. Hij vergat iedere keer weer dat niet iedereen moleculair bioloog is.' Ze lachte en Jason zag pretlichtjes in haar ogen.
'Ik heb gehoord dat Alvin als free-lancer voor een particulier bedrijf heeft gewerkt. Wist u daar iets van?'
'Ik neem aan dat u op Gene Incorporated doelt,' zei Carol en de glimlach verdween. 'Dat werd geacht een groot geheim te zijn, maar nu hij is overleden, zal dat wel niet meer zo belangrijk zijn. Hij heeft ongeveer een jaar voor hen gewerkt.'
'Weet u wat hij voor hen deed?'
'Niet echt. Het had iets te maken met groeihormonen. Maar op een gegeven moment heeft hij ruzie met die mensen gekregen, over de financiën. Ik ken de details niet...'
Jason besefte dat hij uiteindelijk toch gelijk kreeg. Als Hayes ruzie met Gene Incorporated had gemaakt, moest Hélène daarvan op de hoogte zijn geweest.
'Wat weet u over Hélène Brennquivist?'

'Dat is een aardige vrouw,' antwoordde Carol en legde haar vork neer. 'Nee... dat is niet helemaal waar. Om u de waarheid te zeggen is zij er de reden van dat Alvin en ik niet langer geliefden waren. Ze werkten nauw samen en ze kwam soms naar het appartement. Toen ontdekte ik dat ze een verhouding hadden en dat kon ik niet aan. Het zat me dwars dat ze er zo geheimzinnig over had gedaan. Recht onder mijn eigen neus, in mijn eigen huis!'
Jason reageerde verbaasd. Hij had vermoed dat Hélène informatie achterhield, maar hij had geen seconde overwogen dat ze een verhouding met Hayes had. Hij bestudeerde Carols gezicht en zag dat het praten over die affaire gevoelens van onvrede bij haar had opgeroepen. Jason vroeg zich af of Carol even boos op Hayes was geweest als ze dat kennelijk op Hélène was.
'En de familie van Hayes?' vroeg hij, terwijl hij met opzet van gespreksonderwerp veranderde.
'Over hen weet ik niet zoveel. Ik heb zijn ex-vrouw een of twee keer door de telefoon gesproken, maar nooit persoonlijk. Ze waren nu een jaar of vijf gescheiden.'
'Had Hayes een zoon?'
'Twee zoons en een dochter.'
'Weet u waar ze wonen?'
'In een klein stadje in New Jersey. Leonia of zoiets. Ik kan me de straat wel herinneren: Park Avenue. Ik vond dat zo pretentieus klinken.'
'Heeft hij ooit wel eens gezegd dat een van zijn zoons ziek was?'
Carol schudde haar hoofd en gaf een serveerster een teken dat ze nog wat koffie wilde hebben. Gedurende enige tijd aten ze zwijgend verder, genietend van het eten en de sfeer.
Ze schrokken beiden van Jasons pieper. Gelukkig ging het alleen om Cowens familie, die uit Minneapolis was overgekomen en hem graag rond een uur of vier in het ziekenhuis wilde spreken. Toen Jason terugkwam van de telefoon, stelde hij voor van het mooie weer te profiteren door een wandelingetje in het park te maken. Nadat ze Beacon Street waren overgestoken, verbaasde Carol hem door hem een arm te geven. Jason verbaasde zichzelf door dat leuk te vinden. Ondanks haar nogal dubieuze beroep moest hij voor zichzelf toegeven dat hij heel erg van haar gezelschap genoot. Ze zag er fris en aantrekkelijk uit en haar levenslust was aanstekelijk.
Ze liepen om de zwanenvijver heen, passeerden het bronzen standbeeld van Washington en liepen toen de brug over. Onder een wilg vonden ze een leeg bankje. Ze namen plaats en Jason

begon weer over Hayes.
'Heeft hij de laatste drie maanden iets eigenaardigs gedaan? Iets onverwachts... iets dat niet bij hem paste?'
Carol pakte een steentje en smeet dat in het water. 'Dat is een moeilijke vraag. Een van de dingen die ik in Alvin zo aantrekkelijk vond, was zijn impulsiviteit. We deden vaak iets heel onverwachts, een reis maken, bijvoorbeeld.'
'Heeft hij de laatste tijd veel gereisd?'
'O ja,' antwoordde Carol en pakte weer een steentje. 'In mei is hij nog naar Australië geweest.'
'Ben je met hem meegegaan? Ik mag toch wel je zeggen?'
'Dat mag, maar ik ben niet met hem meegegaan. Hij zei dat het een zakenreis was en dat hij Hélène nodig had om hem te helpen met diverse proeven. Toen was ik nog zo stom om hem te geloven ook!'
'Heb je ooit ontdekt wat hij daar precies heeft gedaan?'
'Het had iets te maken met Australische muizen. Ik kan me herinneren dat hij zei dat die dieren eigenaardige gewoonten hadden. Meer weet ik niet. In zijn laboratorium had hij heel wat muizen en ratten.'
'Dat weet ik,' zei Jason, die meteen de walgelijke, dode dieren weer voor zich zag. Hij had gevraagd of Hayes de laatste tijd iets eigenaardigs had gedaan. Een plotselinge reis naar Australië kon vreemd zijn, maar dat was niet met zekerheid vast te stellen zolang Jason niet precies wist waar de man mee bezig was geweest. Hij zou dat aan Hélène moeten vragen.
'Verder nog reisjes?'
'Ik moest mee naar Seattle.'
'Wanneer?'
'Half juli. Hélène voelde zich kennelijk niet helemaal goed en Alvin had een chauffeur nodig.'
'Een chauffeur?'
'Dat was ook zoiets eigenaardigs. Hij kon niet autorijden. Hij zei dat hij dat nooit had geleerd en ook nooit zou leren.'
Jason kon zich herinneren dat de agent de avond van Hayes' overlijden had opgemerkt dat de man geen rijbewijs had. 'Wat is er in Seattle gebeurd?'
'Niet veel. We zijn er maar een paar dagen gebleven. We hebben de universiteit bezocht en we zijn naar de watervallen gegaan. Het is een mooi gebied, maar het regent er nog vaker dan hier.'
Jason probeerde zich een ontdekking voor te stellen die reizen naar Seattle en Australië nodig maakte. 'Hoe lang zijn jullie alles bij elkaar weggeweest?'

'Welke keer?'
'Ben je er meer dan één keer geweest?'
'Twee maal. De eerste keer zijn we er vijf dagen gebleven. De tweede keer, een paar weken later, maar twee nachten.'
'Hebben jullie beide keren hetzelfde gedaan?'
Carol schudde haar hoofd. 'De tweede keer zijn we rechtstreeks doorgereden naar de watervallen.'
'Wat heb je daar in vredesnaam gedaan?'
'Een beetje vakantie gehouden. We hadden een hut gehuurd. Het was heerlijk.'
'En wat deed Alvin?'
'Hetzelfde zo ongeveer. Hij had wel veel belangstelling voor de ecologie daar. Hij was altijd met de wetenschap bezig, weet je.'
'Dus het was echt een vakantie?'
'Dat denk ik wel.' Ze smeet weer een steentje in het water.
'Wat heeft Alvin op de universiteit gedaan?'
'Een oude vriend opgezocht. Ik kan me zijn naam niet meer herinneren. Iemand die hij nog van Columbia kende.'
'Een moleculair geneticus zoals Alvin?'
'Dat geloof ik wel, maar we zijn er niet lang gebleven. Toen zij aan het praten waren, ben ik naar de faculteit voor psychologie gegaan.'
'Dat moet interessant zijn geweest.' Jason glimlachte. Een vrouw als Carol Donner moest daar wel bijzonder zijn opgevallen.
'Verdorie!' zei ze opeens, toen ze op haar horloge keek. 'Ik moet er vandoor; ik heb nog een afspraak.'
Jason stond op en pakte haar hand, onder de indruk van de delicate wijze waarop ze haar werk omschreef. Ze liepen het park weer uit.
Carol sloeg het aanbod van een lift af, nam afscheid en liep Beacon Street in. Jason keek haar lange tijd na. Ze leek zo zorgeloos en gelukkig. *Wat een tragedie,* dacht hij. Wat voor inhoud had een leven waarin je topless danste en afspraken met klanten moest maken? Daar wilde hij eigenlijk liever niet over nadenken. Hij liep de andere kant op, naar *Da Luca,* waar hij een gegrild kippetje en wat rauwkost kocht. Telkens weer dacht hij aan zijn gesprek met Carol. Hij wist nu heel wat meer, maar daardoor waren ook weer talloze vragen opgeroepen. Toch was hij nu van twee dingen zeker: Hayes had beslist een ontdekking gedaan en Hélène Brennquivist wist daar meer van.

Binnen vierentwintig uur had Juan het hele scenario vastgesteld. Omdat dit er niet mocht uitzien als een traditionele sluipmoord, had hij meer denkwerk moeten verrichten. Gewoonlijk zorgde je ervoor je slachtoffer in een mensenmenigte te grazen te nemen, een wapen met een laag kaliber tegen zijn slaap aan te drukken en de trekker over te halen. Zo'n operatie vraagt weinig voorbereiding, alleen de juiste omstandigheden. Je kunt in zo'n geval profiteren van de mentaliteit van een mensenmenigte. Na een schokkende gebeurtenis concentreert iedereen zich zo op het slachtoffer, dat de schuldige ongemerkt kan verdwijnen, of zelfs kan voorwenden een van de nieuwsgierige toeschouwers te zijn. Het enige dat je dan moet doen, is het wapen laten vallen.

De instructies die hij voor deze klus had gekregen, luidden anders. Het moest een verkrachting lijken, zijn specialiteit. Hij glimlachte, verbaasd over het feit dat hij nu werd betaald voor iets wat hij vroeger voor de lol deed. De Verenigde Staten vormden een merkwaardig, maar prachtig land, vooral omdat de wet vaak meer respect had voor de misdadiger dan voor het slachtoffer.

Juan wist dat hij dit keer met zijn slachtoffer alleen zou moeten zijn en dat maakte deze hele operatie tot een uitdaging. Het werd er ook leuker door, want zonder getuigen kon hij met de vrouw doen wat hij wilde, mits ze maar dood was als hij wegging.

Juan besloot achter zijn slachtoffer aan te gaan en haar aan te spreken in de hal van het gebouw waar ze woonde. Als hij zacht maar overtuigend met lichamelijk geweld dreigde, zou ze hem wel moeten meenemen naar haar appartement en zodra ze daar waren, kon de pret beginnen.

Hij volgde zijn doelwit toen ze boodschappen ging doen op Harvard Square. Bij een krantenkiosk kocht ze een tijdschrift en ze liep toen naar Sages, een kruidenierswinkel. Juan stond aan de overkant zogenaamd naar de etalage van een boekhandel te kijken. Zijn doelwit kwam weer uit de kruidenierszaak te voorschijn met een plastic boodschappentas aan haar hand, stak schuin de straat over en verdween in een bakkerswinkel annex tearoom. Juan ging achter haar aan. Een kopje koffie zou er best wel in gaan, zelfs al was het Amerikaanse. Hij gaf de voorkeur aan Cubaanse koffie: dik, zoet en sterk.

Terwijl hij het waterige aftreksel opdronk, staarde hij naar zijn slachtoffer en verbaasde zich erover dat hij mazzel had. Ze moest ergens midden in de twintig zijn. Wat een klus! Hij merkte dat hij nu al een erectie kreeg. Hier zou hij geen moeite mee hebben!

Een halfuurtje later betaalde zijn doelwit de rekening en liep naar buiten. Juan smeet een biljet van tien dollar op zijn tafeltje neer. Hij zou tenslotte vijfduizend dollar rijker zijn zodra hij terug was in Miami.

Tot zijn vreugde liep de vrouw de rustige Brattle Street in. Toen ze Concord opliep, versnelde hij zijn pas, wetend dat ze nu bijna thuis was. Toen ze het Craigie Arms Apartment Complex had bereikt, liep hij vlak achter haar. Juan keek snel om zich heen, en zag dat de timing perfect was. Nu ging het erom wat er binnen in de hal zou gebeuren.
Juan wachtte tot hij er zeker van was dat de toegangsdeur open was. In een fractie van een seconde stond hij in de hal en zette een voet tussen de toegangsdeur.
'Mevrouw Brennquivist?'
Hélène schrok en keek naar het donkere, knappe gezicht.
'Ja,' zei ze met haar Scandinavische accent, menend dat hij een medehuurder was.
'Ik wil u dolgraag leren kennen. Ik heet Carlos.'
Hélène aarzelde, een fatale seconde te lang. 'Woont u hier?'
'Ja. Op de tweede verdieping. En u?'
'Op de derde,' zei Hélène, die verder liep, op de voet gevolgd door Juan.
'Het was leuk om kennis met u te maken,' zei ze en ze vroeg zich af of ze de lift of de trap zou nemen. Juans nabijheid gaf haar een onbehaaglijk gevoel.
'Ik hoopte dat we even met elkaar zouden kunnen praten,' zei Juan. 'Voelt u er niets voor om samen een glaasje te drinken?'
'Ik denk niet dat...' begon Hélène. Toen zag ze het wapen en kon geen woord meer uitbrengen.
'Maak me alsjeblieft niet boos, dame. Als ik boos ben, doe ik dingen waar ik later spijt van krijg.' Juan drukte op de liftknop. De deuren gingen open.
Hij gebaarde Hélène dat ze de lift in moest lopen en kwam achter haar aan. Alles ging perfect.
Terwijl de lift hortend en stotend naar boven ging, bleef Juan glimlachen. Het was het verstandigst om alles zo rustig mogelijk te houden.
Hélène was verlamd van angst. Omdat ze niet wist wat ze moest doen, deed ze niets. De man maakte haar doodsbang, maar hij zag er keurig uit, als een succesvolle zakenman. Misschien had hij wel iets te maken met Gene Incorporated en wilde hij haar appartement doorzoeken. Even dacht ze erover te gaan gillen of te proberen weg te rennen, maar toen zag ze het wapen weer.
Op de derde verdieping gingen de liftdeuren knarsend open. Juan wees haar met een galant gebaar voor te gaan. Met de sleutelbos in haar trillende hand liep ze naar haar voordeur en maakte die open. Juan zette er meteen een voet tussen, net zoals

hij dat beneden had gedaan. Nadat ze beiden naar binnen waren gegaan, deed hij de deur dicht en sloot alle drie de grendels. Hélène bleef in de kleine hal staan, niet in staat iets te zeggen of in beweging te komen.
'Naar binnen, alstublieft,' zei Juan en gebaarde haar beleefd in de richting van de huiskamer. Tot zijn verbazing zat er een gezette blondine op de bank. Hij had te horen gekregen dat Hélène alleen woonde. 'Dat hindert niet,' mompelde hij in zichzelf. 'Dit feestje wordt twee keer leuker dan ik had verwacht.'
Hij zwaaide met zijn wapen en gaf Hélène een teken dat ze tegenover haar huisgenote moest gaan zitten. De vrouwen keken elkaar even angstig aan. Toen trok Juan de telefoonstekker uit de muur, liep naar de stereo-installatie en zette die aan. Er stond een klassieke zender op. Hij zocht, vond een zender met hard rock en zette het geluid harder.
'Zonder muziek geen feestje, nietwaar?' schreeuwde hij terwijl hij een stuk touw uit zijn zak haalde.

10

Die maandagmorgen was Jason al vroeg in het ziekenhuis en deed met moeite zijn ronde. Met niemand ging het goed. Toen hij terug was in zijn spreekkamer, probeerde hij Hélène een aantal keren telefonisch te bereiken. Er werd niet opgenomen. Rond half elf ging hij naar het laboratorium op de bovenste verdieping en zag dat het onverlicht en leeg was. Geïrriteerd ging hij naar zijn spreekkamer terug. Hélène was van het begin af aan niet echt tot medewerking bereid geweest en nu was ze ook nog afwezig.

Jason pakte de telefoon, belde de personeelsafdeling en kreeg het huisadres en privé-nummer van Hélène. Nadat hij de telefoon een keer of tien over had laten gaan, smeet hij gefrustreerd de hoorn op de haak. Toen belde hij opnieuw de personeelsafdeling en vroeg Jean Clarkson, de chef, te spreken. 'Heeft Hélène Brennquivist zich ziek gemeld? Ik probeer haar al de hele ochtend te bereiken.'

'Dat verbaast me,' zei mevrouw Clarkson, 'we hebben niets van haar gehoord en ze is altijd zeer plichtsgetrouw. Ik geloof dat ze in anderhalf jaar geen werkdag heeft gemist.'

'Zou u een telefoontje van haar verwachten als ze ziek was?'

'Beslist.'

Jason legde de hoorn op de haak en zijn irritatie maakte plaats voor bezorgdheid. De afwezigheid van Hélène zat hem opeens helemaal niet lekker.

Claudia stak haar hoofd om de hoek van de deur. 'Dokter Danforth op lijn twee. Wil je met haar spreken?'

Jason knikte.

'Heb je een dossier nodig?'

'Nee, dank je.' Jason nam de telefoon op.

'Ik moet zeggen dat jullie je patiënten in het vervolg maar beter uitgebreid kunnen doorlichten,' zei Margaret Danforth meteen. 'Ik heb nog nooit lijken gezien die er zo slecht aan toe zijn. Met Gerald Farr was het al even slecht gesteld als met de rest. Al zijn organen leken minstens honderd jaar oud te zijn.'

Jason reageerde niet.

'Hallo?'

'Ik ben er nog,' zei Jason. Weer kostte het hem moeite Margaret Danforth te vertellen dat hij Farr een maand geleden nog had gecontroleerd en hem gezond had bevonden, ondanks zijn ongezonde manier van leven.
'Het verbaast me dat hij niet al jaren geleden een beroerte heeft gekregen,' zei Margaret.
'Hoe zit het met de patiënt van Roger Wanamaker?'
'Hoe heette die?'
'Dat weet ik niet. De man is vrijdag aan de gevolgen van een beroerte overleden. Roger zei dat u de autopsie zou doen.'
'O ja. Bij hem was ook sprake van een vrijwel volledige aftakeling. Ik dacht dat organisaties zoals die van jullie voornamelijk preventief wilden werken. Jullie zullen niet veel verdienen als jullie zulke zieke patiënten inschrijven.' Margaret lachte. 'Ook bij die man functioneerde bijna geen enkel orgaan meer.'
'Gaan jullie ook altijd de mogelijkheid van een vergiftiging na?'
'Natuurlijk. Zeker tegenwoordig. We letten op cocaïne en dergelijke middelen.'
'Zou het mogelijk zijn dat bij Gerald Farr nog wat nauwkeuriger te onderzoeken?'
'Ik geloof dat we nog wel bloed en urine van hem hebben. Waar zouden we naar moeten zoeken?'
'Zo ongeveer alles. Ik heb er geen idee van wat hier gaande is.'
'Dan zal ik zo veel mogelijk proeven laten uitvoeren,' zei Margaret, 'hoewel Gerald Farr beslist niet is vergiftigd. Het leek wel alsof die man dertig jaar ouder was. Hij was op. Ik weet dat het niet erg wetenschappelijk klinkt, maar het is wel de waarheid.'
'Ik wil toch graag een onderzoek op vergif.'
'Best. Verder zal ik uw mensen het een en ander toesturen waarmee men in het laboratorium aan de slag kan. Het spijt me dat het zo lang duurt voordat die resultaten bij ons binnen zijn.'
Jason hing op en ging weer aan het werk. Hij voelde zich heen en weer geslingerd tussen twijfel aan zichzelf en het onbehaaglijke gevoel dat er iets anders gaande was, dat buiten zijn bevattingsvermogen viel. Hij bleef het lab van Hayes bellen. Nog altijd werd er niet opgenomen. Hij belde nogmaals Jean Clarkson, die zei dat ze terug zou bellen als ze iets van mevrouw Brennquivist hoorde, en hem verzocht haar verder niet meer lastig te vallen. Daarna smeet ze de hoorn op de haak. Jason herinnerde zich vol heimwee de tijd toen het ziekenhuispersoneel hem met meer respect bejegende.
Toen hij de laatste patiënt van die ochtend had onderzocht, zat Jason zenuwachtig met zijn vingers op zijn bureau te trommelen.

Opeens wist hij zeker dat de afwezigheid van Hélène niet alleen veelzeggend was, maar iets belangrijks moest betekenen. Hij besloot zelfs meteen de politie te waarschuwen.

Jason verruilde zijn witte jas voor zijn colbertje en liep naar zijn auto, omdat hij het idee had dat hij rechercheur Curran beter persoonlijk kon spreken. Hij was bang dat hij Jason over de telefoon niet serieus zou nemen.

Jason kon zich de weg naar Currans kantoor nog moeiteloos herinneren. Hij keek de spaarzaam gemeubileerde ruimte in en zag de man achter zijn metalen bureau een formulier invullen. Zijn grote vuist hield de pen vast alsof het om een gevangene ging die probeerde te ontsnappen.

'Curran,' zei Jason, in de hoop dat de man in een betere stemming was dan de avond daarvoor.

Curran keek op. 'O nee!' zei hij en smeet zijn pen op het half ingevulde formulier. 'Mijn favoriete arts!' Toen gebaarde hij Jason dat hij binnen kon komen.

Jason trok een stoel bij. 'Er is een nieuwe ontwikkeling en ik vond dat ik u daarvan op de hoogte moest stellen.'

'Ik dacht dat u zich weer uitsluitend met uw patiënten zou gaan bemoeien.'

Jason negeerde die opmerking. 'Hélène Brennquivist heeft zich de hele dag niet op haar werk laten zien.'

'Misschien is ze ziek, of gewoon moe. Misschien is ze ziek en moe van al die vragen van u.'

Jason probeerde niet boos te worden. 'Iemand van personeelszaken heeft me gezegd dat ze zeer betrouwbaar is in haar werk en nooit een dag vrij heeft genomen zonder op te bellen. Toen ik haar appartement belde, werd er niet opgenomen.'

Curran keek Jason minachtend aan. 'Hebt u al eens aan de mogelijkheid gedacht dat die aantrekkelijke jongedame een weekend met een vriendje op stap is?'

'Dat denk ik niet. Ik weet inmiddels dat ze een verhouding had met Hayes.'

Curran ging rechtop zitten en gaf Jason nu voor het eerst zijn volledige aandacht.

'Ik heb aldoor al het idee gehad dat ze Hayes in bescherming wilde nemen,' ging Jason verder, 'en nu weet ik waarom. Ik geloof ook dat ze veel meer over zijn werk weet dan ze ons heeft verteld, en ook weet waarom zijn appartement overhoop is gehaald. Ik denk dat Hayes inderdaad een belangrijke ontdekking had gedaan en dat iemand op zoek was naar zijn aantekeningen...'

'Als er sprake was van een ontdekking.'
'Ik ben daar zeker van en daarom heb ik zo mijn twijfels over zijn dood.'
'U trekt te snel conclusies.'
'Hayes zei dat iemand probeerde hem te vermoorden. Ik denk dat hij een heel belangrijke wetenschappelijke ontdekking heeft gedaan en om die reden is vermoord.'
'Wacht nu eens even!' schreeuwde Curran en sloeg met zijn vuist op het bureau. 'De patholoog-anatoom heeft vastgesteld dat dokter Alvin Hayes een natuurlijke dood is gestorven.'
'Dat is waar, maar hij werd gevolgd.'
'Dat dacht hij,' corrigeerde Curran hem boos.
'Ik denk dat hij inderdaad werd gevolgd,' zei Jason al even fel. 'Dat zou verklaren waarom iemand zijn appartement overhoop heeft gehaald en...'
'We weten waarom zijn appartement overhoop is gehaald. Alleen waren wij er eerder en hebben wij de drugs en het geld gevonden.'
'Hayes heeft wellicht cocaïne gebruikt, maar hij handelde niet in dat spul!' Jason schreeuwde nu. 'Ik denk dat die drugs daar opzettelijk zijn verstopt en...' Hij wilde de naam van Carol noemen, maar bedacht dat hij Curran nog niet wilde vertellen dat hij haar uiteindelijk toch had gesproken. 'In ieder geval denk ik dat het laboratorium overhoop is gehaald omdat iemand naar zijn dossier op zoek was.'
'Het laboratorium overhoop gehaald?' Currans ogen werden groot en zijn gezicht kleurde rood.
Jason slikte.
'Verdomme!' Wilt u beweren dat het lab van Hayes overhoop is gehaald en dat niemand ons daarvan op de hoogte heeft gesteld? Wat denken jullie wel!'
'De kliniek maakte zich zorgen over negatieve berichten in de pers,' zei Jason, die zich gedwongen voelde een beslissing te verdedigen waar hij niet achter stond.
'Wanneer is dat gebeurd?'
'Vrijdagnacht.'
'Wat is er meegenomen?'
'Boeken met gegevens en een aantal bacteriële kweken. De waardevolle apparatuur is niet aangeraakt. Het was geen gewone diefstal.'
'Was er schade? Was het vandalisme?'
'Ze hebben alles overhoop gehaald, het was een bende in het laboratorium. De enige opzettelijke vernieling betrof die... eh...

dieren.'
'Mooi,' zei Curran. 'Die monsters moesten ook verdwijnen. Ik werd er kotsmisselijk van. Hoe zijn ze gedood?'
'Waarschijnlijk vergiftigd. Onze afdeling pathologie is dat nog aan het onderzoeken.'
Curran streek met zijn dikke vingers door zijn eens rode haar. 'Zal ik u eens wat zeggen? Gezien de briljante medewerking die ik van jullie idioten krijg, ben ik heel blij dat ik die zaak heb overgedragen aan de zedenpolitie. Zij kunnen er hun kiezen op stukbijten. Misschien wilt u daar ook nog even gaan uitrazen? Wellicht dat zij iets hebben aan de mededeling dat die krankzinnige geleerde niet alleen die exotische danseres naaide, maar ook zijn assistente.'
'Het was uit tussen Hayes en die danseres.'
'Werkelijk?' vroeg Curran met een holle lach die eindigde in een boer. 'Dokter, gaat u alstublieft naar de zedenpolitie en laat mij verder met rust. Ik moet me met een flink aantal echte moorden bezighouden.'
Curran pakte zijn pen. Jason liep woedend terug naar de begane grond en leverde zijn bezoekerspasje in. Toen stapte hij weer in zijn auto, reed over Storrow Drive, met de traag stromende rivier rechts van hem, en kwam langzamerhand weer een beetje tot rust. Hij was er nog altijd van overtuigd dat er iets met Hélène was gebeurd, maar hij besloot dat hij weinig kon doen als de politie zich nergens zorgen over maakte.
Hij zette zijn auto op het parkeerterrein bij de kliniek neer en ging terug naar zijn spreekkamer. Claudia en Sally waren nog niet terug van hun lunchpauze. Een paar patiënten zaten al te wachten. Jason trok zijn witte jas weer aan en belde Harry Sarnoff over Madaline Krammer. De man vertelde hem dat ze een angiogram zouden maken.
Zodra Sally terug was, begon Jason aan zijn spreekuur. Toen hij met de derde patiënt bezig was, kwam Claudia de onderzoekkamer in.
'Er is bezoek.'
'Wie?' vroeg Jason, die net een recept had uitgeschreven.
'Onze hoogste baas. Ze heeft het schuim op haar lippen. Het leek met verstandig je maar even te waarschuwen.'
Jason gaf het recept aan zijn patiënt en liep de gang door naar zijn spreekkamer. Shirley stond bij het raam en zodra Jason binnenkwam, draaide ze zich om. Ze was inderdaad woedend.
'Dokter Howard, ik heb net een telefoontje van de politie gekregen en die is al onderweg om van mij te horen waarom ik de

inbraak in het laboratorium niet heb gemeld. Ze zeiden dat ze dat van u hadden gehoord en dat ik kan worden vervolgd omdat ik het niet heb aangegeven.'

'Het spijt me. Het gebeurde bij toeval, toen ik op het politiebureau was. Het was helemaal niet mijn bedoeling het te vertellen...'

'En wat deed je verdomme op dat bureau?'

'Ik wilde Curran spreken.'

'Waarom?'

'Omdat ik informatie had die ik hem moest meedelen.'

'Over de inbraak?'

'Nee. Hélène Brennquivist is vandaag niet komen werken. Ik ben erachter gekomen dat zij en Hayes een verhouding hadden en ik denk dat ik te snel conclusies heb getrokken. Over die inbraak heb ik me domweg versproken.'

'Ik denk dat het beter zou zijn als jij je alleen met je patiënten bezighield,' zei Shirley, iets rustiger nu.

'Dat zei Curran ook al,' zuchtte Jason.

'In ieder geval heb je het niet opzettelijk gedaan.' Ze legde een hand op zijn arm. 'Ik vroeg me even af aan welke kant jij eigenlijk staat. Die affaire-Hayes lijkt een heel eigen leven te leiden. Iedere keer als ik denk dat we die hebben afgehandeld, gebeurt er weer iets nieuws.'

'Het spijt me,' zei Jason gemeend. 'Het was werkelijk mijn bedoeling niet het allemaal nog beroerder te maken.'

'Goed, maar onthoud wel dat de dood van Hayes onze kliniek al geen goed heeft gedaan. Laten we het niet nog erger maken.' Ze kneep even in Jasons hand en liep toen snel de gang op.

Jason ging verder met zijn patiënten en nam zich voor alles verder aan de politie over te laten. Even voor vieren kwam Claudia weer naar hem toe.

'Telefoon,' fluisterde ze.

'Wie?' vroeg Jason zenuwachtig. Gewoonlijk nam Claudia alle telefoontjes aan en belde hij zo nodig terug als zijn spreekuur was afgelopen. Tenzij er natuurlijk sprake was van een noodgeval. Claudia fluisterde echter niet als er een noodgeval was.

'Ene Carol Donner. Is dat dè Carol Donner?'

'Wie is dè Carol Donner?'

'De danseres in de Combat Zone.'

'Ik heb geen idee,' zei Jason en liep zijn spreekkamer in. Hij deed meteen de deur dicht en pakte de telefoon. 'Met dokter Howard.'

'Jason? Je spreekt met Carol Donner. Het spijt me dat ik je lastig val.'

'Hindert niet.' Hij hoorde een klik. 'Wacht even, Carol.' Hij legde de hoorn neer, maakte de deur open en keek naar Claudia. Met een geïrriteerd handgebaar gaf hij haar te kennen dat hij niet wenste dat ze meeluisterde.
'Jason, ik zou je niet hebben opgebeld als ik niet dacht dat het belangrijk zou zijn. Op mijn werk heb ik in mijn kastje een pakje gevonden. Ik ben namelijk een danseres in de *Club Cabaret...*'
'O,' zei Jason vaag.
'Ik moest vandaag naar de club en toen heb ik het gevonden. Alvin had me een paar weken geleden gevraagd het op te bergen en ik was het helemaal vergeten.'
'Wat zit erin?'
'Dossiers en brieven. Geen drugs, als je dat soms denkt.'
'Nee, dat dacht ik niet. Ik ben blij dat je me hebt gebeld. Die dossiers zouden wel eens belangrijk kunnen zijn en ik zou ze graag willen inzien.'
'Oké. Ik ben vanavond in de club en ik zal een manier moeten bedenken om ze bij jou te brengen. Mijn baas wil me de hele tijd maar beschermen. Er is iets aan de hand, waar hij me niets over wil vertellen, maar die bodybuilder is voortdurend bij me in de buurt. Ik wil jou daar liever buiten houden.'
'Kan ik ze niet gewoon komen ophalen?'
'Nee, dat lijkt me geen goed idee. Geef me je telefoonnummer maar, dan bel ik je zodra ik vanavond thuis ben.'
Jason gaf het haar.
'Nog één ding, Jason. Gisteravond drong het tot me door dat er nog iets is dat ik je niet heb verteld. Ongeveer een maand geleden zei Alvin dat hij zijn relatie met Hélène wilde verbreken, omdat hij vond dat ze zich op haar werk moest concentreren.'
'Denk je dat hij dat ook tegen haar heeft gezegd?'
'Ik heb geen idee.'
'Hélène is vandaag niet op haar werk verschenen.'
'Dat is vreemd! Uit de verhalen heb ik begrepen dat ze aan haar werk verslaafd is. Misschien is zij er de reden van dat mijn baas zo vreemd doet.'
'Hoe kan die man nu iets weten over Hélène Brennquivist?'
'Hij weet alles wat er in de stad gebeurt, hij heeft overal informanten.'
Jason liet de volgende patiënt binnenkomen en ontweek de blik van Claudia. Hij wist dat ze ontzettend nieuwsgierig was, maar hij was niet van plan haar iets te vertellen.
Tegen het einde van de middag kwam dokter Jerome Washington, een gezette zwarte arts die zich met maag-darmkanalen be-

zighield, naar Jason toe en vroeg of hij hem even kon spreken.
'Natuurlijk,' zei Jason en nam hem mee naar zijn spreekkamer.
'Roger Wanamaker zei dat ik deze casus eens met jou moest bespreken.' Hij haalde een dik dossier onder zijn arm vandaan en legde dat op Jasons bureau. 'Als ik nog een paar van die gevallen krijg, hang ik mijn kap aan de wilgen.'
Jason maakte het dossier open. Het betrof een manlijke patiënt van zestig jaar.
'Drieëntwintig dagen geleden heb ik Lamborn volledig onderzocht,' zei Jerome. 'De man was iets te zwaar, maar dat zijn we bijna allemaal. Verder vond ik hem gezond en dat heb ik ook tegen hem gezegd. Een week geleden kwam hij terug en zag eruit als een wandelend lijk. Hij was tien kilo afgevallen. Ik heb hem opgenomen, en dacht aan een kankergezwel dat ik niet had ontdekt. Ik heb hem op alles onderzocht, maar het heeft niets opgeleverd. Drie dagen geleden is hij overleden. Ik moest de familie behoorlijk onder druk zetten om toestemming te krijgen voor een autopsie en weet je wat die heeft opgeleverd?'
'Geen kwaadaardig gezwel.'
'Inderdaad. Maar al zijn organen waren volledig verwoest. Ik heb dat Roger verteld en die zei me dat ik naar jou toe moest gaan omdat je met me zou kunnen meeleven.'
'Ik heb soortgelijke problemen gehad, en Roger ook. Om je de waarheid te zeggen, ben ik bang dat we binnenkort met een onbekende medische ramp zullen worden geconfronteerd.'
'Wat kunnen we doen? Ik ben hier emotioneel niet zo best tegen opgewassen.'
'Dat kan ik me indenken. Ik denk er de laatste tijd ook wel eens over om van beroep te veranderen. Ik begrijp niet waarom we bij de controles geen enkel symptoom zien. Ik had Roger gezegd dat ik de volgende week een vergadering wilde beleggen, maar ik denk dat we daar niet meer mee kunnen wachten.' Jason herinnerde zich in een flits hoe het bloed uit Hayes' mond op het tafeltje was gegutst. 'Laten we morgenmiddag de koppen bij elkaar steken. De secretaressen moeten vóór die tijd een lijst maken van alle mensen die we het laatste jaar hebben gecontroleerd en bekijken hoe het verder met hen is gegaan.'
'Dat lijkt me een prima idee. Dit soort gevallen zijn slecht voor je zelfvertrouwen.'
Nadat Jerome was vertrokken, ging Jason naar de centrale balie. Hij wist dat sommige mensen voor die vergadering overuren zouden moeten maken en dankte de hemel voor het bestaan van computers. Er werd gekreund toen hij zei wat hij gedaan wilde

hebben, maar Claudia nam meteen de leiding op zich. Jason was er zeker van dat alles binnen de korte tijd die ze hadden, zo goed mogelijk zou worden uitgevoerd.
Om half zes had hij de laatste patiënt van die dag behandeld en probeerde nogmaals het telefoonnummer van Hélène. Er werd nog steeds niet opgenomen. Impulsief besloot hij op weg naar huis bij haar langs te gaan.
Het was vreselijk druk op de weg, maar hij kon het adres makkelijk vinden, omdat daar een vriendinnetje van hem had gewoond in de tijd voordat hij Daniëlle leerde kennen. Ze had zelfs in hetzelfde gebouw gewoond als Hélène: Craigie Arms Building.
Hij zette de auto neer en liep de hem bekende hal in. Hij keek op de naambordjes en drukte op de bel van Hélène. Geen reactie. Hij drukte op de bel van de conciërge. Een klein luidsprekertje boven de deur kwam krakend tot leven en hij hoorde de barse stem van de heer Gratz.
'Aan de deur wordt niet gekocht.'
Jason zei meteen wie hij was en dat hij zich zorgen maakte over een collega, die hier woonde. De heer Gratz zei niets, maar de deur ging wel open. Verderop in de betegelde hal werd een metalen deur geopend en verscheen de conciërge, gekleed in een smerige spijkerbroek en een onderhemd. De man had zich minstens twee dagen lang al niet geschoren. Hij bekeek Jasons gezicht aandachtig, vroeg hem nogmaals naar zijn naam en zei toen: 'Had u vroeger geen contact met dat meisje Hagen in appartement 2-J?'
Jason knikte, onder de indruk. De man had kennelijk een uitstekend geheugen. Jason had hem leren kennen doordat Lucy voortdurend problemen had met de afvoer in haar appartement en Larry Gratz haar nogal eens te hulp was gekomen.
'Wat kan ik voor u doen?' vroeg Larry.
Jason vertelde hem dat Hélène Brennquivist niet op haar werk was verschenen en de telefoon niet opnam. Hij voegde daaraan toe dat hij zich zorgen maakte.
'Ik kan u niet binnenlaten in haar appartement.'
'Dat begrijp ik. Ik wil er alleen zeker van zijn dat alles in orde is.'
Gratz keek hem nog even aan, gromde iets en liep toen naar de lift. Hij haalde een sleutelbos uit zijn zak. Zonder iets te zeggen gingen ze met de lift naar boven.
Hélènes appartement bevond zich aan het einde van een lange gang. Voor ze bij de deur waren, hoorden ze luide rock-muziek.
'Dat klinkt alsof ze een feestje geeft,' zei Gratz. Hij drukte de bel een volle minuut lang in, maar er kwam geen reactie. Toen legde hij zijn oor tegen de deur en belde nog eens. 'Ik kan die bel niet

eens horen. Wat vreemd dat niemand nog over die herrie heeft geklaagd.'
Met een behaarde vuist bonsde hij op de deur. Toen zocht hij een sleutel uit en stak die in het slot. Toen de deur openging, werd de herrie oorverdovend. 'Verdomme!' zei Gratz. 'Hallo!' brulde hij toen. Nog altijd geen reactie.
Het appartement had een kleine hal vanwaar je meteen de huiskamer in kon lopen. Jason herkende direct de geur van de dood. Hij wilde iets zeggen, maar Gratz stak een hand op. 'Wacht u hier maar even,' zei hij en liep naar binnen.
'Christus!' schreeuwde hij een seconde later. Zijn ogen werden groot en zijn gezicht vertrok van afschuw. Jason keek de kamer in. Het leek een nachtmerrie.
De conciërge rende naar de keuken, met een hand voor zijn mond gedrukt. Zelfs Jasons maag draaide zich bijna om. Hélène en een andere vrouw lagen samen op de bank, naakt, met hun handen op hun rug gebonden. Hun lichamen waren onbeschrijflijk verminkt. In het blad van de koffietafel stak een groot, bebloed keukenmes.
Jason draaide zich om en keek de keuken in. Larry stond bij het aanrecht over te geven. Jason wilde hem in eerste instantie helpen, maar bedacht zich, liep naar de hal en maakte de buitendeur open en ademde dankbaar de frissere lucht in. Even later kwam Larry strompelend aan gelopen.
'Gaat u de politie alstublieft bellen,' zei Jason en liet de deur achter hem dichtvallen. Hij kalmeerde iets en zijn misselijkheid zakte een beetje.
Larry was blij dat hij iets kon doen en rende de trap af. Jason leunde tegen de muur en probeerde niet na te denken. Hij trilde van top tot teen.
Heel snel arriveerden er twee agenten. Ze waren jong en ze verschoten van kleur toen ze de huiskamer in keken. Meteen werden er maatregelen genomen om te voorkomen dat nieuwsgierigen te dicht in de buurt zouden komen, en ze stelden Jason en Gratz allerlei indringende vragen. Zonder verder iets aan te raken zetten ze de stereo-installatie af. Er kwamen meer agenten, onder wie rechercheurs in burger. Jason zei dat rechercheur Curran hier waarschijnlijk wel belangstelling voor zou hebben en iemand riep hem op. Er kwam een politie-fotograaf die meteen druk aan de slag ging, even later gevolgd door de politie-arts.
Jason stond in de gang toen Curran arriveerde.
'Wat doet u verdomme hier?' schreeuwde de man zodra hij Jason zag.

Jason hield zijn mond en Curran draaide zich om naar de agent die bij de deur stond. Hij liet zijn papieren zien en vroeg: 'Waar is de rechercheur die hier de leiding heeft?'
De agent wees met zijn duim naar de huiskamer. Curran liep naar binnen.
Een paar minuten later kwamen de eerste journalisten en persfotografen. Ze probeerden Hélènes appartement binnen te komen, maar de geüniformeerde agent bij de deur hield hen tegen. Meteen begonnen ze Jason allerlei vragen te stellen. Hij zei dat hij niets wist en na verloop van tijd lieten ze hem met rust.
Na een tijdje verscheen Curran weer. Zelfs hij zag een beetje bleek. Hij liep op Jason af, haalde een sigaret uit een gekreukeld pakje, zocht lang naar een lucifer en keek Jason toen aan.
'Ga niet zeggen dat u me had gewaarschuwd.'
'Het is niet alleen een kwestie van verkrachting en moord, toch?' vroeg Jason.
'Dat kan ik niet bepalen. Verkracht zijn ze in ieder geval wel. Waarom denkt u dat er meer achter zit?'
'Omdat ze zijn verminkt nadat ze al gestorven waren.'
'O? Waarom zegt u dat?'
'Als de vrouwen nog hadden geleefd toen die verwondingen werden toegebracht, zou er veel meer bloed hebben gevloeid.'
'Hmmm. Ik vind het vervelend dit te moeten toegeven, maar ik denk dat we hier niet te maken hebben met een gewone gek. Er zijn bewijzen waarover ik nu niet kan spreken, maar het ziet eruit als een professionele klus. Er is een wapen van een klein kaliber gebruikt.'
'Dus u bent het met me eens dat de dood van Hélène iets te maken heeft met de zaak Hayes?'
'Mogelijk. Ze hebben me verteld dat u de lichamen hebt ontdekt.'
'Samen met de conciërge.'
'Waarom bent u hierheen gegaan?'
Jason antwoordde niet meteen. 'Dat weet ik eigenlijk niet precies,' zei hij uiteindelijk. 'Zoals ik u al had verteld, zat het me niet lekker dat Hélène niet op haar werk was verschenen.'
Curran krabde op zijn hoofd en keek de gang af. Toen nam hij een diepe trek van zijn sigaret en blies de rook door zijn neus uit. In de gang wemelde het inmiddels van de agenten, verslaggevers en nieuwsgierige buren. Tegen de muur stonden twee brancards, om de lichamen af te voeren.
'Misschien draag ik deze zaak wel niet over aan de zedenpolitie,' zei Curran en liep weg.
Jason liep op de agent af die op wacht stond bij de deur van het

appartement. 'Kan ik nu weg?'
'Rosati!' riep de man naar de rechercheur die de leiding had. Het was een magere man met een broodmager gezicht en een bos donker haar.
'Hij wil weg,' zei de agent, met een knikje op Jason wijzend.
'Hebben we uw naam en adres?' vroeg Rosati.
'Naam, adres, telefoonnummer, rijbewijsnummer, alles.'
'Oké. We nemen nog wel contact met u op.'
Jason knikte en liep op onvaste benen de gang af. Toen hij buiten stond, op Concord Avenue, zag hij tot zijn verbazing dat het al donker was. De stank van de uitlaatgassen was onaangenaam en tot overmaat van ramp had Jason ook nog een parkeerbon gekregen.
De rit terug naar de kliniek duurde aanzienlijk langer dan de rit naar Hélènes appartement. Rond half acht zette hij zijn auto eindelijk bij de ingang neer. In zijn spreekkamer vond hij een computeruitdraai met de namen van alle patiënten die in de kliniek waren gekeurd gedurende het laatste jaar, met een aantekening over de huidige gezondheid van de desbetreffende mensen. Goed werk van de dames, vond Jason, en stopte de uitdraai in zijn aktentas.
Daarna ging hij zijn ronde doen. Een van de verpleegsters gaf hem de resultaten van het arteriogram van Madaline Krammer. Haar kransslagaders bleken ernstig achteruit te zijn gegaan. Harry Sarnoff vond niet dat ze voor een operatie in aanmerking kwam en kon eigenlijk geen specifieke behandeling aanbevelen omdat er zeker geen sprake was van een te hoog cholesterolgehalte of een teveel aan vetzuren. Jason ging naar de patiënte toe. Zoals gewoonlijk was Madaline in een opperbeste stemming en ze klaagde nauwelijks. Jason zei dat hij een hartchirurg voor de zekerheid zou vragen haar toch nog eens na te kijken en beloofde de volgende dag weer langs te komen. Hij had het nare gevoel dat de vrouw niet lang meer te leven had. Toen hij haar enkels nakeek, zag hij een paar bloedplekjes.
'Heb je gekrabd?'
'Een beetje,' gaf Madaline verlegen toe.
'Jeuken je enkels?'
'Het zal wel komen doordat het hier zo droog en zo warm is, denk ik.'
Jason dacht van niet. De air-conditioning van het ziekenhuis hield de vochtigheidsgraad constant op een normaal niveau.
Jason liep terug naar de balie van het verplegend personeel en had het afschuwelijke idee dat hij dit alles al eerder had gezien.

Hij gaf opdracht een dermatoloog te raadplegen en een hele reeks proeven te laten doen. Er moest iets zijn dat ze tot dusverre over het hoofd hadden gezien!
De rest van zijn ronde was al even deprimerend. Met al zijn patiënten leek het bergafwaarts te gaan. Hij besloot even bij Shirley langs te rijden, want hij had er behoefte aan met iemand te praten en ze had nu wel duidelijk gemaakt dat ze hem graag zag. Hij vond ook dat hij haar de moord op Hélène moest vertellen voordat ze erover in de kranten las. Hij wist dat ze er kapot van zou zijn.
Ongeveer twintig minuten later stopte hij bij haar voor de deur en zag tot zijn vreugde licht branden.
'Jason! Wat een plezierige verrassing!' zei Shirley toen ze opendeed. Ze had een rood hesje aan, met een zwarte maillot en een witte haarband. 'Ik stond net op het punt naar mijn aerobic-les te gaan.'
'Ik had ook eerst even moeten bellen.'
'Onzin.' Ze pakte zijn hand en trok hem mee naar binnen. 'Ik ben altijd blij met een excuus om niet te hoeven trainen.' Ze nam hem mee naar de keuken. Op de tafel lag een hele stapel paperassen. Dat herinnerde Jason eraan hoeveel werk er in het runnen van een organisatie als het GHP ging zitten en zoals altijd kwam hij onder de indruk van Shirleys vakbekwaamheid.
Nadat ze iets te drinken voor hem had ingeschonken, vroeg hij of ze het nieuws al had gehoord.
'Is er nieuws?' vroeg Shirley, die de haarband afdeed en haar dikke haar loschudde.
'Over Hélène Brennquivist.'
'Is het aangenaam nieuws?' vroeg Shirley en pakte haar glas.
'Dat denk ik niet. Zij en haar huisgenote zijn vermoord.'
Shirley liet haar glas vallen. 'Wat is er gebeurd?' vroeg ze na een lange stilte.
'Ze is verkracht en vermoord.' Hij werd misselijk toen hij de twee vrouwen in gedachten weer zag.
'Wat afschuwelijk,' zei Shirley en drukte een hand tegen haar borst.
'Het moet vreselijk zijn geweest.'
'De ergste nachtmerrie van iedere vrouw. Wanneer is het gebeurd?'
'Gisteravond, denkt men.'
Shirley staarde een tijdje voor zich uit. 'Ik kan maar beter Bob Walthrow bellen. Dit zal onze p.r. geen goed doen.'
Shirley ging staan en liep naar de telefoon. Jason kon de emotie

in haar horen toen ze Walthrow vertelde wat er was gebeurd.
'Ik benijd je niet om je baan,' zei hij toen ze had opgehangen en hij tranen in haar ogen zag glinsteren.
'Ik denk net zo over jouw werk. Iedere keer als ik je zie nadat er een patiënt is overleden, ben ik blij dat ik geen medicijnen ben gaan studeren.'
Hoewel Shirley en Jason nauwelijks honger hadden, maakten ze wat spaghetti klaar. Shirley probeerde Jason ertoe over te halen die nacht bij haar te blijven, maar hij wist dat dat niet kon. Hij moest thuis zijn als Carol hem opbelde. Dus zei hij dat hij nog veel werk moest afmaken en reed terug naar zijn appartement.
Nadat hij had gejogd en een douche had genomen, ging hij met de uitdraai aan zijn bureau zitten en bekeek de lijst aandachtig. Omdat die volgens alfabetische en niet volgens chronologische volgorde was samengesteld, duurde het even voordat hij in de gaten kreeg dat de meeste patiënten met klachten in de laatste zes maanden waren gecontroleerd.
Jason pakte een pen en begon een lijst te maken van de meest recente sterfgevallen. Het aantal kwam voor hem als een grote schok. Toen belde hij de telefooncentrale van de kliniek en vroeg te worden verbonden met de archiefafdeling. Hij gaf aan de dienstdoende secretaresse de nummers van de patiënten door en verzocht haar de dossiers op te zoeken en op zijn bureau te leggen.
Daarna stopte hij de uitdraai weer in zijn aktentas, pakte Williams boek over endocrinologie en sloeg de hoofdstukken over groeihormonen op. Ook nu kreeg hij het gevoel dat hij minder wist, naarmate hij meer las. De relatie tussen het groeihormoon, de groei en de seksuele rijping was ongelooflijk gecompliceerd. Zo gecompliceerd dat hij in slaap viel, met het zware boek tegen zijn buik gedrukt.
Hij schrok wakker door de telefoon, zo abrupt dat het boek op de grond viel. Hij nam de hoorn van de haak, in de verwachting dat het de dienst was die de telefoontjes voor hem aannam. Het duurde even voordat het tot hem doordrong dat het Carol Donner was. Jason keek op de klok. Het was elf minuten voor drie.
'Ik hoop dat je nog wakker was?'
'Ja,' loog hij. Zijn benen waren stijf. 'Ik heb op je telefoontje gewacht. Waar ben je?'
'Thuis.'
'Kan ik het pakje komen ophalen?'
'Het is niet hier. Om problemen te voorkomen, heb ik het aan een vriendin van me gegeven. Ze heet Melody Andrews en woont in

Revere Street, op nummer 69.' Ze gaf hem ook een telefoonnummer op. 'Ik denk dat ze wel net thuis zal zijn en ze verwacht een telefoontje. Laat me weten wat je van het materiaal vindt en als zich problemen voordoen, kun je me bellen op nummer...' Ze gaf hem haar eigen telefoonnummer.
'Dank je,' zei Jason, die alles had opgeschreven. Hij verbaasde zichzelf, door teleurgesteld te zijn over het feit dat hij haar niet zou zien.
'Let goed op jezelf,' zei Carol en hing op.
Jason bleef achter zijn bureau zitten en probeerde bij zijn positieven te komen. Toen besefte hij opeens dat hij Carol niet had verteld dat Hélène dood was. Terwijl hij het nummer van Carols vriendin draaide, vond hij dat het een goede reden was om Carol terug te bellen.
Melody Andrews nam meteen op en sprak met een sterk Bostons accent. Ja, ze had het pakje en Jason kon het komen ophalen, want ze zou nog wel een halfuurtje opblijven.
Jason trok een trui aan, liep Pickney Street af en toen via West Cedar naar Revere Street. Melody woonde aan de linkerkant van de straat. Hij belde aan en ze deed open, met krulspelden in haar haren. Ze zag er moe uit.
Jason stelde zich voor. Melody knikte slechts en gaf hem een pakje dat in bruin papier was gewikkeld en met een touwtje bij elkaar werd gehouden. Het woog een kilo of vijf. Toen Jason haar bedankte, haalde ze haar schouders op en zei: 'Het was een kleine moeite.'
Zodra Jason thuis was, trok hij zijn trui weer uit en pakte een schaar. Toen liep hij zijn studeerkamer in. In het pakje zaten twee dossiers, vol handgeschreven instructies, diagrammen en gegevens over experimenten. Op een van de dossiers stond: EIGENDOM VAN GENE INCORPORATED. Op het andere: AANTEKENBOEK. Verder was er nog een grote bruine envelop vol brieven.
De eerste brieven die Jason las, waren van Gene Incorporated. Daarin werd geëist dat Hayes zijn contractuele verplichtingen nakwam en het somatomedine-protocol en de bacteriën terugbracht die hij illegaal uit hun laboratorium had verwijderd. Het werd Jason al lezende duidelijk dat Hayes aanzienlijk anders dacht over het eigendom van het protocol en de bacteriën, en dat hij bezig was geweest daar patent op aan te vragen. Jason trof ook een aantal brieven aan van een jurist met de naam Samuel Schwartz. De helft daarvan had betrekking op de somatomedine-producerende recombinante bacteriën, de andere helft op de oprichting van een bedrijf. Alvin Hayes leek daarin eenenvijftig pro-

cent van de aandelen te hebben gehad. De andere aandelen waren in handen van zijn kinderen en Samuel Schwartz.
Jason stopte de brieven terug in de envelop. Toen pakte hij de dossiers. Het dossier waar GENE INCORPORATED op stond, had betrekking op de somatomedine. Daarin stond gedetailleerd beschreven hoe de recombinante bacteriën die dat groeihormoon produceerden, moesten worden verkregen. Jason wist dat somatomedine werd geproduceerd door de lever, wanneer die gestimuleerd werd door een menselijk groeihormoon.
Hij pakte het tweede dossier. De experimenten werden niet volledig beschreven, maar hadden duidelijk betrekking op de produktie van een moniklonale antistof tegen een speciaal eiwit. Het eiwit werd niet met name genoemd, maar Jason ontdekte wel een diagram van de aminozuur-sequentie. Het merendeel van het materiaal was voor hem onbegrijpelijk, maar uit de vele doorhalingen en aantekeningen in de kantlijnen bleek duidelijk dat het experiment niet naar wens was verlopen en Hayes nog niet de door hem gewenste antistof had kunnen produceren.
Jason rekte zich eens uit en stond op. Hij voelde zich teleurgesteld. Hij had gehoopt dat hij hiermee meer duidelijkheid zou kunnen krijgen over de ontdekking van Hayes. Nu wist hij nog niet veel, behalve dan dat er sprake was geweest van een controverse tussen Hayes en Gene Incorporated. Hij wist nu ook hoe somatomedine kon worden geproduceerd, maar dat leek nauwelijks een belangrijke ontdekking, en het andere dossier beschreef in feite alleen mislukte experimenten.
Jason was uitgeput, deed de lichten uit en ging naar bed. Het was een lange, afschuwelijke dag geweest.

II

Nachtmerries over het afschuwelijke tafereel in Hélènes appartement zorgden ervoor dat Jason alweer vroeg zijn bed uit was. Hij zette het koffiezetapparaat aan en pakte de krant om het verslag over de dubbele moord te lezen. Daarin werd niets nieuws gemeld. Zoals hij al had verwacht, werd de nadruk op de verkrachting gelegd. Jason stopte het dossier van Gene Incorporated in zijn aktentas en vertrok naar het ziekenhuis.

Er was nog weinig verkeer op de weg en de parkeerplaats was nog bijna leeg. Zelfs de chirurgen, die er gewoonlijk heel vroeg bij waren, moesten nog komen.

Hij ging meteen naar zijn spreekkamer, waar een grote stapel dossiers op zijn bureau lag, trok zijn jasje uit en begon. Het waren allemaal mensen die waren overleden binnen een maand na een controle, waarbij ze minstens redelijk gezond waren bevonden. Jason zocht naar overeenkomsten, maar vond die niet. Hij vergeleek ECG's, cholesterolgehalte, aanwezige vetzuren, immunoglobinen en bloedplaatjes. Ook niets bijzonders. Jason zag nu eigenlijk pas dat het aantal sterfgevallen met name de laatste drie maanden schrikbarend was toegenomen.

Toen hij met het zesentwintigste dossier bezig was, viel hem opeens iets op. Hoewel de patiënten geen lichamelijke symptomen gemeen hadden, bleken ze wel allemaal gevaarlijke gewoonten te hebben. Ze waren te zwaar, rookten te veel, gebruikten drugs, dronken te veel, namen te weinig lichaamsbeweging. Het waren mannen en vrouwen die vroeger of later beslist ernstige medische problemen zouden hebben gekregen. Het schokkende was dat ze zo razend snel achteruit waren gegaan. En waarom waren er opeens méér mensen doodgegaan? Deze mensen hadden hun gedrag niet opeens nog verder ten kwade veranderd. Hadden ze lang geluk gehad en werden de statistieken nu rechtgetrokken? Dat leek onwaarschijnlijk, want er waren te veel sterfgevallen. Jason was niet zo goed onderlegd in statistiek en besloot het probleem eens aan een deskundige voor te leggen.

Toen hij wist dat hij geen patiënten wakker zou maken, begon hij aan zijn ronde. Er was niets veranderd. Zodra hij in zijn spreekkamer terug was, belde hij de afdeling pathologie en vroeg naar

de dode dieren uit Hayes' lab.
'Allemaal vergiftigd met strychnine,' deelde de laboratoriumassistente hem mee.
Jason hing op en belde Margaret Danforth, die echter met een autopsie bezig bleek te zijn. Jason vroeg de vrouw die opnam of het onderzoek naar vergiftigingsverschijnselen bij Gerald Farr nog iets had opgeleverd.
'We hebben niets gevonden.'
'Nog één vraag. Als er sprake zou zijn van vergiftiging met strychnine, zouden jullie dat dan kunnen ontdekken?'
Hij hoorde de vrouw iets naar dokter Danforth roepen. 'Volgens dokter Danforth zouden we dat inderdaad hebben ontdekt.'
'Dank u.'
Hij legde de hoorn op de haak, stond op, ging bij het raam staan en keek naar de beginnende dag. De lucht was licht, maar bewolkt. Het was vroeg in de maand november. Geen fijne maand in Boston. Jason voelde zich rusteloos en dacht aan het pakje dat Carol hem had gegeven. Moest hij dat doorspelen aan Curran? Waarom? Ze zagen Hayes alleen als een drugshandelaar.
Jason liep terug naar zijn bureau en zocht in de gids het nummer van Gene Incorporated op. Het bedrijf bleek te zijn gevestigd aan Pioneer Street, in het oostelijk deel van Cambridge. Impulsief ging hij zitten en draaide het nummer. Er werd opgenomen door een receptioniste met een Engels accent. Jason vroeg naar de directeur.
'U bedoelt dokter Leonard Dawen?'
'Hmmm.' Hij werd doorverbonden en toen werd er opgenomen door een secretaresse.
'Kantoor van dokter Dawen.'
'Ik zou dokter Dawen graag willen spreken.'
'Met wie spreek ik?'
'Dokter Jason Howard.'
'Kunt u me zeggen waar het over gaat?'
'Over een laboratoriumdossier dat in mijn bezit is. Zegt u dokter Dawen maar dat ik voor het Good Health Plan werk en een vriend was van wijlen dokter Alvin Hayes.'
'Een ogenblikje alstublieft.'
Jason maakte de middelste lade van zijn bureau open en speelde met zijn verzameling potloden. Toen hoorde hij een klik, gevolgd door een krachtige stem.
'Leonard Dawen.'
Jason vertelde wie hij was en beschreef toen het dossier.
'Mag ik u vragen hoe dat in uw bezit is gekomen?'

'Ik denk niet dat dat van belang is. Ik heb het.' Hij was niet van plan Carol hierbij te betrekken.
'Dat dossier is ons eigendom.' De stem van dokter Dawen klonk kalm, maar had een autoritaire en dreigende ondertoon.
'Ik zal het u graag teruggeven, in ruil voor wat informatie over dokter Hayes. Zou ik een afspraak met u kunnen maken?'
'Voor wanneer?'
'Zo snel mogelijk. Ik zou rond lunchtijd naar u toe kunnen komen.'
'En neemt u het dossier dan mee?'
'Ja.'
De rest van die ochtend kostte het Jason moeite zich op zijn patiënten te concentreren. Hij was blij dat Sally de lunchpauze had vrijgelaten. Zodra hij zijn laatste onderzoek van die ochtend had afgerond, ging hij weg.
Gene Incorporated bleek in een opvallend modern gebouw van gepolijst zwart graniet gevestigd te zijn. Het gebouw telde slechts zes verdiepingen en werd omgeven door wolkenkrabbers. De ramen waren smalle spleten, afgewisseld door cirkels van bronskleurig spiegelglas. Het zag er solide en sterk uit, als een vesting in een science-fiction film.
Jason stapte de auto uit, greep zijn aktentas en keek omhoog naar de opvallende voorgevel. Nadat hij zoveel over recombinante DNA had gelezen en de afschuwelijk mismaakte dieren van Hayes had gezien, was hij bang een griezelkamer te zullen betreden. De ingang was rond, omgeven door granieten punten, en deed denken aan een groot oog, met de zwarte deuren als pupillen. De hal was ook van zwart graniet: muren, grond, zelfs het plafond. Er middenin stond een indrukwekkend verlichte, moderne sculptuur van een DNA-helix, die de ruimtelijke, spiraalvormige structuur van de DNA-molecule duidelijk liet zien.
Jason liep op een aantrekkelijke Koreaanse vrouw af die achter een glazen wand zat, voor een instrumentenpaneel dat zo uit een film kon zijn gehaald. Ze had een kleine koptelefoon met microfoon op en begroette Jason met zijn naam. Ze vertelde hem dat hij werd verwacht in de vergaderruimte op de vierde verdieping. Haar stem had door de microfoon een metaalachtige klank.
Zodra ze was uitgesproken, ging een van de granieten panelen open, waarachter zich een lift bevond. Jason bedankte haar; hij vond haar wel wat weg hebben van een levende robot. Glimlachend stapte hij de lift in en zocht naar de knoppen. De deur ging dicht. Knoppen waren er niet, maar de lift ging wel omhoog.
Toen de deuren weer opengingen, stapte Jason een zwarte hal

zonder deuren in. Hij nam aan dat het hele gebouw werd bediend vanaf een centrale plaats, wellicht door de receptioniste beneden. Links van hem gleed een granieten paneel open en hij zag een man met een grof gezicht, onberispelijk gekleed in een donker streepjespak, wit overhemd en rode das.
'Dokter Howard, ik ben Leonard Dawen,' zei de man en gaf Jason een teken verder te lopen. Handen werden er niet geschud. Zijn stem had nog altijd een autoritaire ondertoon. Vergeleken bij de rest van het gebouw, dat wel wat weg had van een graftombe, zag de vergaderruimte er eerder uit als een gelambrizeerde bibliotheek. In eerste instantie leek het heel sfeervol, tot je naar de vierde muur keek, die van glas was en uitzicht bood op een ultramodern, groot laboratorium. In de ruimte stond nog een andere man, een Oosterling in een wit pak met een grote ritssluiting. Dawen stelde hem voor als de heer Hong, een van de werknemers van Gene Incorporated. Toen ze aan tafel waren gaan zitten, zei Dawen: 'Ik neem aan dat u het dossier bij u hebt?'
Jason maakte zijn aktentas open en overhandigde het dossier aan Dawen, die het meteen doorgaf aan Hong. De man bestudeerde het bladzijde voor bladzijde, in diepe stilte.
Jason keek van de ene naar de andere man. Hij had eigenlijk een iets vriendelijker begroeting verwacht. Hij bewees deze mensen tenslotte een dienst!
Hij draaide zich om en keek door de glazen muur. De vloer van het laboratorium bevond zich een verdieping lager. Hij zag veel vaten van roestvrij staal, die hem even deden denken aan een brouwerij die hij eens had bezocht. Hij nam aan dat ze gebruikt werden voor het kweken van recombinante bacteriën. Verder zag hij nog allerlei andere apparatuur en een ingewikkeld buizenstelsel. Mensen in witte overalls en met kappen op, controleerden drukmeters en stelden soms iets bij.
Hong deed het dossier met een klap dicht. 'Het lijkt compleet.'
'Dat is een aardige verrassing,' zei Dawen. Toen wendde hij zich tot Jason. 'Ik hoop dat u beseft dat alles in dat dossier vertrouwelijk is?'
'Maakt u zich geen zorgen,' zei Jason met een glimlach. 'Ik heb er niet veel van begrepen. Ik ben geïnteresseerd in dokter Hayes. Vlak voor zijn dood vertelde hij me dat hij een belangrijke ontdekking had gedaan. Ik zou graag willen weten of de inhoud van dat dossier in die richting wijst.'
Dawen en Hong keken elkaar even aan. 'Het is eerder een commerciële doorbraak. Van een nieuwe technologie is geen sprake,' zei Hong.

'Dat vermoedde ik al. Hayes was nogal in de war. Maar ik zou het afschuwelijk hebben gevonden als er sprake was geweest van een belangrijke ontdekking, die voor de mensheid verloren was gegaan.'
Dawen keek wat vriendelijker.
Jason ging verder en richtte het woord tot Hong. 'Hebt u er enig idee van waar hij het over kan hebben gehad?'
'Helaas niet. Hayes deed altijd nogal geheimzinnig.' Dawen legde zijn handen gevouwen op tafel en keek Jason strak aan. 'We waren bang dat u ons wilde laten betalen voor dit dossier. U moet weten dat dokter Hayes het ons nogal lastig heeft gemaakt.'
'Wat deed hij hier precies?'
'We hebben hem in dienst genomen om een recombinante bacterie te vervaardigen. We wilden een bepaalde groeifactor in commercieel interessante hoeveelheden produceren.'
Jason vermoedde dat hij het over somatomedine had.
'We waren van tevoren een vast bedrag overeengekomen en hadden het hem toegestaan onze faciliteiten voor zijn eigen onderzoek te gebruiken. We hebben hier een paar unieke apparaten.'
'Hebt u er enig idee van waar dat eigen onderzoek van hem over ging?'
Hong nam het woord. 'Het merendeel van zijn tijd was hij bezig met het isoleren van proteïnen die met de groei verband houden. Sommige komen slechts in zulke minuscule hoeveelheden voor, dat je heel geavanceerde apparatuur nodig hebt om ze te kunnen isoleren.'
'Zou het isoleren van een van die groeifactoren een belangrijke wetenschappelijke doorbraak hebben kunnen betekenen?' vroeg Jason.
'Ik zou niet weten hoe,' antwoordde Hong. 'We zijn op de hoogte van hun effecten, ook al zijn ze nog nooit geïsoleerd.'
Weer een doodlopend spoor, dacht Jason vermoeid.
'Ik herinner me nog iets anders, dat misschien van belang zou kunnen zijn,' zei Hong en kneep in de brug van zijn neus. 'Ongeveer drie maanden geleden raakte Hayes verschrikkelijk opgewonden over een bepaald neveneffect. Hij noemde het "ironisch".'
Jason ging rechtop zitten. Wéér dat woord! 'Weet u soms waardoor die opwinding werd veroorzaakt?'
Hong schudde zijn hoofd. 'Nee, maar daarna hebben we hem een tijdje niet gezien. Toen hij terugkwam, zei hij dat hij naar de westkust was geweest. Daarna begon hij aan een uitermate ingewikkeld extractieproces met materiaal dat hij had meegenomen.

Ik weet niet of hem dat is gelukt, maar daarna ging hij opeens over op de technologie van de monoklone antistoffen en leek zijn opwinding te zijn verdwenen.'
Dat 'monoklone antistof' deed Jason denken aan het tweede dossier en hij vroeg zich af of hij dat ook niet had moeten meenemen. Misschien dat Hong er meer van zou hebben begrepen dan hij.
'Heeft hij hier nog ander materiaal achtergelaten?' vroeg Jason.
'Niets belangrijks,' antwoordde Leonard Dawen. 'We hebben alles heel zorgvuldig gecontroleerd, omdat hij was vertrokken met dat dossier en een aantal kweken. We waren al bezig met een juridische procedure tegen dokter Hayes. We hadden nooit verwacht dat hij zou gaan beweren dat hij de eigenaar was van de recombinante strengen die hij op onze kosten had geproduceerd.'
'Hebt u die kweken teruggekregen?'
'Ja.'
'Waar hebt u die gevonden?'
'Laten we maar zeggen dat we op de juiste plaats hebben gezocht,' zei Dawen ontwijkend. 'Desondanks zijn we blij dat we nu ook het dossier weer hebben. Namens ons bedrijf wil ik u graag bedanken en ik hoop dat we u een beetje hebben kunnen helpen.'
'Misschien wel,' zei Jason vaag. Hij had het vermoeden dat hij bij toeval had ontdekt wie Hayes' laboratorium en appartement had doorzocht. Maar waarom hadden de onderzoekers van Gene Incorporated de dieren willen doden? Hij vroeg zich af of die immens grote dieren waren behandeld met somatomedine. 'Ik waardeer het feit dat u tijd voor me hebt vrijgemaakt. U hebt hier een indrukwekkend laboratorium.'
'Dank u. We zijn van plan spoedig te gaan werken met dieren als varkens en koeien. Genetisch gesproken kunnen we minder vette varkens produceren, koeien die meer melk leveren en kippen die meer eiwitten hebben, om maar een paar voorbeelden te noemen.'
'Fascinerend,' zei Jason zonder enthousiasme. Hoe lang zou het nog duren voordat ze met mensen aan de slag gingen? Hij rilde, denkend aan Hayes' gigantische ratten en muizen, vooral die met de extra ogen.
In zijn auto keek Jason op zijn horloge. Het zou nog een uur duren voordat de stafvergadering begon, en daarom besloot hij een bezoekje te brengen aan Samuel Schwartz, de advocaat van Hayes.
Hij reed via Memorial Drive en stopte bij een drogisterij. Hij par-

keerde dubbel, zette zijn knipperlicht aan en rende de winkel in om het adres van Schwartz op te zoeken. Tien minuten later zat hij in de wachtkamer van de man een oud exemplaar van *Newsweek* door te bladeren.

Samuel Schwartz was een zeer gezette man met een glanzende kale kop. Hij gebaarde Jason zijn kantoor in te komen alsof hij het verkeer aan het regelen was. Daarna ging hij achter zijn bureau zitten, zette zijn stalen bril recht en taxeerde Jason, die aan de andere kant van het imposante mahoniehouten bureau had plaats genomen.

'Dus u bent een vriend van Alvin Hayes...'

'Eerder een collega dan een vriend.'

'Goed,' zei Schwartz met een nonchalant handgebaar. 'Wat kan ik voor u doen?'

Jason vertelde de man over de mogelijke ontdekking van Hayes. Hij zei dat hij probeerde te achterhalen waar die betrekking op had en enige brieven van Samuel Schwartz had gelezen.

'Hij was een cliënt van me. En wat dan nog?'

'U hoeft zich niet in de verdediging gedrongen te voelen.'

'Dat voel ik me ook niet. Ik ben alleen verbitterd. Ik heb heel wat werk voor die vent verzet en nu kan ik verder naar mijn honorarium fluiten.'

'Heeft hij u nooit betaald?'

'Nooit. Hij heeft me zover gekregen dat ik voor hem werkte in ruil voor aandelen in zijn bedrijf.'

'Aandelen?'

Samuel Schwartz lachte zuur. 'Helaas zijn die aandelen door de dood van Hayes nu waardeloos. Zelfs als hij in leven was gebleven, hadden ze dat kunnen zijn. Ik leek wel gek om me daarmee te bemoeien.'

'Zou dat bedrijf van Hayes diensten gaan verlenen, of een produkt gaan verkopen?'

'Het zou een produkt gaan verkopen. Hayes vertelde me dat hij op het punt stond het meest waardevolle produkt op het terrein van de gezondheid te produceren dat ooit heeft bestaan. Ik geloofde hem. Ik nam aan dat een kerel wiens foto op de omslag van *Time* had gestaan, wel iets te bieden moest hebben.'

'Hebt u er enig idee van wat voor een produkt het was?' vroeg Jason en probeerde zijn stem niet opgewonden te laten klinken.

'Absoluut niet. Hayes wilde me er niets over vertellen.'

'Weet u of het betrekking had op monoklone antistoffen?' vroeg Jason, die het niet wilde opgeven.

Schwartz lachte opnieuw. 'Ik heb geen flauw idee wat een mono-

klone antistof is.'
'Kwaadaardige gezwellen?' Jason was aan het vissen, hij hoopte dat de jurist zich daardoor opeens weer iets zou herinneren. 'Zou het produkt te maken kunnen hebben met een geneeswijze voor kanker?'
De man haalde zijn schouders op. 'Ik weet het niet. Misschien wel.'
'Hayes heeft tegen iemand gezegd dat zijn ontdekking mooie mensen nog mooier zou kunnen maken. Zegt u dat iets?'
'Luister, dokter Howard. Hayes heeft me niets over het produkt verteld. Ik moest alleen dat bedrijf opzetten.'
'U hebt ook een patent voor hem aangevraagd.'
'Dat had niets met dat bedrijf te maken. Dat moest op zijn eigen naam worden gezet.'
Jasons pieper ging en daar schrokken ze beiden van. Twee maal verscheen het woord DRINGEND, gevolgd door een nummer van de kliniek. 'Mag ik uw telefoon gebruiken?' vroeg Jason.
'Ga uw gang.'
De oproep kwam van de verdieping waar Madaline Krammer lag. Ze had een hartstilstand gekregen. Jason zei dat hij meteen kwam. Hij bedankte Samuel Schwartz, rende diens kantoor uit en wachtte ongeduldig op de lift.
Toen hij Madalines kamer had bereikt, zag hij een helaas maar al te bekend tafereel. De patiënte reageerde op geen enkele behandeling. Jason beval door te gaan en dacht na over de mogelijke medicijnen die nog zouden kunnen worden toegediend. Na een uur was hij echter gedwongen het op te geven.
Nadat alle anderen waren vertrokken, bleef Jason bij het bed van Madaline staan. Ze was een van de eerste patiënten geweest die hij in zijn particuliere praktijk had behandeld. Een van de verpleegsters had een laken over haar gezicht heen getrokken en haar neus stak uit als een met sneeuw bedekt miniatuurbergje. Voorzichtig sloeg hij het laken terug. Ze was nog geen vijfenzestig, maar zag er ontzettend oud uit. Nadat ze in het ziekenhuis was opgenomen, was haar gezicht mager geworden, bijna skeletachtig, zoals je dat wel meer zag bij mensen die de dood nabij waren.
Jason liep naar zijn spreekkamer, omdat hij er behoefte aan had even alleen te zijn. Hij ontliep Claudia en Sally, die hem van alles en nog wat wilden vragen over de stafbespreking en het verzetten van afspraken met patiënten. Hij deed zijn deur op slot en ging achter zijn bureau zitten. Het leek alsof hij met de dood van Madaline weer een band met zijn verleden had doorgesneden.

Jason voelde zich alleen, bang, maar ook opgelucht omdat de herinneringen aan Daniëlle wat wegzakten.
De telefoon rinkelde, maar dat negeerde hij. Hij keek naar de stapel dossiers van overleden patiënten op zijn bureau, waaronder dat van Hayes. Het was teleurstellend dat Carols pakje hem zo weinig informatie had verstrekt. Wel was het daardoor wat geloofwaardiger geworden dat Hayes een ontdekking had gedaan die in ieder geval in zijn eigen ogen ontzettend belangrijk was. Jason vervloekte Hayes' geheimzinnigheid.
Hij leunde achterover in zijn stoel, vouwde zijn handen achter zijn hoofd en staarde naar het plafond. Wat zou hij nu verder kunnen doen? Opeens herinnerde hij zich de opmerking van de Oosterling dat Hayes van zijn reis naar de westkust, waarschijnlijk Seattle, iets had meegenomen. Uit Hongs woorden kon Jason afleiden dat Hayes met dat materiaal waarschijnlijk een groeifactor wilde isoleren die groei, differentiatie of rijping – of alle drie – stimuleerde.
Opeens ging hij rechtop zitten. Carol had hem verteld dat Hayes iemand op de universiteit had opgezocht en het zou wel eens kunnen zijn dat die man hem het materiaal had geleverd.
Jason besloot meteen naar Seattle te gaan, mits Carol natuurlijk bereid was met hem mee te gaan. Misschien was ze dat wel. Bovendien stond het idee er eens even tussenuit te gaan, hem beslist aan. Hij besloot voor de stafbespreking nog even bij Shirley langs te gaan.
Shirleys secretaresse zei eerst dat haar baas het veel te druk had om Jason te kunnen ontvangen, maar hij wist haar ertoe over te halen in ieder geval zijn komst te melden. Even later kon hij al naar binnen. Shirley was aan het telefoneren. Jason ging zitten en begreep geleidelijk aan waar het gesprek over ging. Ze sprak met een vakbondsleider en dat ging haar indrukwekkend makkelijk af. Afwezig streek ze met haar vingers door haar dikke haardos. Het was een fraai, vrouwelijk gebaar, dat Jason eraan herinnerde dat ze niet alleen een vakvrouw was, maar ook een heel aantrekkelijke, charmante vrouw, al zat ze dan ook nogal ingewikkeld in elkaar.
Shirley legde de hoorn op de haak en glimlachte. 'Wat een verrassing, Jason. Ik neem aan dat je bent gekomen om je excuses aan te bieden omdat je gisteren niet langer bij me bent gebleven?'
Jason lachte. Haar directheid was ontwapenend. 'Misschien wel. Er is nog iets anders. Ik denk erover een paar dagen vrij te nemen. Ik heb vanmorgen weer een patiënte verloren en ik ben hard aan een adempauze toe.'

Shirley klakte meelevend met haar tong. 'Was ze er slecht aan toe?'
'In ieder geval de laatste paar dagen. Maar toen ik haar liet opnemen, had ik er geen idee van dat ze zo snel zou sterven.'
Shirley zuchtte. 'Ik begrijp niet hoe je iets dergelijks kunt verwerken.'
'Dat is nooit gemakkelijk, maar ik heb het er de laatste tijd wel moeilijk mee, omdat ik zoveel patiënten verlies.'
Shirleys telefoon rinkelde, maar via de intercom vroeg ze haar secretaresse op te nemen.
'Ik ga dus een paar dagen weg,' zei Jason.
'Dat lijkt me een goed idee. Ik doe misschien wel hetzelfde als we die moeizame onderhandelingen met de vakbond eindelijk rond hebben. Waar ga je heen?'
'Dat weet ik nog niet,' zei Jason. Seattle was zo'n schot in het duister, dat hij zich zou schamen om erover te praten.
'Vrienden van me hebben een huis op de Britse Maagdeneilanden. Ik zou eens kunnen opbellen...'
'Nee, dank je. Ik ben niet zo'n zonaanbidder. Hoe is het verder gegaan rond de dood van Brennquivist? Heeft het veel schade gedaan?'
'Praat me er niet over! Om je de waarheid te zeggen, zag ik zo tegen het afhandelen daarvan op, dat ik het heb overgedragen aan Bob Walthrow.'
'Ik heb er de hele nacht nachtmerries over gehad.'
'Dat verbaast me niets,' zei Shirley.
'Ik moet nu naar de stafbespreking,' zei Jason en stond op.
'Heb je vanavond tijd om bij mij te eten? Misschien kunnen we elkaar een beetje opvrolijken.'
'Best. Hoe laat?'
'Rond een uur of acht?'
'Ik zal er zijn,' zei Jason en liep naar de deur.
'Ik vind het echt triest van die patiënte van je,' zei Shirley nog.

* * *

De stafbespreking werd door meer artsen bijgewoond dan Jason had verwacht. Het was duidelijk dat iedereen doorhad dat ze met een serieus probleem werden geconfronteerd.
Jason begon met de statistische gegevens die hij uit de computer-

uitdraai had gehaald en wees erop dat het aantal sterfgevallen de laatste drie maanden aanzienlijk was toegenomen. Verder vertelde hij dat hij bezig was contact op te nemen met alle mensen die de afgelopen zestig dagen in de kliniek waren gekeurd.
'Heeft iedereen van ons ongeveer evenveel controles gedaan?' vroeg Roger Wanamaker.
Jason knikte.
Enige artsen namen het woord en maakten duidelijk dat ze bang waren voor het uitbreken van een epidemie. Niemand begreep waarom er tijdens de uitgebreide controles geen verontrustende symptomen aan het licht waren gekomen. Dokter Judith Rolander, een cardioloog, zei dat ze ook nu nog niets bijzonders kon zien aan de ECG's van patiënten die kort daarna waren overleden. Toen besprak men het belang van stress-ECG's bij het voorspellen van catastrofale hartkwalen. Iedereen had daar zo zijn eigen mening over en die werden alle uitgebreid besproken. Er werd een ad hoc-commissie ingesteld om eens te kijken hoe de stress-ECG's zouden kunnen worden verbeterd, in de hoop daardoor tot het stellen van betere prognoses in staat te zijn.
Toen nam Jerome Washington het woord. 'Ik denk dat we te weinig aandacht schenken aan de ongezonde levenswijze van de patiënten. Dat is een factor die al deze gevallen gemeen lijken te hebben.'
Er werden enige gekscherende opmerkingen gemaakt over Jeromes eigen lichaamsgewicht en zijn voorkeur voor sigaren. 'Oké, mensen, we weten allemaal dat patiënten moeten doen wat wij zeggen en niet wat wij zelf doen!' reageerde hij lachend. Iedereen lachte met hem mee. 'Maar nu even serieus. We kennen allemaal de gevaren van een slecht dieet, veel roken en drinken en een tekort aan lichaamsbeweging. Dergelijke factoren zeggen meer dan een lichte afwijking in een ECG.'
'Jerome heeft gelijk,' zei Jason.
Men besloot een tweede commissie in het leven te roepen die deze risicofactoren aan een nader onderzoek moest onderwerpen en daarna met aanbevelingen zou komen.
Harry Sarnoff, de cardioloog, stak een hand op en Jason gaf hem het woord. Hij begon meteen over de opvallende toename van het aantal sterfgevallen van patiënten van hem die in de kliniek waren opgenomen.
Jason onderbrak hem. 'Sorry, Harry. Ik begrijp je bezorgdheid en eerlijk gezegd heb ik ervaringen die veel op de jouwe lijken. Deze bespreking is echter belegd in verband met het probleem rond de controles van mensen die hier niet zijn opgenomen. Als iedereen

dat wil, kunnen we een tweede vergadering uitschrijven om het probleem van de opgenomen patiënten te bespreken. Er zou best een verband tussen beide ontwikkelingen kunnen bestaan.'
Harry hief zijn handen ten hemel en ging met duidelijke tegenzin weer zitten.
Toen vroeg Jason de artsen zoveel mogelijk een autopsie te laten verrichten als een patiënt onverwacht overleed. Daarna vertelde hij dat hij van dokter Danforth had gehoord dat de patiënten die zij onder ogen had gehad, er heel slecht aan toe waren geweest, wat er eens te meer op wees dat de controles niet in orde waren. Jason voegde daar nog aan toe dat hun eigen afdeling pathologie had gesproken over een auto-immune component.
Nadat de vergadering was gesloten, spraken de artsen in kleinere groepjes verder over het probleem. Jason pakte zijn uitdraai en liep naar Roger Wanamaker, die druk met Jerome stond te praten.
'Mag ik even storen? Ik ben van plan voor een paar dagen de stad uit te gaan.'
Roger en Jerome keken elkaar even aan. 'Het lijkt me niet het meest geschikte moment om dat te doen,' zei Roger.
'Ik heb het nodig,' zei Jason zonder nadere uitleg. 'Maar er zijn echter vijf patiënten van me opgenomen. Is een van jullie bereid die van me over te nemen? Ik moet er wel bij zeggen dat ze er behoorlijk slecht aan toe zijn.'
'Dat hindert niet,' zei Roger. 'Mijn eigen patiënten stellen me ook voortdurend voor ernstige problemen. Ik ben er vrijwel dag en nacht mee in touw. Ik neem die mensen wel zo lang van je over.'
Toen dat probleem was opgelost, liep Jason naar zijn spreekkamer en belde Carol Donner. Net toen hij het wilde opgeven, werd er opgenomen. Haar stem klonk buiten adem. Ze zei hem dat ze in bad had gezeten.
'Ik wil je vanavond zien,' zei Jason.
'O,' reageerde ze neutraal. 'Dat zou nog wel eens moeilijk kunnen zijn,' voegde ze er aarzelend aan toe. En toen opeens boos: 'Waarom heb je me gisternacht niets over Hélène Brennquivist verteld? Ik heb in de krant gelezen dat jij een van de twee mensen bent die het lichaam hebben gevonden.'
'Carol, het spijt me. Eerlijk gezegd belde je me vannacht wakker en kon ik aan niets anders denken dan aan dat pakje.'
'Heb je dat ontvangen?' vroeg ze iets vriendelijker.
'Ja, en nogmaals bedankt.'
'En?'
'Ik had er niet zoveel aan als ik had gehoopt.'

'Dat verbaast me. Die dossiers moeten voor Alvin belangrijk zijn geweest, want anders had hij mij niet gevraagd ze op te bergen... Wat verschrikkelijk trouwens, van Hélène. Mijn baas is er zo door van streek, dat ik nu geen stap meer kan verzetten zonder een van zijn uitsmijters. Die vent staat op dit moment ook nog bij mij voor de deur.'
'Het is belangrijk dat ik je alleen spreek.'
'Ik weet niet of dat kan. Die man neemt alleen bevelen van mijn baas aan en ik heb geen zin in problemen.'
'Beloof me dat je me opbelt zodra je thuis bent. We bedenken wel iets.'
'Het wordt weer laat!' waarschuwde ze hem.
'Dat doet er niet toe. Dit is belangrijk.'
'Oké,' zei ze en hing toen op.
Jason belde United Airlines en hoorde dat die maatschappij iedere middag om vier uur naar Seattle vloog.
Daarna begon hij aan zijn ronde. Hij moest de dossiers perfect in orde maken voordat hij zijn patiënten aan Roger kon overdragen. Met niemand ging het goed en bij een van hen constateerde hij tot zijn schrik het begin van staar. Meteen gaf hij opdracht er een oogarts bij te halen. Dit keer wist hij zeker dat de patiënt geen staar had gehad toen hij werd opgenomen. Hoe had die zich zo snel kunnen ontwikkelen?
Zodra hij thuis was, trok hij zijn joggingpak aan, rende ruim een uur, en probeerde intussen zijn gedachten te ordenen. Toen hij een douche had genomen, andere kleren had aangetrokken en op weg ging naar Shirley, voelde hij zich wat beter.
Shirley had een heerlijk diner bereid en Jason kreeg de neiging haar in de categorie 'supervrouw' te plaatsen. De hele dag had ze keihard gewerkt, belangrijke onderhandelingen met de vakbond gevoerd en wat al niet meer. Toch had ze een heerlijk maaltje bereid: eend, macaroni en artisjokken. Verder had ze een prachtige zwartzijden jurk aangetrokken, waarmee ze zo naar een galavoorstelling had gekund. Jason vond het jammer dat hij een spijkerbroek en een coltrui aan had.
'Jij hebt aangetrokken waar je zin in had en ik heb hetzelfde gedaan,' zei Shirley toen hij daar een opmerking over maakte. Ze gaf hem een Kir Royale en vroeg hem de sla te wassen.
Ze aten in de eetkamer, tegenover elkaar aan een lange tafel. Jason vertelde haar over de stafbespreking en het besluit meer aandacht aan de stress-proeven te gaan besteden. Daar was Shirley duidelijk blij om. Ze zei nogmaals dat de controles voor de kliniek heel belangrijk waren, omdat daardoor langlopende con-

tracten met bedrijven zouden kunnen worden afgesloten.
Toen ze later genoten van een kopje koffie, zei ze: 'Michael Curran is vanmiddag bij me langs geweest.'
'O ja? Dat zal wel niet plezierig zijn geweest. Wat wilde hij?'
'Achtergrondinformatie over Hélène Brennquivist. We hebben hem alles gegeven wat we hadden. Hij heeft zelfs gesproken met iemand van personeelszaken, die haar in dienst had genomen.'
'Heeft hij gezegd of hij al een verdachte had?'
'Nee. Ik hoop maar dat we die kwestie nu definitief achter de rug hebben.'
'Ik had graag nog eens met Hélène willen praten, want ik denk nog steeds dat ze Hayes in bescherming nam.'
'Denk je echt nog steeds dat die man een ontdekking heeft gedaan?'
'Beslist.' Jason vertelde haar over de dossiers die hij in handen had gekregen en zijn bezoek aan Gene Incorporated en Samuel Schwartz, die hem had verteld dat hij voor Hayes een bedrijf had moeten opzetten dat de nieuwe ontdekking op de markt zou moeten brengen.
'Wist hij niet om welk produkt het ging?'
'Nee, Hayes vertrouwde kennelijk niemand.'
'Maar hij zou een beginkapitaal nodig hebben gehad, en daarvoor zou hij toch iemand in vertrouwen hebben moeten nemen.'
'Misschien wel, maar ik heb – in ieder geval tot nu toe – zo'n persoon nog niet gevonden. Helaas verwachtte ik nog het meest van Hélène.'
'Ben je nog steeds bezig met je onderzoek?'
'Eigenlijk wel. Vind je dat stom?'
'Nee, niet stom, wel verontrustend. Het zou een tragedie zijn als een belangrijke ontdekking verloren ging, maar ik geloof dat we de affaire-Hayes moeten laten rusten. Ik hoop dat je hebt vrij genomen om je eens even te ontspannen en niet om verder op onderzoek uit te gaan.'
'Waarom zeg je dat?' vroeg Jason, zich afvragend of hij voor haar werkelijk zo'n open boek was.
'Omdat jij niet gemakkelijk iets opgeeft.' Ze kwam naast hem zitten en legde een hand op zijn schouder. 'Waarom ga je niet naar de Maagdeneilanden? Misschien dat ik me in het weekend vrij zou kunnen maken om naar je toe te komen.'
Even voelde Jason een opwinding die hij sinds de dood van Daniëlle niet meer had gekend. Het idee van een warme zon en koel helder water was aanlokkelijk, vooral als Shirley bij hem zou zijn. Maar hij aarzelde, omdat hij er nog niet zeker van was of hij een

nieuwe relatie emotioneel al zou aankunnen. Bovendien, en dat was op dit moment belangrijker, had hij zichzelf beloofd naar Seattle te gaan.
'Ik ga naar de westkust, om een oude vriend op te zoeken.'
'Het klinkt redelijk onschuldig, maar de Maagdeneilanden lijken me aantrekkelijker.'
'Misschien binnenkort een keer. Heb je een cognacje voor me?'
Toen Shirley de fles ging pakken, bekeek Jason haar figuur met toegenomen belangstelling.

Toen Carol hem om half drie 's nachts opbelde, was Jason klaar wakker. Hij was zo bang geweest dat ze het zou vergeten, dat hij geen oog dicht had kunnen doen.
'Jason, ik ben bekaf,' zei ze meteen.
'Het spijt me, maar ik moet je echt spreken. Ik kan binnen tien minuten bij je zijn.'
'Dat is volgens mij geen goed idee. Zoals ik je vanmiddag al heb gezegd, ben ik niet alleen. Buiten staat iemand mijn appartement in de gaten te houden. Waarom wil je me zo nodig nu spreken? Misschien dat we voor morgen iets kunnen regelen.'
Jason dacht er even over haar door de telefoon te vragen met hem mee te gaan naar Seattle, maar zag daar toch van af. Als ze elkaar onder vier ogen spraken, had hij een grotere kans van slagen, meende hij.
'Is die man alleen?'
'Ja, maar wat doet dat ertoe? Hij heeft de afmetingen van een stier.'
'Achter jouw flatgebouw loopt een steegje. Ik zou via de brandtrap naar boven kunnen komen.'
'De brandtrap? Dat is krankzinnig. Wat is er in 's hemelsnaam zo belangrijk?'
'Als ik je dat nu vertelde, zou ik niet naar je toe hoeven komen.'
'Ik ben niet zo gesteld op een nachtelijk bezoekje van een man.'
Natuurlijk, dacht Jason. 'Luister, dit wil ik je alvast wel zeggen. Ik heb geprobeerd te achterhalen wat Hayes had ontdekt. Alle wegen zijn doodgelopen, maar nu heb ik nog een idee en daarbij heb ik jouw hulp nodig.'
'Werkelijk?'
'Ja. Jij bent de enige die me kan helpen.'
Carol lachte. 'Als je het zo stelt, kan ik natuurlijk niet weigeren. Oké, je kunt komen, maar wel op eigen risico. Ik heb niet veel te zeggen over dat mannetje buiten.'
'Ik ben tegen alle ongevallen verzekerd.'

'Ik woon...' begon Carol.
'Ik weet waar je woont. Ik ben die Bruno al eens tegen het lijf gelopen, als dat tenminste die charmante man is die voor jou als waakhond fungeert.'
'Heb je Bruno al eens ontmoet?'
'Aardige man, die geweldig kan converseren.'
'Dan kan ik je maar beter even zeggen dat Bruno inderdaad degene is die op de stoep staat.'
'Gelukkig zie je hem niet gemakkelijk over het hoofd. Houd het raam aan de achterkant van je appartement in de gaten. Ik voel er niets voor op je brandtrap vast te zitten.'
'Dit is werkelijk krankzinnig!'
Jason trok een donkere pantalon en trui aan, plus een paar gymschoenen, en stapte in zijn auto.
Zodra hij die in de buurt van het steegje had neergezet, keek hij onderzoekend om zich heen, omdat hij zich zijn laatste treffen met Bruno nog maar al te goed kon herinneren.
Hij verzamelde moed en liep het steegje in, even gespannen als een sprinter die op het startschot wacht. Hij schrok van een plotselinge beweging links van hem. Het was een grote rat en Jason voelde dat zijn nekharen recht overeind gingen staan. Hij liep verder, blij nergens een spoor van Bruno te zien. Het was zo stil, dat hij zijn eigen ademhaling kon horen.
Hij zag licht branden achter Carols raam en bestudeerde toen de brandtrap. Helaas moest die vanaf de eerste verdieping omlaag getrokken worden. Jason keek om zich heen, zoekend naar iets waar hij bovenop zou kunnen gaan staan. Het enige dat hij zag, was een vuilnisbak, die hij zou moeten omdraaien. Het zou behoorlijk wat lawaai maken, maar hij had geen keus. Toen het metaal tegen de straatkeien sloeg, liepen de rillingen over zijn rug.
Hij hield zijn adem in en keek naar boven. Gelukkig werden er geen lichten aangedaan. Hij klom op de vuilnisbak en pakte de onderste trede van de brandladder vast.
'Hé!' schreeuwde iemand. Jason keek om en zag een bekende figuur op hem af komen.
'Verdomme!' zei Jason en trok zich snel omhoog, tot hij zijn voeten op de onderste trede kon zetten.
'Jij verdomde rotzak! Kom onmiddellijk naar beneden!' schreeuwde Bruno.
Jason aarzelde. Hij kon de man van zich af houden door op zijn vingers te gaan staan als hij de ladder vastpakte, maar dat zou hem niet dichter in de buurt van Carol brengen. En als er genoeg

herrie kwam, zou iemand beslist de politie bellen. Jason besloot de gok te wagen. Hij vloog de brandtrap op, tot voor Carols raam. Zodra ze hem zag, maakte ze het open. 'Die neo-nazi van je zit achter me aan,' zei hij meteen, terwijl hij naar adem snakte. 'Denk je dat hij een wapen heeft?' Hij keek om zich heen en zag dat ze in een grote keuken stonden.
'Dat weet ik niet.'
Jason deed het raam dicht en schoof de grendel erop. Dat zou Bruno zo'n seconde of tien kunnen tegenhouden.
'Misschien kan ik beter even met hem praten,' stelde Carol voor.
'Zal hij naar je luisteren?'
'Dat weet ik niet zeker. Hij is nogal koppig en...'
'Die indruk had ik ook al, en ik weet dat hij niet op mij is gesteld. Ik heb een honkbalknuppel of zoiets nodig.'
'Jason, je kunt die man niet neerslaan!'
'Dat wil ik ook niet, maar ik ben bang dat Bruno hier niet in alle rust over zal willen praten. Ik heb iets nodig waarmee ik hem kan bedreigen, om hem op een afstandje te houden.'
'Ik heb een pook.'
'Pak die dan,' zei Jason en deed het licht in de keuken uit. Hij drukte zijn neus tegen het raam en zag dat Bruno pogingen deed de onderste trede van de ladder te bereiken. Hij was sterk, maar zijn gewicht zat hem in de weg. Carol keerde terug met de pook. Jason pakte hem aan. Met een beetje geluk zou hij de man er misschien van kunnen overtuigen dat hij naar hem moest luisteren.
'Ik wist dat dit een slecht idee was,' zei Carol.
Jason keek naar de grond; er lag ouderwets linoleum op. Toen keek hij naar de deur tussen de keuken en de woonkamer. Die was dik en solide en kon worden afgesloten. 'Carol, vind je het erg als ik hier een troep maak? Ik zal je graag een vergoeding geven om alles weer te laten opruimen.'
'Waar heb je het over?'
'Heb je een fles olijfolie in huis?'
'Dat denk ik wel.'
'Wil je me die dan geven?'
Carol pakte een fles, hoewel ze er niets van begreep.
'Uitstekend,' zei Jason. Hij keek nog even snel uit het raam en trok daarna de tafel en twee stoelen de keuken uit. Carol keek met steeds meer verbazing toe.
'Ga de keuken uit,' beval hij Carol, die meteen gehoorzaamde.
Jason maakte de fles olijfolie open en begon die op de vloer leeg te gieten. Toen deed hij de deur dicht en op slot. Op datzelfde

moment werd er op het keukenraam gebonsd, gevolgd door het geluid van brekend glas.
Jason zette de tafel tegen de keukendeur. Toen pakte hij Carols hand en nam haar mee naar de voordeur van het appartement. In de keuken hoorden ze een harde klap. Bruno was voor de eerste keer uitgegleden.
'Een mooie truc!' zei Carol lachend.
'Carol, ik heb er geen idee van hoe lang Bruno in die keuken zal blijven, dus moet ik snel zijn. Ik heb je nodig. De laatste kans die ik heb om te achterhalen wat Alvin Hayes had ontdekt, is een reisje naar Seattle. Hij schijnt...'
Weer een klap, gevolgd door een stroom vloeken.
'Die zal straks geen al te beste bui hebben,' zei Jason en maakte de sloten van de voordeur open.
'Dus je bent hierheen gekomen om me te zeggen dat je wilt dat ik meega naar Seattle?'
'Ik wist wel dat je het zou begrijpen. Hayes heeft uit Seattle biologisch materiaal meegenomen, waar hij bij Gene Incorporated mee aan de slag is gegaan, en ik moet weten wat dat was. Ik denk dat de man die hij daar op de universiteit heeft opgezocht, ons dat kan vertellen.'
'De man wiens naam ik me niet meer kan herinneren.'
'Maar zou je hem wel herkennen?'
'Waarschijnlijk wel.'
'Ik weet dat ik geen enkel recht heb je te vragen mee te gaan, maar ik geloof echt dat Hayes een belangrijke ontdekking heeft gedaan.'
'En je denkt in Seattle echt iets wijzer te kunnen worden?'
'Er is niet veel kans op, maar andere mogelijkheden heb ik niet meer.'
Er werd aan de keukendeur gerammeld en ze hoorden Bruno daar even later op inbeuken.
'Ik denk dat ik langer ben gebleven dan ik welkom was. Bruno zal jou toch niets doen?'
'O nee, want dan zou mijn baas hem levend villen. Daarom is hij zo woest. Hij denkt dat ik in gevaar ben.'
'Carol, ga je met me mee naar Seattle?'
'Wanneer wil je weg?'
'Vanmiddag. We zullen er niet lang blijven. Denk je dat je zo snel weg zou kunnen?'
'Dat heb ik in het verleden wel vaker gedaan, met de mededeling dat ik mijn ouders wilde bezoeken. Misschien vindt mijn baas het wel prettig als ik de stad uit ga, vanwege de moord op Hélène.'

'Beloof me dan dat je meegaat.'
'Oké, waarom niet?' zei ze met een hartverwarmende glimlach.
'Om vier uur vanmiddag vertrekt ons vliegtuig. Ik haal de tickets en dan zien we elkaar bij ticketcontrole. Hoe klinkt dat?'
'Krankzinnig maar leuk.'
'Tot dan.' Jason rende de trap af naar zijn auto, bang dat Bruno was omgekeerd en via het raam weer naar buiten was geklommen.

12

Jason werd vroeg wakker en belde Roger op, om hem de laatste informatie over zijn patiënten te geven. Hij zou die dag niet naar de kliniek gaan, omdat hij nog iets anders wilde doen voordat hij die middag met Carol naar Seattle vertrok. Snel pakte hij zijn koffers, belde een taxi, liet zich naar het vliegveld brengen, deponeerde zijn bagage in een kluis en nam het vliegtuig van tien uur naar La Guardia. Daar huurde hij een auto en reed naar Leonia, New Jersey. Hij was onderweg naar de ex-vrouw van Hayes. De kans dat die hem iets wijzer zou kunnen maken, was wel heel erg klein. Toch wilde hij alles proberen.

Leonia bleek een heel klein, rustig stadje te zijn, dat niet erg op zijn plaats leek in de omgeving van het drukke New York. Tien minuten nadat hij de George-Washingtonbrug over was gereden, bevond hij zich in een brede straat, die Broad Avenue heette. Hij zag een drogist, een ijzerhandel, een bakkerij en zelfs een lunchroom. Het stadje had wel iets van een filmdecor uit de jaren vijftig. Jason liep de lunchroom in, bestelde iets te drinken en vroeg om een telefoongids. Er woonde een Louise Hayes aan Park Avenue. Zou hij eerst opbellen, of meteen langsgaan? Hij koos voor het laatste.

Park Avenue was een zijstraat van Broad Avenue, en liep omhoog in de richting van de heuvels aan de oostkant van het stadje. Het huis van Louise Hayes was donkerbruin, klein en hard aan reparatie toe. Het gras in de voortuin zat vol onkruid.

Jason belde aan en de deur werd geopend door een vriendelijk kijkende vrouw van middelbare leeftijd in een verkleurde rode ochtendjas. Ze had bruin haar en een klein meisje van een jaar of zes hield, duimend, haar dijbeen vast.

'Mevrouw Hayes?' vroeg Jason. De vrouw was heel anders dan Hayes' twee vriendinnen.

'Ja.'

'Ik ben dokter Jason Howard, een collega van uw man.'

'Ja?'

'Ik zou u graag even willen spreken als u dat schikt.' Hij liet haar zijn identiteitspapieren zien. 'Ik heb samen met uw man medicijnen gestudeerd,' voegde hij daar nog aan toe.

'Wilt u binnenkomen?'
'Graag.'
Ook binnen was het huis hard aan een opknapbeurt toe. Het meubilair was oud, het vloerkleed vrijwel tot op de draad versleten. Overal op de grond lag kinderspeelgoed. Louise maakte snel een plaatsje op de bank vrij en gebaarde Jason dat hij moest gaan zitten.
'Kan ik u iets aanbieden? Koffie? Thee?'
'Koffie graag.' De vrouw leek zenuwachtig en Jason had het idee dat ze weer tot rust zou komen als ze iets te doen had. Ze liep de keuken in en Jason hoorde water stromen. Het kleine meisje was in de kamer gebleven en keek hem met haar grote bruine ogen onderzoekend aan. Toen Jason glimlachte, vluchtte ze de keuken in.
Jason keek eens om zich heen. De kamer was donker en somber. Aan de muren hingen een paar goedkope reprodukties. Louise kwam terug, op de voet gevolgd door haar dochtertje. Ze gaf Jason een mok koffie en zette suiker en melk op een bijzettafeltje neer. Jason nam beide.
Louise ging tegenover hem zitten. 'Het spijt me als ik eerst wat ongastvrij leek. Er komen hier niet vaak mensen die naar Alvin vragen.'
'Dat begrijp ik,' zei Jason en nam de vrouw wat aandachtiger op. Ze moest ooit aantrekkelijk zijn geweest, besefte hij. Hayes had een goede smaak op het gebied van vrouwen. 'Het spijt me dat ik zomaar langskom, maar Alvin heeft me over u verteld. Ik was toevallig in de buurt.' Hij dacht dat een paar leugentjes om bestwil hem misschien zouden kunnen helpen.
'O, heeft hij over mij gesproken?' vroeg ze onverschillig.
Jason besloot voorzichtig te zijn, want hij was niet hierheen gekomen om pijnlijke herinneringen op te roepen.
'Ik wilde u spreken omdat uw man me had verteld dat hij een belangrijke wetenschappelijke ontdekking had gedaan.' Jason vertelde haar hoe Hayes was overleden en dat hij, Jason, zich vast had voorgenomen om te achterhalen of haar echtgenoot ècht iets had ontdekt. Hij zei dat het tragisch zou zijn als Alvin iets had gevonden waar nu niet meer van geprofiteerd zou kunnen worden. Louise knikte. Toen Jason echter vroeg of ze er enig idee van had wat die ontdekking kon zijn geweest, ontkende ze dat.
'U had niet veel contact meer met Alvin?'
'Nee. Alleen over de kinderen en financiële aangelegenheden.'
'Hoe is het met uw kinderen?'
'Met allebei gaat het goed.'

'U hebt twee kinderen?'
'Ja. Lucy hier, en John, maar die is op dit moment op school.'
'Ik dacht dat u drie kinderen had.'
Hij zag tranen in haar ogen komen. Na een ongemakkelijke stilte zei ze: 'Ja... Alvin junior is er ook nog. Hij is geestelijk zwaar gehandicapt en woont in een inrichting in Boston.'
'Dat spijt me.'
'Je zou denken dat ik daar inmiddels wel aan gewend moest zijn, maar ik ben bang dat dat nooit zal gebeuren. Ik kon het niet aan en ik denk dat dat de reden is waarom Alvin en ik zijn gescheiden.'
'Waar is Alvin junior precies?' vroeg Jason, alhoewel hij wist hoe pijnlijk dit onderwerp moest zijn.
'Hij zit op Hartford School.'
'Hoe gaat het met hem?' Jason kende die school wel. Het was een instituut dat onder het beheer van het GHP viel en dat te koop werd aangeboden, omdat er te veel verlies op werd geleden.
'Goed, denk ik,' zei Louise. 'Ik ben bang dat ik er niet al te vaak heen ga, want het doet me pijn.'
'Dat begrijp ik,' zei Jason, die zich afvroeg of dat de zoon was waar Hayes het op de avond van zijn overlijden over had. 'Zou u kunnen informeren hoe het met de jongen gaat?'
'Dat denk ik wel,' zei Louise, die zich niet eens leek te realiseren hoe vreemd die vraag in feite was. Langzaam kwam ze overeind en liep naar de telefoon, met haar dochter aan haar rok. Ze draaide het nummer van de school en vroeg naar de kinderafdeling. Daarna stelde ze een paar vragen over haar zoon. Ze legde de hoorn weer op de haak en zei tegen Jason: 'Ze zeggen dat hij het zo goed doet als redelijkerwijze kan worden verwacht. Hij lijkt alleen wat problemen met zijn gewrichten te hebben, waardoor ze de lichamelijke therapie moeten aanpassen.'
'Is hij daar al lang?'
'Sinds Alvin voor het GHP ging werken. Het feit dat Alvin junior op die school kon worden geplaatst, was een van de redenen waarom hij die baan had aangenomen.'
'En met uw andere zoon gaat het goed?'
'Dat zou niet beter kunnen,' zei Louise met duidelijke trots. 'Hij zit in de derde klas en is een van de besten.'
'Dat is geweldig,' zei Jason en probeerde in gedachten terug te gaan naar de avond waarop Hayes was overleden. Alvin had gezegd dat iemand hem en zijn zoon wilde vermoorden. Dat het te laat was voor hem, maar misschien niet voor zijn zoon. Jason had aangenomen dat dat kind lichamelijk ziek was, maar dat

bleek kennelijk niet het geval te zijn.
'Wilt u nog wat koffie?' vroeg Louise.
'Nee, dank u. Ik wilde u nog één ding vragen. Toen Alvin overleed, was hij bezig met het opzetten van een bedrijf. Uw kinderen zouden aandeelhouder worden. Wist u daar iets van?'
'Daar heb ik niets over gehoord.'
'Dat is jammer. In ieder geval hartelijk dank voor de koffie. Als ik in Boston iets voor u kan doen, Alvin junior bezoeken of zoiets, moet u me beslist bellen.' Hij stond op en het meisje begroef haar hoofd in de ochtendjas van Louise.
'Ik hoop dat Alvin niet heeft geleden,' zei ze.
'Nee, hij stierf rustig,' loog Jason. Hij kon zich de blik van angst en pijn op Alvins gezicht nog goed herinneren.
Toen ze al bij de deur stonden, zei Louise opeens: 'O, één ding heb ik u nog niet verteld. Iemand heeft hier een paar dagen na het overlijden van Alvin ingebroken. Gelukkig waren we niet thuis.'
'Is er iets meegenomen?' Jason vroeg zich af of Gene Incorporated daarachter zat.
'Nee. Ze zullen het wel hebben beschouwd als één grote rotzooi en verder zijn gegaan.' Ze glimlachte. 'Ze hadden wel alles doorzocht. Zelfs de boekenkasten van de kinderen.'
Toen Jason weer uit Leonia, New Jersey, wegreed in de richting van de George-Washingtonbrug, dacht hij na over zijn ontmoeting met Louise Hayes. Hij had zich meer ontmoedigd moeten voelen dan het geval was. Uiteindelijk had hij niets belangrijks te horen gekregen dat deze reis rechtvaardigde. Hij besefte echter dat er meerdere redenen waren waarom hij hierheen was gekomen. Hij was echt nieuwsgierig geweest naar de ex-echtgenote van Hayes. Hij kon zich niet voorstellen waarom iemand vrijwillig aan een echtscheiding begon, omdat zijn eigen vrouw hem zo wreed was ontnomen. Jason had echter nooit de traumatische ervaring van een gehandicapt kind hoeven te verwerken.

Met het vliegtuig van twee uur ging hij terug naar Boston. Hij probeerde te lezen, maar kon zich niet concentreren. Hij begon zich zorgen te maken dat Carol uiteindelijk toch niet naar het vliegveld zou komen of, erger nog, dat Bruno bij haar zou zijn.
Helaas had het vliegtuig vertraging, waardoor Jason pas om kwart over drie kon uitstappen. Hij haalde snel zijn bagage uit de kluis en rende naar United Airlines.
Er stond een lange rij bij de balie. Het was inmiddels twintig voor vier en nog altijd was er geen spoor van Carol te bekennen.

Eindelijk was Jason dan toch aan de beurt. Binnen drie minuten had hij de tickets en rende naar poort 19. Het was nu vijf voor vier. Jason vroeg, buiten adem, of iemand naar hem had gevraagd. Toen de vrouw bij het hek die vraag ontkennend had beantwoord, gaf hij een beschrijving van Carol en vroeg of de vrouw haar had gezien.
'Ze is heel aantrekkelijk,' voegde hij eraan toe.
'Dat zal best wel,' reageerde de vrouw glimlachend. 'Helaas is ze me niet opgevallen. Maar als u naar Seattle wilt, kunt u beter aan boord gaan.'
Jason keek toe hoe de secondewijzer van de grote klok in de hal voorttikte. De vrouw was de tickets aan het tellen. Een andere kondigde voor de laatste maal het vertrek naar Seattle aan. Het was twee minuten voor vier.
Net toen Jason alle hoop had opgegeven, zag hij haar. Ze rende zijn kant op. Jason had dolblij moeten zijn, ware het niet dat hij vlak achter haar de imposante gestalte van Bruno zag. Verderop in de hal stond een politieman bij de plaats waar de bagage werd doorgelicht. Die kant zou hij opgaan als hij moest vluchten!
Carol rende een beetje moeilijk, door de grote schoudertas die ze bij zich had. Bruno deed geen poging haar te helpen. Carol rende rechtstreeks op Jason af en Jason zag Bruno's gezicht rood worden zodra hij hem zag.
'Ben ik nog op tijd?' vroeg ze hijgend.
'Wat doe jij hier, gluurder?' schreeuwde Bruno. Hij zag waar het vliegtuig naartoe ging, en keek beschuldigend naar Carol. 'Je zei dat je naar huis zou gaan.'
'Kom mee,' zei Carol tegen Jason en pakte zijn arm vast.
Bruno's gezicht was nu knalrood en de aderen bij zijn slapen hadden de afmetingen van een dikke sigaar.
'Wacht u even!' riep Carol naar een man van de luchtvaartmaatschappij, die het hek wilde sluiten. De man knikte en schreeuwde iets naar een collega. Bruno liep weg, in de richting van de telefooncellen.
Snel gingen Jason en Carol verder. Het bleek dat de vliegtuigdeur al was gesloten en speciaal voor hen weer moest worden geopend.
Zodra ze zaten, bood Carol Jason haar verontschuldigingen aan voor het feit dat ze zo laat was. 'Ik ben woedend. Het is heel aardig van Arthur dat hij zo bezorgd is om mij, maar dit is ronduit belachelijk.'
'Wie is Arthur?'
'Mijn baas,' zei ze met een stem vol walging. 'Hij zei dat hij me

misschien wel zou ontslaan als ik nu wegging. Als we terug zijn, denk ik dat ik mijn ontslag neem.'
'Kun je je dat permitteren?' Jason vroeg zich af wat Carols werk nog meer inhield, behalve dansen. Hij meende te weten dat vrouwen als zij hun leven niet in eigen hand konden houden.
'Ik was toch van plan om er binnenkort mee te kappen,' zei Carol. 'Weet je eigenlijk wat voor werk ik doe?'
'Vaag.'
'Je hebt het er nooit over. De meeste mensen doen dat wel.'
'Ik vond dat jouw zaak.' Wie was hij uiteindelijk om over haar te oordelen?
'Je bent een beetje vreemd. Aardig, maar vreemd.'
'Ik vind mezelf anders redelijk normaal.'
'Ha!' zei Carol spottend.
Het was zo druk, dat het toestel twintig minuten moest wachten voordat het kon opstijgen.
'Ik was al bang dat we dit vliegtuig niet zouden halen,' zei Jason en kon zich eindelijk ontspannen.
'Nogmaals, het spijt me. Ik heb geprobeerd Bruno van me af te schudden, maar die vent bleef aan me vastgeplakt zitten. Ik wilde niet dat hij te weten zou komen dat ik niet naar Indiana ging. Ik kon echter niets doen.'
'Het doet er niet toe,' zei Jason, maar toch zat het hem niet lekker dat naast Shirley nu nog iemand wist dat hij naar Seattle ging. Hij had het geheim willen houden. Tegelijkertijd kon hij echter geen enkele reden bedenken waarom dat enig verschil zou maken.
Jason haalde een aantekenboekje te voorschijn en begon Carol vragen te stellen over wat Hayes tijdens die twee reizen naar Seattle allemaal had gedaan. Het eerste bezoek bleek het meest interessant te zijn. Ze hadden in het *Mayfair Hotel* gelogeerd en onder andere een club bezocht die *De Totem* heette, net zoiets als *Cabaret* in Boston. Hij vroeg haar wat zij van die club had gevonden.
'Het was niets bijzonders. Minder opwindend dan *Cabaret*. Seattle lijkt me iets conservatiever.'
Jason knikte en vroeg zich af waarom Hayes zijn tijd in een dergelijke tent had verdaan als hij met Carol reisde. 'Heeft Alvin daar met iemand gesproken?'
'Ja, met de eigenaar. Dat had Arthur voor hem geregeld.'
'Kende Alvin jouw baas dan?'
'Ze waren vrienden. Zo heb ik Alvin leren kennen.'
Jason herinnerde zich de geruchten over Alvins bezoeken aan

disco's. Het idee dat een beroemde moleculair bioloog bevriend was met een man die een topless bar leidde, leek belachelijk.
'Weet je waar Alvin en die man over hebben gesproken?'
'Nee, maar het gesprek heeft niet lang geduurd. Ik heb naar de danseressen gekeken, die best goed waren.'
'En jullie zijn naar de universiteit geweest?'
'Ja, op de eerste dag.'
'Denk je dat je de man kunt vinden die Alvin daar heeft gesproken?'
'Dat denk ik wel. Hij was lang en had een knap gezicht.'
'En toen?'
'Toen zijn we de bergen in getrokken.'
'En toen hield Hayes even vakantie?'
'Dat denk ik wel.'
'Heeft Alvin daar iemand ontmoet?'
'Nee, niemand in het bijzonder, maar hij heeft wel met veel mensen gesproken.'
Jason dacht na over wat Carol hem had verteld en bleef geloven dat het bezoek aan de universiteit het belangrijkst moest zijn. Ook dat bezoekje aan de club moest echter nader worden onderzocht.
'Nog één ding,' zei Carol. 'Tijdens het tweede bezoek heb ik moeten zoeken naar droog ijs.'
'Waarvoor in 's hemelsnaam?'
'Dat wist ik niet en dat heeft Alvin me ook niet verteld. Hij had een koeltas bij zich en wilde droog ijs hebben.'
Misschien om materiaal te vervoeren voor de kweken, dacht Jason. *Dit klinkt veelbelovend.*

Toen het toestel in Seattle was geland, verzetten ze hun horloges naar de plaatselijke tijd. Jason keek naar buiten. Het regende. Hij zag plassen water op de landingsbaan en even later kon je door het raampje al nauwelijks meer naar buiten kijken.
Ze huurden een auto en toen ze de drukte rond het vliegveld eenmaal achter zich hadden gelaten, zei Jason: 'Ik vind dat we in hetzelfde hotel moeten gaan logeren waar je de vorige keer bent geweest. Misschien zullen daardoor nog wat herinneringen boven komen. Ieder een eigen kamer, natuurlijk.'
Carol keek hem even van opzij aan. Jason wilde haar volkomen duidelijk maken dat dit een zakenreis was.

Met twee wagens ertussen reed een donkerblauwe Ford Taunus achter Jason en Carol aan. Achter het stuur zat een man van middelbare leeftijd, gekleed in een coltrui, een suède jack en een geruite pantalon. Hij had vijf uur geleden een telefoontje gekregen met de mededeling dat hij het toestel van United Airlines dat uit Boston kwam, in de gaten moest houden. Hij moest letten op een vijfenveertigjarige arts die zou aankomen in het gezelschap van een mooie jonge vrouw. Ze heetten Howard en Donner. Het was makkelijker gegaan dan hij had verwacht. Hij had hun identiteit achterhaald door achter hen te gaan staan bij de balie van Avis.

Nu mocht hij hen niet uit het oog verliezen. Er zou contact met hem worden opgenomen door iemand die uit Miami kwam. Hij kreeg de gebruikelijke vijftig dollar per uur plus een kostenvergoeding uitbetaald, en vroeg zich af of dit om een aanvraag tot echtscheiding ging.

Het hotel was fraai. Te oordelen naar Hayes' weinig verzorgde uiterlijk zou Jason nooit hebben verwacht dat de man zo'n dure smaak had. Ze namen ieder een eigen kamer, maar Carol stond erop de tussendeur open te maken. 'Preuts zijn hoeven we niet,' zei ze; een opmerking die Jason niet goed kon plaatsen.

Omdat het eten in het vliegtuig verre van lekker was geweest, stelde Jason voor eerst te gaan dineren voordat ze naar de *Totem Club* gingen. Carol trok andere kleren aan en zag er jong en lieflijk uit. Jason bestelde een flesje wijn en de gérant vroeg of Carol meerderjarig was. Dat vond ze prachtig, omdat ze zelf het idee had dat ze er op vijfentwintigjarige leeftijd al zo oud uitzag.

Om tien uur vertrokken ze naar de *Totem Club*. Jason voelde zich al slaperig, maar Carol was klaar wakker. Om problemen te voorkomen lieten ze de huurauto bij het hotel staan en namen een taxi, want Carol zei dat het haar en Hayes nogal wat moeite had gekost de club te vinden.

De *Totem Club* bevond zich aan de rand van Seattle, bij een aardige woonwijk. Hij werd omgeven door een groot, geasfalteerd parkeerterrein. Er lag nergens rotzooi en er liepen geen zwervers rond. De club zag er eerder uit als een doodgewoon restaurant of een bar, al werd de ingang geflankeerd door een aantal imitatietotempalen. Toen Jason de taxi uit stapte, voelde hij het gedreun van rock-muziek. Snel renden ze door de regen naar de ingang.

Van binnen zag de club er veel conservatiever uit dan de *Cabaret*. Het eerste wat Jason opviel, was dat er veel stellen waren en geen zwaar drinkende mannen. Er was zelfs een kleine dansvloer. De enige overeenkomst was de vorm van de bar, een U, met in het midden een podium voor de danseressen.

'Ze dansen hier niet topless,' fluisterde Carol.
Ze werden begeleid naar een tafeltje op de eerste verhoging, waarachter zich nog een tweede bevond. Een serveerster legde onderzettertjes neer en vroeg wat ze wilden drinken.
Toen de drankjes waren besteld, vroeg Jason aan Carol of ze de eigenaar al had gezien. Dat bleek niet zo te zijn. Na een kwartiertje pakte ze echter Jasons arm en boog zich over het tafeltje heen.
'Daar is hij.' Ze wees op een jongeman van ergens voor in de dertig, die een smoking met een rode das en een sjerp aan had. Hij had een olijfkleurige huid en dik, zwart haar.
'Weet je nog hoe hij heet?'
Ze schudde haar hoofd.
Jason liep op de man af, die een vriendelijk, jongensachtig gezicht had. Hij gaf net lachend een man die aan de bar zat een schouderklopje.
'Ik ben dokter Jason Howard, uit Boston.' De man draaide zich naar hem toe. De glimlach leek op zijn gezicht geplakt te zitten.
'Ik ben Sebastion Frahn. Welkom in de *Totem.*'
'Zou ik u even kunnen spreken?'
De glimlach verdween. 'Waarover?'
'Het zal even duren voordat ik u dat heb uitgelegd.'
'Ik heb het erg druk. Later misschien.'
Jason had niet op zo'n snelle afwijzing gerekend en keek toe hoe de man naar andere klanten liep, alweer glimlachend.
'En?' vroeg Carol zodra hij weer aan hun tafeltje had plaats genomen.
'De man wil niet met me praten.'
'In dit soort zaken moet je voorzichtig zijn. Laat mij het maar eens proberen.'
Jason zag hoe ze bevallig naar de eigenaar toe liep. Ze raakte zijn arm aan en zei iets tegen hem. Jason zag de man knikken en zijn kant op kijken. Toen knikte hij nogmaals en liep verder. Carol kwam terug.
'Hij komt zo.'
'Wat heb je tegen hem gezegd?'
'Hij herinnerde zich mij nog.'
Jason vroeg zich af wat dat betekende. 'Kan hij zich ook Hayes herinneren?'
'Reken maar!'
Binnen tien minuten verscheen Sebastion Frahn bij hun tafeltje.
'Sorry dat ik zo kortaf was. Ik wist niet dat jullie vrienden waren.'
'Dat geeft niet,' zei Jason. Hij wist niet precies wat de man met die opmerking bedoelde, maar hij leek vriendelijk.

'Wat kan ik voor u doen?'
'Carol zegt dat u dokter Hayes kent.'
Sebastion wendde zich tot Carol. 'Was dat de man die hier de vorige keer samen met jou was?'
Carol knikte.
'Natuurlijk ken ik hem. Hij was een vriend van Arthur Koehler.'
'Zou u me kunnen vertellen wat hij met u heeft besproken? Dat zou belangrijk kunnen zijn.'
'Jason werkte samen met Alvin,' zei Carol.
'Ik kan u rustig vertellen wat we hebben besproken. De man wilde op zalm gaan vissen.'
'Vissen!' riep Jason uit.
'Ja. Hij zei dat hij een paar grote kanjers wilde vangen, maar niet te ver hier uit de buurt wilde gaan. Ik heb hem toen Cedar Falls aangeraden.'
'Was dat alles?'
'Ja. Verder hebben we alleen nog even over Seattle Supersonics gesproken.'
'Dank u voor het feit dat u wat tijd voor mij hebt willen vrijmaken.'
'Graag gedaan. Maar ik moet me nu weer met mijn andere gasten gaan bezighouden.' Hij gaf hun een hand.
'Ik kan mijn oren niet geloven!' zei Jason. 'Iedere keer als ik denk dat ik een aanwijzing heb gevonden, blijkt het weer een dood spoor te zijn.'
Op verzoek van Carol bleven ze nog een halfuurtje naar de show kijken en toen ze terug waren in het hotel, was Jason volledig uitgeput. Opgelucht kleedde hij zich uit en dook tussen de lakens. Het bezoek aan de *Totem Club* had hem teleurgesteld, maar ze moesten nog naar de universiteit. Net toen hij bijna in slaap viel, werd er zacht op de tussendeur geklopt. Het was Carol, die zei dat ze uitgehongerd was en niet kon slapen. Zouden ze de room-service kunnen bellen? Jason voelde zich verplicht haar gezelschap te houden en ze bestelden gerookte zalm en een halve fles champagne.
Carol zat op de rand van Jasons bed in een ochtendjas van badstof. Onder het eten vertelde ze Jason over haar jeugd in de buurt van Bloomington, Indiana. Jason had haar nog nooit zoveel horen praten. Ze had op een boerderij gewoond en 's morgens voordat ze naar school ging, de koeien moeten melken. Jason kon het haar in gedachten zien doen. Ze had iets onschuldigs over zich, dat hij in verband kon brengen met een dergelijk leven. Wel kostte het hem moeite dat leven in verband te brengen met haar

huidige. Hij wilde weten wat er mis was gegaan, maar durfde daar niet naar te vragen. Bovendien was hij zo uitgeput, dat hij zijn ogen niet langer kon openhouden. Hij viel in slaap. Carol dekte hem toe en ging terug naar haar eigen kamer.

13

Met een schok werd Jason wakker en keek op zijn horloge. Het was vijf uur 's morgens, dus acht uur in Boston, de tijd waarop hij gewoonlijk naar het ziekenhuis vertrok. Hij deed de gordijnen open. De lucht was helder en in de verte zag hij een veerboot over Puget Sound naar Seattle varen.

Jason nam een douche en klopte toen op de tussendeur. Geen reactie. Hij klopte nogmaals. Toen deed hij de deur op een kiertje open. Carol was nog vast in slaap, met haar kussen in haar armen geklemd. Jason bleef even naar haar kijken. Ze zag er lief uit, als een engeltje. Zacht deed hij de deur weer dicht, om haar niet wakker te maken.

Toen liep hij naar zijn bed, draaide het nummer van de room-service en bestelde sinaasappelsap, koffie en croissants voor twee personen. Daarna belde hij de kliniek en vroeg Roger Wanamaker op te roepen.

'Alles goed?'

'Niet helemaal. Marge Todd is vannacht in coma geraakt en overleden.'

'Mijn god!'

'Sorry voor het slechte nieuws. Probeer daar toch maar een beetje te genieten.'

'Ik bel je binnenkort wel weer,' zei Jason en hing op.

Weer een sterfgeval. Met uitzondering van de jonge vrouw met hepatitis leken al zijn patiënten het ziekenhuis horizontaal te verlaten. Hij vroeg zich af of hij meteen moest terugvliegen naar Boston. Nee, hij kon toch niets meer voor die vrouw doen en hier moest hij naar de universiteit, hoewel hij nu niet al te veel meer van dat bezoek verwachtte.

Twee uur later klopte Carol op zijn deur en kwam binnen, met haren die nog nat waren van het douchen. 'Goeiemorgen,' zei ze stralend en Jason bestelde meteen een pot verse koffie.

'Het is ook echt een mooie ochtend,' zei Jason.

'Pas op! Het weer kan hier ongelooflijk snel omslaan!'

Carol ontbeet, Jason dronk koffie.

'Ik hoop dat ik je gisteravond niet de oren van je hoofd heb gekletst,' zei Carol.

'Natuurlijk niet. Het spijt me dat ik in slaap ben gevallen.'
'Zou jij me eens wat meer over jezelf willen vertellen?' zei ze, zonder melding te maken van het feit dat ze al het een en ander had gehoord van Hayes.
'Er valt niet zoveel te vertellen.'
Carol trok haar wenkbrauwen op, maar begon te lachen toen ze hem zag grijnzen. 'Ik dacht even dat je dat serieus meende!'
Jason vertelde Carol over zijn jeugd in Los Angeles, zijn opleiding aan de universiteiten van Berkeley en Harvard, zijn aanstelling in het Massachusetts General. Eigenlijk zonder dat het zijn bedoeling was geweest, vertelde hij haar ook over Daniëlle en die afschuwelijke novembernacht toen ze was omgekomen. Hij vertelde zelfs over zijn huidige depressie door het stijgende aantal patiënten van hem dat ineens overleed, en het bericht van Roger dat Marge Todd dood was.
'Ik voel me gevleid dat je me dat alles vertelt,' zei Carol gemeend. Ze had niet zoveel openheid en vertrouwen verwacht. 'Je hebt het emotioneel verre van gemakkelijk gehad.'
'Zo kan het leven soms gaan,' zei Jason met een zucht. 'Ik weet eigenlijk niet waarom ik je hiermee heb verveeld.'
'Je hebt me er helemaal niet mee verveeld. Ik vind dat je je geweldig hebt aangepast. Het moet moeilijk zijn geweest om van werk- en woonomgeving te veranderen, maar het is wel heel positief dat je dat hebt gedaan.'
'Vind je dat?' Jason had niet verwacht dat hun relatie zo persoonlijk zou worden, maar voelde zich beter nu dat opeens toch was gebeurd.
Pas om half elf kwamen ze gekleed en wel uit hun respectievelijke kamers te voorschijn en liepen naar de hal, waar Jason de portier vroeg zijn auto te laten voorrijden. Toen ze naar buiten liepen, was het inderdaad alweer bewolkt en vielen de eerste regendruppels.
Ze reden naar de universiteit en Carol wees op het gebouw waar Hayes naartoe was gegaan. Bij de ingang werden ze meteen tegengehouden door een geüniformeerde man van de bewakingsdienst.
'Ik ben een arts uit Boston,' zei Jason en liet de man zijn identiteitspapieren zien.
'Het kan me niets schelen waar u vandaan komt. Als u geen pasje hebt, kunt u hier niet in. Gaat u eerst maar eens naar de centrale administratie.'
Dat deden ze en Jason vroeg Carol hoe Hayes dat had afgehandeld.

'Hij had zijn vriend opgebeld en die man stond op het parkeerterrein op ons te wachten.'
De vrouw bij de centrale administratie was vriendelijk en gaf Carol zelfs een fotoboek van de stafmedewerkers, om te zien of ze Hayes' vriend herkende. Het waren alleen pasfoto's en die zeiden Carol te weinig. Ze kregen hun pasje en liepen terug naar het gebouw.
Daar namen ze de lift naar de vijfde verdieping, waar op de gang allerlei reserve-apparatuur stond en de muren hard aan een verfbeurt toe waren. Er hing een scherpe chemische lucht, die wel wat deed denken aan formaldehyde.
'Hier is het laboratorium,' zei Carol en bleef bij een geopende deur staan. Op een bordje links daarvan stonden twee namen: Duncan Sechler, MD, PhD, Rhett Shannan, MD, PhD.
'Wie van de twee is het?'
'Ik weet het niet,' zei Carol, die op een jonge assistent af liep en hem vroeg of een van de artsen aanwezig was.
'Ze zijn er beiden en ze zijn met de dieren bezig.' De man wees over zijn schouder.
De deur naar de kamer waarin de dieren waren ondergebracht, had een grote ruit. Ze zagen twee mannen in witte jassen bij een aap een bloedmonster nemen.
'Het was die lange man met dat grijze haar,' zei Carol. Jason liep naar de deur toe.
De man die Carol had aangewezen, zag er knap en atletisch uit en was ongeveer even oud als Jason. Zijn haren waren zilverkleurig, waardoor hij er heel gedistingeerd uitzag. De andere man daarentegen was vrijwel kaal.
'Denk je dat hij zich jou zal herinneren?'
'Misschien. We hebben elkaar maar heel even gezien voordat ik naar de faculteit voor psychologie vertrok.'
Ze wachtten tot de artsen klaar waren en de kamer uitliepen. De lange man hield het reageerbuisje met bloed vast.
'Hebt u misschien even tijd voor mij?' vroeg Jason.
'Bent u van de inspectie?'
'Mijn hemel, nee! Ik ben dokter Jason Howard en dit is Carol Donner.'
'Wat kan ik voor u doen?'
'Ik zie je zo wel weer, Duncan,' zei de kalende man.
'Oké. Ik ga zo met dat bloed aan de slag,' zei Duncan en wendde zich toen weer tot Jason. 'Sorry.'
'Dat geeft niet. Ik wilde u spreken over een oude kennis.'
'O?'

'Alvin Hayes. Kunt u zich nog herinneren dat hij hier is geweest?'
'Natuurlijk.' Duncan draaide zich om naar Carol. 'Was u toen niet bij hem?'
Carol knikte. 'U hebt een goed geheugen.'
'Het was een hele schok te horen dat hij dood was. Een groot verlies.'
'Carol heeft me verteld dat Hayes iets belangrijks met u te bespreken had. Zou u me kunnen vertellen wat dat was?'
Duncan keek opeens zenuwachtig om zich heen naar de laboratoriumassistenten. 'Ik weet niet zeker of ik daarover wil praten.'
'Dat is jammer. Was het iets zakelijks, of iets persoonlijks?'
'U kunt maar beter even meegaan naar mijn kantoor.'
Het kostte Jason moeite niet te laten merken hoe opgewonden hij was. Eindelijk leek hij nu dan toch iets belangrijks te zullen horen!
Duncan deed de deur van zijn kantoor dicht. Er stonden twee metalen stoelen. Duncan haalde er stapels tijdschriften af en gebaarde Jason en Carol plaats te nemen.
'Het was om persoonlijke redenen dat Hayes naar me toe kwam,' zei Duncan toen.
'Wij hebben net vierenhalf duizend kilometer gereisd om met u te praten,' zei Jason, die weigerde zich meteen met een kluitje in het riet te laten sturen.
'Als u me eerst even had gebeld, had ik u die moeite kunnen besparen.' De stem van Duncan klonk nu beduidend minder vriendelijk.
'Misschien moet ik u vertellen waarom ik hier zoveel belangstelling voor heb,' zei Jason. Hij vertelde over het mysterie rond een mogelijk belangrijke ontdekking van Hayes en zijn eigen pogingen om te achterhalen waar die betrekking op kon hebben.
'Denkt u dat Hayes naar me toe is gekomen voor hulp bij zijn onderzoek?'
'Dat had ik gehoopt.'
Duncan lachte, kort en onaangenaam, en keek Jason schuins aan. 'Oké. Ik zal u vertellen wat Hayes wilde: een plek waar hij marihuana kon kopen. Hij had dat spul in het vliegtuig niet willen meenemen, omdat hij doodsbang was dat hij zou worden gepakt, en ik heb toen een ontmoeting tussen hem en een student hier geregeld.'
Jason kon zijn oren niet geloven. 'Het spijt me dat ik beslag heb gelegd op uw tijd.'
'Hindert niet.'

Carol en Jason liepen naar buiten en gaven hun pasjes aan de man van de bewakingsdienst. Carol glimlachte.
'Dit is helemaal niet geestig,' zei Jason toen ze in de auto stapten.
'Dat is het wel,' zei Carol, 'alleen kun jij dat op dit moment niet inzien.'
'We kunnen net zo goed naar huis gaan,' constateerde Jason somber.
'O nee! Je hebt me hiernaartoe gesleept en we gaan niet weg voordat we de bergen hebben gezien. Dat is maar een kort ritje.'
'Dat zullen we nog wel zien.'

Carol won. In het hotel haalden ze hun spullen op en voordat Jason goed en wel besefte wat er gebeurde, reden ze over de hoofdweg de stad uit. Carol zat achter het stuur. De voorsteden moesten al snel het veld ruimen voor mistige, groene bossen en de glooiende heuvels voor bergen. Het was opgehouden met regenen en in de verte zag Jason met sneeuw bedekte bergtoppen. Het was zo mooi, dat hij zijn teleurstelling vergat.
'Het wordt nog mooier,' zei Carol toen ze de hoofdweg af draaide, richting Cedar Falls. Ze kende de weg en wees hem op allerlei bezienswaardigheden. Over een nog smaller weggetje reden ze langs de rivier Cedar.
Het was net een sprookjesland, met diepe bossen, hoge rotsen, bergen in de verte en snelstromende beekjes. Toen het donker begon te worden, draaide Carol de weg af en reed over een hobbelig pad naar een schilderachtige berghut. Het bleek een hotel te zijn, dat de *Salmon Inn* heette.
'Heb je hier met Alvin gelogeerd?'
'Ja,' zei Carol en draaide zich om naar de achterbank om haar reistas te pakken.
Ze stapten de auto uit. De lucht was fris en rook naar brandend hout. In de verte hoorde Jason water ruisen.
'De rivier loopt langs de andere kant van het hotel,' vertelde Carol hem en ze liep het trapje op naar de veranda, waar makkelijke stoelen stonden, gemaakt van pijnboomhout. 'Iets verderop is een mooie waterval. Die zal ik je morgen laten zien.'
Jason liep achter haar aan en vroeg zich opeens af wat hij hier eigenlijk deed. Deze reis was een vergissing geweest; hij hoorde in Boston te zijn, bij zijn doodzieke patiënten. En nu was hij met deze jonge vrouw in de bergen!
Van binnen zag het hotel er al even charmant uit als van buiten. Ze betraden een grote ruimte met een imposante open haard.
Bij die haard zaten gasten te lezen en was een compleet gezin

gezellig aan het scrabbelen.
Sommige mensen keken op toen Jason en Carol op de balie af liepen.
'Hebt u gereserveerd?' vroeg de receptionist.
Jason vroeg zich af of de man een grapje maakte. Het was een gigantisch gebouw, in een niemandsland; het was vroeg in november, en geen weekend. Hij kon zich niet voorstellen dat veel kamers bezet waren.
'Nee,' zei Carol. 'Is dat een probleem?'
'Ik zal eens even kijken,' zei de man en boog zich over het gastenboek.
'Hoeveel kamers zijn er in dit hotel?' vroeg Jason.
'Tweeënveertig en zes suites,' antwoordde de receptionist zonder op te kijken.
'En zijn die vol?'
'In deze tijd van het jaar is het hier altijd druk, omdat er veel zalm is. U hebt geluk. We hebben een kamer vrij, maar het kan zijn dat u morgen moet verhuizen. Hoe lang was u van plan te blijven?'
Carol keek Jason aan, die zich meteen zorgen begon te maken. Slechts één kamer! Hij wist niet wat hij moest zeggen en begon te stotteren.
'Drie nachten,' zei Carol.
'Prima. En hoe wilt u betalen?'
Een stilte.
'Met mijn credit card,' zei Jason en haalde zijn portefeuille te voorschijn. Hij kon niet geloven dat dit werkelijk gebeurde.
Ze liepen achter een piccolo aan naar de hal op de tweede verdieping. Jason hoopte maar dat er twee aparte bedden in de kamer zouden staan. Hij vond Carol heel aantrekkelijk maar hij was niet bereid te beginnen aan een affaire met een exotische danseres die verder nog god weet wat deed.
'U hebt hier een schitterend uitzicht,' zei de piccolo.
Jason liep naar binnen, maar keek meteen naar het bed en niet naar de ramen. Gelukkig. Het waren twee afzonderlijke bedden. Toen de piccolo was vertrokken, liep Jason naar het raam om het inderdaad schitterende uitzicht te bewonderen. De rivier Cedar, die op dat punt zo breed was dat het een klein meer leek, werd omgeven door groene pijnbomen, die in het afnemende licht een purperen gloed kregen. Naast het hotel bevond zich een naar de waterkant aflopend gazon. In de rivier lagen een paar aanlegsteigers, waaraan twintig tot dertig roeiboten en rubberboten waren afgemeerd. Op de kant lagen kano's. Jason zag dat de rivier een

vrij sterke stroming had, want de touwen waarmee de boten waren vastgemaakt, stonden allemaal strak gespannen.
'Wat vind je ervan? Gezellig hè?' zei Carol, in haar handen klappend.
Het behang had een bloemmotief. Op de grond lagen planken van pijnboomhout, met hier en daar een kleed erop. Op de bedden lag een sprei.
'Geweldig,' zei Jason en keek de badkamer in, in de hoop dat daar ochtendjassen zouden hangen. 'Je hebt je kennelijk opgeworpen als reisleidster, dus vertel me maar eens wat we nu gaan doen.'
'Meteen eten, wat mij betreft. Ik ben uitgehongerd en volgens mij wordt het diner maar tot zeven uur geserveerd. Iedereen gaat hier vroeg naar bed.'
Het restaurant had een groot, gebogen raam, dat uitzicht bood op de rivier. Openslaande deuren leidden naar een veranda en Jason vermoedde dat men daar 's zomers kon dineren. Van de veranda liep een trapje naar het gazon, en de aanlegsteigers waren inmiddels verlicht.
Ongeveer de helft van de vierentwintig tafels in het restaurant was bezet. De meeste mensen zaten al koffie te drinken. Jason had de indruk dat iedereen opeens ophield met praten toen Carol en hij binnenkwamen.
'Waarom heb ik het gevoel dat we uitgebreid worden bekeken?' fluisterde Jason.
'Omdat jij je zorgen maakt over het feit dat je een kamer deelt met een jonge vrouw die je nauwelijks kent,' fluisterde Carol terug. 'Ik denk dat je je een beetje schuldig voelt en niet weet wat er van je wordt verwacht.'
Jasons mond viel open van verbazing en hij merkte dat hij begon te blozen. Hoe kon een jonge vrouw die topless in een club danste, dergelijke dingen zo goed aanvoelen? Hij was er altijd trots op geweest dat hij mensen goed kon inschatten; dat hoorde tenslotte bij zijn werk. Waarom had hij dan het gevoel dat er bij Carol iets niet klopte?
Carol keek naar Jasons blozende gezicht en schoot in de lach. 'Ontspan je toch en geniet. Ik zal je heus niet bijten.'
'Vooruit dan.'
Ze aten zalm, die in allerlei verleidelijke variëteiten werd geserveerd. Daar namen ze een plaatselijke witte wijn bij, die Jason verrassend goed vond smaken. Op een gegeven moment hoorde hij zichzelf hardop lachen. Het was lang geleden dat hij zich zo vrij had gevoeld. Toen pas realiseerden ze zich dat zij de laatste

gasten in het restaurant waren.
Toen Jason later die avond in zijn bed naar het donkere plafond lag te staren, voelde hij zich weer in verwarring gebracht. Het naar bed gaan was een komedie op zichzelf geweest. Ze hadden een muntje opgegooid om te bepalen wie als eerste de badkamer in kon, en grote badhanddoeken als kamerjassen gebruikt. Jason was zich zijn lichaam in lange tijd niet zo bewust geweest. Hij ging op zijn zij liggen en kon Carol net zien. Ook zij lag op haar zij en hij hoorde haar ritmisch ademhalen. Ze sliep kennelijk. Hij benijdde haar omdat ze zichzelf zo open en duidelijk accepteerde en zo lekker kon liggen slapen, en het verwarde hem dat hij genoot van haar aanwezigheid.

14

Toen ze de volgende morgen de gordijnen opentrokken, was het nog mooi weer en de rivier schitterde in het licht van de zon. Zodra ze hadden ontbeten, kondigde Carol een wandeling aan.
Ze namen lunchpakketten mee en liepen parallel aan de rivier langs een goed aangegeven route, terwijl ze genoten van de vogels en de kleine dieren die ze zagen. Zo'n achthonderd meter van het hotel vandaan zagen ze de waterval waarover Carol al had gesproken. Ze sloten zich bij andere toeristen op het houten platform aan en keken vol ontzag naar het neervallende water en de regenboogkleurige vissen erin, die van de ene uitstekende rots naar de andere sprongen. Jason had ontzag voor het genetisch bepaalde vermogen van de zalmen om zich in deze omgeving voort te planten, en zei dat ook tegen Carol.
'Alvin was er ook door gefascineerd,' zei ze. 'Kom mee, er is nog meer te zien.'
Ze liepen verder over het pad, dat nu steeds dieper het bos in liep. Toen keerde het weer terug naar de rivier op een punt waar die zich weer tot een meertje had verbreed en waar allerlei mensen aan het vissen waren.
Tussen een paar oude pijnbomen stond een hut, die net een miniatuurtje van de *Salmon Inn* was. Carol nam Jason meteen mee naar binnen.
Het was een soort winkeltje, waar je allerlei visbenodigdheden kon huren. Achter de toonbank stond een man met een baard in een roodgeruit wollen shirt, een verkleurde broek die door rode bretels op zijn plaats werd gehouden, en hoge laarzen. Jason schatte hem ergens achter in de zestig; hij zou in een warenhuis prima als kerstman kunnen fungeren. Achter hem, tegen de muur aan, stonden allerlei soorten vishengels. Carol stelde Jason aan de man voor, die Stooky Griffith bleek te heten, en zei dat Alvin altijd graag een praatje met Stooky had gemaakt.
'Jason, heb je geen zin om ook eens te vissen?'
'Nee,' zei hij, omdat hij zich nooit voor jagen en vissen had geïnteresseerd.
'Ik wil het wel. Kom op, doe mee!'
'Ga jij maar vissen. Ik amuseer mezelf wel.'

'Oké.' Ze huurde een hengel en wat aas en probeerde Jason nogmaals tevergeefs over te halen mee te doen.
'Alvin was al net als jij. Die wilde ook niet vissen. Maar ik heb hier een grote vis gevangen, vlak bij de steiger.'
'Heeft Alvin hier niet gevist?' vroeg Jason verbaasd.
'Nee. Hij heeft er alleen naar gekeken.'
'En tegen Sebastion Frahn had hij gezegd dat hij wilde vissen.'
'Dat kan, maar toen we hier eenmaal waren, wilde hij alleen wandelen en rondkijken. Eens een wetenschapper, altijd een wetenschapper, weet je.'
Jason schudde verward zijn hoofd.
'Ik ga naar de aanlegsteiger. Als je van gedachten mocht veranderen, kom je maar naar me toe,' zei Carol vrolijk.
Jason keek toe hoe ze het pad af rende en vroeg zich af waarom Alvin Hayes niet was gaan vissen. Dat was op zijn zachtst gezegd eigenaardig.
Er kwamen twee mannen naar binnen, die allerlei visbenodigdheden wilden huren. Jason liep de veranda op, waar een paar schommelstoelen stonden. Stooky had een zakje vogelvoer aan de dakrand opgehangen, waar een flink aantal vogels omheen cirkelde. Jason keek daar een tijdje naar en wandelde toen naar Carol. Het water was helder als glas en hij kon op de bodem steentjes en bladeren zien liggen. Opeens dook er een immense zalm uit het groene, diepere water omhoog, schoot onder de steiger door, naar een ondiep, schaduwrijk plekje iets verderop.
Jason keek het dier na en zag iets bewegen in het water. Nieuwsgierig liep hij de vis achterna. Toen zag hij een andere grote zalm op zijn zij liggen in het ondiepe water. Zijn staart maakte trage bewegingen. Jason probeerde het dier met een stok naar dieper water te duwen, maar dat lukte niet. De vis was duidelijk ziek. Iets verderop zag hij een andere zalm stil in het ondiepe water liggen en nog iets dichter bij de kant werd een dode zalm door een grote vogel opgegeten.
Hij liep het pad weer op. Stooky was de winkel uit gekomen en zat in een van de schommelstoelen een pijp te roken. Jason vroeg hem of er sprake was van verontreiniging in de rivier.
'Nee. Die vissen hebben kuit geschoten en gaan dan dood.'
'O ja,' zei Jason, die zich opeens herinnerde dat hij dat ooit had gelezen. De vissen vergden het uiterste van zichzelf om de plaats te bereiken waar ze kuit schoten en als de eitjes eenmaal gelegd en bevrucht waren, gingen ze dood. Niemand wist precies waarom. Er waren theorieën over de problemen van de zalmen als ze van zout in zoet water terechtkwamen, maar niemand wist

wat precies de reden was. Het was een van de mysteries van de natuur.
Jason keek naar Carol, die net haar hengel aan het uitwerpen was. 'Kunt u zich misschien herinneren dat u ooit hebt gesproken met een arts die Alvin Hayes heette?' vroeg hij toen aan Stooky.
'Nee.'
'Hij was ongeveer even groot als ik, had lang haar en een bleke huid.'
'Ik zie hier heel wat mensen.'
'Dat zal best, maar de man over wie ik het heb, was hier samen met die jonge vrouw.' Hij wees op Carol, ervan uitgaande dat Stooky niet al te veel vrouwen als Carol Donner te zien zou krijgen.
'Die vrouw op de steiger?'
'Inderdaad. Ze is mooi, vindt u niet?'
Stooky lurkte een paar maal aan zijn pijp. Zijn ogen vernauwden zich tot spleetjes. 'Kwam die kerel uit Boston?' Jason knikte.
'Dan herinnner ik me hem wel, maar hij zag er helemaal niet uit als een arts.'
'Hij deed wetenschappelijk onderzoek.'
'Misschien is dat de verklaring. Hij was echt eigenaardig. Hij heeft me honderd dollar gegeven voor vijfentwintig zalmkoppen.'
'Alleen de koppen?'
'Ja. Hij heeft me ook zijn telefoonnummer in Boston gegeven en zei dat ik moest opbellen als ik ze bij elkaar had.'
'En toen is hij ze komen ophalen?'
'Ja. Ik moest ze goed schoonmaken en in ijs verpakken.'
'Waarom duurde het zo lang voordat u die koppen had?'
'Omdat hij ze van één bepaald type zalm wilde hebben. Ze moesten net kuit geschoten hebben, en kuit schietende dieren hebben geen belangstelling voor aas. Die moet je met een net vangen. De mensen die hier vissen, vangen forel.'
'Een speciaal type zalm?'
'Ik bedoelde zalmen die net kuit hadden geschoten.'
'Heeft hij u verteld waarom hij die koppen wilde hebben?'
'Nee, en ik heb hem daar ook niet naar gevraagd. Hij betaalde en ik vond dat het verder zijn zaak was.'
'Echt alleen de koppen?'
'Ja.'
Jason liep weg, teleurgesteld en verbaasd. Het idee dat Hayes zo'n lange reis had gemaakt om alleen vissekoppen en marihuana te halen, leek belachelijk.

Carol zag hem en zwaaide.
'Jason, ik had bijna een zalm gevangen.'
'De zalmen hier bijten niet. Het moet een forel zijn geweest.'
Carol keek teleurgesteld.
Jason bestudeerde haar aantrekkelijke gezicht met de hoge jukbeenderen. Als zijn oorspronkelijke idee klopte, moesten die koppen iets te maken hebben met Hayes' pogingen om monoklone antistoffen te produceren. Maar hoe zou Carol daar, als mooie vrouw, iets wijzer van kunnen worden, zoals Hayes haar had verteld? Hij begreep er niets van.
'Het maakt niets uit of het nu forel of zalm is,' zei Carol. 'Ik amuseer me kostelijk.'
Een rondcirkelende havik dook op het water af en probeerde een van de stervende zalmen met zijn klauwen vast te pakken, maar de vis was te groot en de vogel schoot de lucht weer in. De zalm viel in het water en was dood.
'Beet!' riep Carol.
Jason hielp haar een fikse forel binnen te halen, een prachtig dier met diepzwarte ogen. Nadat Jason het haakje uit de onderlip van het dier had gepeuterd, haalde hij Carol ertoe over hem weer terug te gooien in het water.
Om te lunchen liepen ze het pad verder af, tot ze een uitstekende rotspunt hadden bereikt. Daar konden ze de rivier zien, en de bergen waarvan de toppen met sneeuw waren bedekt. Het was adembenemend mooi.
Laat in de middag liepen ze terug naar de *Salmon Inn*. Toen ze het winkeltje passeerden, zagen ze weer een grote zalm sterven. Hij lag op zijn zij en liet zijn glanzende witte buik zien.
'Wat triest,' zei Carol en pakte Jasons arm vast. 'Waarom moeten ze sterven?'
Jason kon die vraag niet beantwoorden.
'Bah,' zei Carol, toen ze zag dat kleinere vissen zich met het vlees van het stervende dier begonnen te voeden.
Ze liepen verder en Carol vertelde Jason over een andere vorm van amusement die het hotel te bieden had. Jason hoorde haar echter niet. Hij zag nog steeds die kleine roofdieren bij de grote vis en daardoor kreeg hij opeens een vaag idee over wat Hayes kon hebben ontdekt. Het was ironisch, het was angstaanjagend. Jason werd lijkbleek en bleef staan.
'Wat is er aan de hand?' vroeg Carol.
Jason slikte en staarde nietsziend voor zich uit.
'Jason, wat is er aan de hand?'
'We moeten terug naar Boston,' zei hij op dringende toon en liep

snel verder, terwijl hij Carol bijna met zich meesleepte.
'Waar heb je het over?'
Hij reageerde niet.
'Jason!' Ze dwong hem te blijven staan.
'Sorry,' zei hij, alsof hij uit een trance ontwaakte. 'Ik heb ineens een vermoeden van wat Alvin bij toeval kan hebben ontdekt. We moeten terug.'
'Vanavond, bedoel je?'
'Nu meteen.'
'Wacht eens even. Vanavond vliegt er geen enkel toestel meer naar Boston. Het is daar drie uur later dan hier. Als je het absoluut nodig vindt, kunnen we morgenochtend vertrekken.'
Jason zweeg.
'We kunnen toch in ieder geval nog wel dineren?' zei Carol lichtelijk geïrriteerd.
Jason liet zich door haar weer een beetje tot bedaren brengen. Hij zou het tenslotte ook bij het verkeerde eind kunnen hebben. Carol wilde erover praten, maar hij zei dat ze het toch niet zou begrijpen.
'Wat een betweterige opmerking!'
'Sorry. Als ik zeker van mijn zaak ben, zal ik je er alles over vertellen.'
Toen hij een douche had genomen en schone kleren had aangetrokken, realiseerde hij zich dat Carol gelijk had. Voordat ze bij het vliegveld van Seattle waren, zou het middernacht zijn en dan vlogen er geen toestellen meer op Boston.
Ze liepen de trap af naar het restaurant en werden meegenomen naar een tafeltje bij de veranda. Hij bood haar zijn verontschuldigingen aan en zei dat ze groot gelijk had gehad, en dat het zinloos was nu meteen te vertrekken.
'Ik ben blij dat je dat kunt toegeven.'
Ze bestelden ditmaal forel in plaats van zalm. Buiten werd het donker en bij de steigers werden de lichten ontstoken.
Het kostte Jason moeite zich op het eten te concentreren. Als zijn theorie klopte, besefte hij, was Hayes vermoord en was Hélène niet zomaar het slachtoffer van een psychopaat geworden. En als Hayes gelijk had en iemand zijn toevallige en afschuwelijke ontdekking in praktijk bracht, zou het resultaat nog wel eens veel erger kunnen zijn dan een epidemie.
Carol hield het gesprek gaande, maar toen ze merkte dat hij haar niet eens hoorde, pakte ze zijn arm vast. 'Zou je niet eens wat eten?'
Jason keek afwezig naar haar hand, zijn bord en toen naar haar

gezicht. 'Sorry, ik was met mijn gedachten ergens anders.'
'Dat geeft niet. Als je verder toch niets meer wilt eten, moeten we maar eens gaan informeren hoe laat we morgen naar Boston terug kunnen.'
'Dat kan wel wachten tot jij klaar bent.'
Ze legde haar servet op tafel. 'Ik heb genoeg gehad.'
Jason keek om zich heen, zoekend naar een ober, en zag toen opeens een man die net binnen was gekomen en met de gérant stond te praten. De man keek langzaam in het restaurant om zich heen. Hij had een donkerblauw pak aan, met een wit overhemd, waarvan het bovenste knoopje los was. Jason zag dat hij een gouden kettinkje om had, dat schitterde in het licht van de lampen.
De man kwam hem bekend voor, maar hij kon hem niet plaatsen. Hij had een Spaans uiterlijk, met donker haar en een diepgebruinde huid. Een succesvolle zakenman, zo te zien. Opeens wist Jason waar hij hem van kende. Hij had dat gezicht gezien op die afschuwelijke avond toen Hayes was overleden. De man had buiten bij het restaurant gestaan en later bij de ingang van de polikliniek van Massachusetts General.
Op dat zelfde moment zag de man Jason, die meteen de koude rillingen over zijn rug voelde lopen. Het was duidelijk dat de man hem herkende, want hij liep meteen zijn kant op, met zijn rechterhand nonchalant in de zak van zijn colbertje gestoken. Jason dacht aan de moord op Hélène Brennquivist, en raakte in paniek. Intuïtief wist hij wat er zou gaan gebeuren, maar hij leek niet in beweging te kunnen komen. Hij wilde Carol toeschreeuwen dat ze moest wegrennen, maar kon dat niet. Vanuit zijn ooghoeken zag hij de man om het dichtstbijzijnde tafeltje heen lopen.
'Jason?' vroeg Carol en hield haar hoofd scheef.
Jason zag de hand van de man te voorschijn komen, zag de glans van metaal. Toen kwam hij opeens in actie. Hij trok het tafelkleed van tafel, waardoor borden, bestek en glazen op de vloer kletterden. Carol vloog gillend overeind.
Jason smeet het tafellaken over het hoofd van de man, en duwde hem naar achteren tegen een andere tafel, die met veel lawaai omviel.
Toen pakte hij Carols hand vast en rende met haar naar buiten, de veranda op. Hij wist wie die man was: de moordenaar die Hayes op de hielen had gezeten. Jason twijfelde er niet aan dat de man het nu op hem en Carol had voorzien. Hij trok Carol de trap af en wilde naar het parkeerterrein rennen. Toen besefte hij

dat ze dat nooit zouden halen. De boten waren een beter alternatief.
'Jason, wat is er in vredesnaam aan de hand?' schreeuwde Carol.
Jason hoorde de deuren achter hem opengaan en nam aan dat de man hen weer op de hielen zat.
Toen ze een van de aanlegsteigers hadden bereikt, probeerde Carol te blijven staan.
'Meekomen, verdomme!' brulde Jason en hij zag inderdaad iemand naar buiten rennen.
Carol probeerde zich los te rukken, maar Jason hield haar nog steviger vast en trok haar mee. 'Hij wil ons vermoorden!' schreeuwde hij. Ze renden de steiger over, de roeiboten negerend. Jason schreeuwde Carol toe dat ze hem moest helpen een van de rubberboten los te maken. Toen hun achtervolger de steiger had bereikt, waren zij al een eindje stroomafwaarts gekomen. Jason dwong Carol te gaan liggen en bedekte toen haar lichaam met het zijne.
Een onschuldig klinkend plofje werd meteen gevolgd door een doffe klap ergens in de boot en het gesis van ontsnappende lucht. Jason kreunde. De man had een wapen met een geluiddemper. Weer een plof en de kogel ketste tegen de buitenboordmotor. Een andere kogel kwam in het water terecht.
Jason zag tot zijn opluchting dat de rubberboot was opgebouwd uit verschillende compartimenten, waardoor hij ondanks de ene kogel die raak was geweest, niet zou zinken. De volgende schoten misten hun doel. Jason keek voorzichtig over de rand van de boot heen en zag dat de man een van de kano's had gepakt en die het water in trok.
Weer werd hij bang. De man zou peddelend veel sneller zijn dan zij drijvend. Ze hadden alleen een kans als hij de motor kon starten. Jason zette de knop op start en trok aan het touw. De motor deed niets. Hij trok nogmaals aan het touw, en zag dat de moordenaar griezelig snel dichterbij kwam.
'Jason, hij komt eraan!' zei Carol angstig.
Vijftien seconden lang trok Jason telkens zenuwachtig aan het touw. Toen keek hij naar de gastank. De zwarte dop was los en die draaide hij stevig vast. Toen zag hij aan de zijkant van de tank een knop en nam aan dat je de gasdruk daarmee kon verhogen. Hij drukte die zes maal in, en merkte dat dat steeds moeizamer ging.
De kano had hen nu bijna ingehaald.
Nogmaals trok hij zo hard als hij kon aan het touw en de motor kwam met veel lawaai op gang. Even later kon Jason de kano al

bijna niet meer zien.
'Blijven liggen!' beval hij Carol en nam de schade op. Er waren twee andere kogels die doel hadden getroffen. Dat viel mee. Snel stuurde hij de boot naar het midden van de rivier, om niet vast te lopen.
'Oké, je kunt gaan zitten, Carol.'
Carol kwam aarzelend overeind en streek met haar vingers door haar haren. 'Ik kan het niet geloven. Wat gaan we nu doen?' schreeuwde ze boven de herrie van de motor uit.
'We varen de rivier af tot we ergens licht zien. Er zullen hier in de buurt vast wel huizen zijn.'
Jason vroeg zich af of het veilig zou zijn bij een aanlegsteiger halt te houden. Hun achtervolger kon immers hebben besloten met zijn auto achter hen aan te gaan, de rivier volgend.
Misschien zien we licht aan de andere kant van de rivier, dacht hij.
Aan de silhouetten van de bomen langs de oever kon hij wel zo ongeveer zien hoe snel ze gingen. Dat was niet snel; het leek meer alsof ze er stevig de pas in hadden gezet. Hij had ook het gevoel dat de rivier weer smaller begon te worden. Na een half-uur was er nog altijd nergens een lichtje te zien, alleen een donker bos en een zwarte, met sterren bezaaide, maanloze hemel.
'Ik zie niets,' schreeuwde Carol.
'Dat maakt niet uit.'
Na een kwartiertje kwamen de bomen gevaarlijk dichterbij. Jason besefte dat hij de snelheid aanzienlijk had onderschat. Hij zette de motor af en toen hoorde hij een dreigend geraas van water.
Hij herinnerde zich de watervallen. 'Mijn god!' Snel keerde hij de boot en gaf vol gas. Tot zijn schrik lukte het hem niet vooruit te varen; ze gingen alleen maar iets minder stroomafwaarts. Even verder werd de rivier heel smal en werden Jason en Carol een engte in gezogen.
Langs de bovenrand van de rubberboot was een touw gespannen. Jason pakte dat met beide handen links en rechts van hem vast en schreeuwde Carol toe dat zij dat ook moest doen. Door het geraas van het water kon ze hem niet horen, maar toen ze zag wat hij deed, probeerde ze dat ook. Helaas kon ze er niet helemaal bij. Ze hield het touw aan één kant vast en zette zich schrap met een been onder een van de houten banken. Op dat zelfde moment werd de boot als een drijvende kurk de lucht in gegooid en werden ze drijfnat door het hoog opspattende water. Jason kon bijna niets meer zien, omdat het zo donker was en hij water in zijn ogen had. Hij voelde Carols lichaam tegen het zijne aan slaan en probeerde haar met zijn been klem te zetten. Toen

raakte de boot een grote steen en draaide om zijn as. Jason zag in zijn gedachten watervallen voor zich en wist dat ze ieder moment verzwolgen konden worden.
Doodsbang hielden ze het touw vast, volledig overgeleverd aan het kolkende water, dat de boot steeds verder vulde en bijtend koud was. Ze slingerden van de ene kant naar de andere. Jason dacht steeds dat de boot zou omslaan.
Opeens werd het water weer rustiger. Ze draaiden nog altijd rond, maar minder snel. Jason keek om zich heen, zag de steile rotsen en wist dat ze er nog niet doorheen waren.
Het water kolkte weer. Jasons vingers gingen zeer doen doordat de spieren voortdurend tot het uiterste gespannen waren en het water erg koud was. Even dacht hij dat hij het touw zou moeten loslaten, omdat de pijn te erg werd.
Toen was de nachtmerrie even plotseling voorbij als die was begonnen. De boot draaide nog een keer rond en kwam toen in verhoudingsgewijs rustig water terecht. Het donderende geraas van de watervallen werd minder. De rotsen verdwenen en ze konden de lucht weer zien. In de boot stond zes centimeter ijskoud water.
Met trillende handen drukte hij op een knop en zag tot zijn grote vreugde dat het water wegliep. De rivier maakte een scherpe bocht naar links en toen zagen ze eindelijk lichten. Jason stuurde de boot meteen naar de kant.
Toen ze dichterbij kwamen, zagen ze verscheidene goed verlichte gebouwen, aanlegsteigers en enkele rubberboten. Jason was nog altijd bang dat de moordenaar met de auto achter hen aan was gegaan, maar ze moesten deze boot uit. Hij koerste naar de tweede aanlegsteiger en zette de motor af.
'Jij kunt een vrouw aangenaam bezighouden!' zei Carol klappertandend.
'Ik ben blij dat jij je gevoel voor humor niet bent kwijtgeraakt!'
'Reken er maar niet op dat ik dat nog veel langer zal houden.'
Met een stijf gevoel in zijn benen kwam Jason overeind en pakte de steiger vast. Toen hielp hij Carol uitstappen en bond de boot vast. Uit een van de huizen hoorden ze de klanken van countrymuziek.
'Dat zal wel een café zijn,' zei Jason en pakte Carols hand vast. 'We moeten ons ergens opwarmen, anders krijgen we nog longontsteking.' In plaats van het café in te lopen, ging hij door naar het parkeerterrein en keek in de auto's die daar stonden.
'Wat doe je nu weer?' vroeg Carol geïrriteerd.
'Ik zoek naar sleuteltjes, want we hebben een auto nodig.'

'Dit is werkelijk niet te geloven,' zei ze en hief haar handen ten hemel. 'Ik dacht dat we zouden proberen ons wat op te warmen. Ik ga naar dat café of restaurant, of wat het dan ook mag zijn.' Zonder een reactie af te wachten, liep ze die kant op.
Jason haalde haar snel in en pakte haar arm. 'Ik ben bang dat de man die op ons heeft geschoten, zal terugkomen.'
'Dan bellen we de politie.' Ze trok zich los en liep het restaurant in.
De achtervolger was nergens te zien en ze belden de plaatselijke sheriff. De eigenaar van het restaurant kon niet geloven dat Jason en Carol de waterval, die Devil's Chute werd genoemd, in het donker hadden kunnen overleven, maar gaf hun wel iets droogs om aan te trekken. Hij stopte de natte kleren in een plastic zak en stond erop dat ze een warme grog dronken.
'Jason, je moet me vertellen wat er gaande is,' zei Carol nadrukkelijk terwijl ze op de sheriff wachtten. Ze zaten aan een tafeltje bij een Wurlitzer-jukebox, die muziek uit de jaren vijftig liet horen.
'Ik weet het niet helemaal zeker,' zei Jason, 'maar de man die op ons heeft geschoten, zag ik in ieder geval bij het restaurant waar Alvin is overleden. Ik denk dat Alvin het slachtoffer van zijn eigen ontdekking is geworden. Als hij die avond niet was overleden, zou hij door die man op een gegeven moment zijn vermoord. Dus sprak hij de waarheid toen hij zei dat iemand hem dood wilde hebben.'
'Het klinkt zo onwaarschijnlijk,' zei Carol, die probeerde haar haren glad te strijken.
'Ik weet het. De meeste samenzweringen klinken onwaarschijnlijk.'
'En die ontdekking van Hayes?'
'Als mijn theorie klopt, is die zo angstaanjagend, dat ik er eigenlijk niet over durf te denken. Daarom wil ik zo snel mogelijk terug naar Boston.'
Op dat moment ging de deur open en kwam sheriff Marvin Arnold binnen. Hij was een reus van een man, gekleed in een gekreukeld bruin uniform, met meer gespen en riemen dan Jason ooit had gezien. Aan zijn linkerdijbeen hing een grote .357 Magnum. Jason wenste dat hij zo'n wapen in de *Salmon Inn* had gehad.
Marvin bleek al het een en ander te hebben gehoord over de ongeregeldheden in het hotel en was er al geweest. Men had hem echter niets verteld over een man met een wapen en niemand had schoten gehoord. Toen Jason vertelde wat er was gebeurd,

zag hij direct dat de man met een fikse dosis scepsis naar hem luisterde. Toen Marvin echter hoorde dat Jason en Carol samen Devil's Chute hadden overleefd, was hij onder de indruk.
'Er zullen maar weinig mensen zijn die dat willen geloven,' zei hij en schudde bewonderend zijn hoofd.
Marvin bracht Jason en Carol terug naar de *Salmon Inn,* waar Jason tot zijn verbazing hoorde dat men overwoog een aanklacht tegen hem in te dienen vanwege de schade die het restaurant was toegebracht. Niemand had een wapen gezien en het ergste was nog wel dat ook niemand zich een man in een donkerblauw pak en met een olijfkleurige huid herinnerde. Uiteindelijk besloot het hotel echter de aanklacht achterwege te laten, omdat de verzekering de schade wel zou dekken. Toen dat was geregeld, wilde Marvin vertrekken.
'Worden wij niet beschermd?' vroeg Jason.
'Waartegen? Vindt u het zelf niet een beetje eigenaardig dat niemand uw verhaal kan bevestigen? Luister, jullie hebben voor één avond wel problemen genoeg veroorzaakt. Ga naar uw kamer en slaap er een nachtje over.'
'En als de moordenaar terugkomt?'
'Meneer, ik kan hier niet de hele nacht uw hand blijven vasthouden. Ik ben de enige die dienst heeft, en ik moet deze hele streek in de gaten houden. Sluit uzelf op en ga slapen.'
Marvin knikte naar de hotelmanager en slenterde de voordeur uit.
'Dit kan niet,' zei Jason met een mengeling van angst en irritatie. 'Ik kan me niet voorstellen dat niemand die donkere kerel heeft gezien.' Hij vroeg een telefoonboek en zocht naar privé-detectives. In Seattle waren er meerdere, maar Jason werd alleen verbonden met antwoordapparaten. Hij sprak zijn naam en het telefoonnummer van het hotel in, maar dacht niet dat hij die avond of nacht nog zou worden teruggebeld.
Snel liep hij met Carol de trap op en zei dat ze meteen zouden vertrekken.
'Het is al half tien!' protesteerde ze.
'Dat kan me niets schelen. We vertrekken zo snel mogelijk. Pak je spullen bij elkaar.'
'Heb ik hier niets over te zeggen?'
'Nee. Jij wilde vanavond blijven. Jij hebt voorgesteld de plaatselijke politie te bellen. Nu ben ik aan de beurt en ik zeg dat we vertrekken.'
Carol bleef midden in de kamer staan en keek toe hoe Jason zijn koffer pakte. Toen kwam ze tot de conclusie dat hij misschien wel

gelijk had. Tien minuten later hadden ze weer eigen kleren aangetrokken, liepen met hun bagage naar beneden en betaalden de rekening.
'Ik moet u deze nacht ook in rekening brengen,' zei de man achter de balie.
Jason ging er niet eens over in discussie. Hij vroeg de man de auto voor te rijden en na een fooi van vijf dollar was dat geen enkel probleem.
Jason had gehoopt dat hij zich minder kwetsbaar zou voelen zodra ze eenmaal in de auto zaten. Dat was echter niet het geval, want toen hij de bergweg op draaide, besefte hij eens te meer hoe ver ze van de bewoonde wereld verwijderd waren. Een kwartier later zag hij in zijn achteruitkijkspiegel koplampen opdoemen. In eerste instantie probeerde hij die te negeren, maar het werd duidelijk dat de andere auto hem vlug inhaalde, ondanks het feit dat hij zelf steeds sneller ging rijden. Hij werd weer doodsbang en merkte dat het zweet in zijn handen stond.
'Iemand volgt ons.'
Carol draaide zich om. De auto had net een bocht genomen, maar even later zag ze de lampen om de hoek verschijnen. 'Ik had je al gezegd dat we in het hotel moesten blijven.'
'Daar heb ik wat aan!' zei Jason geïrriteerd.
Hij drukte het gaspedaal zo ver mogelijk in, hoewel ze eigenlijk al te hard reden op de slingerende weg. Hij pakte het stuur stevig vast en keek weer in de achteruitkijkspiegel. De auto was nu vlak achter hen en de koplampen leken op de ogen van een monster. Jason probeerde iets te verzinnen, maar kon alleen maar proberen de andere wagen voor te blijven.
Weer een bocht. Jason draaide aan zijn stuur en zag Carols mond opengaan voor een geluidloze gil. Hij trapte op de rem en de wagen slingerde. Carol greep het dashboard vast en Jason voelde dat zijn veiligheidsriem strak stond.
Hij slaagde erin de wagen op de weg te houden, maar zijn achtervolger kwam steeds dichterbij. Op volle snelheid reed Jason een heuvel af. De andere wagen bleef hem op de hielen zitten.
Toen zagen Jason en Carol tot hun verbazing een rood licht aan en uit knipperen. Het duurde even voordat ze beseften dat het afkomstig was van de wagen achter hen. Jason ging langzamer rijden en keek in de achteruitkijkspiegel. Bij de eerste de beste parkeerhaven stopte hij. Op zijn voorhoofd parelden zweetdruppeltjes en zijn armen trilden doordat hij het stuur zo stevig had vastgehouden. De andere auto stopte eveneens en Jason zag in zijn spiegel Marvin Arnold uitstappen, die zijn .357 Magnum in

de aanslag hield.
'Mijn hemel,' zei hij, toen hij zijn zaklantaarn op Jason en Carol richtte. 'Daar hebben we de tortelduifjes.'
Jason werd woedend. 'Waarom hebt u het zwaailicht niet meteen aangezet?'
'Omdat ik wel eens iemand een bon wilde geven voor te hard rijden,' zei Marvin grinnikend. 'Ik wist niet dat ik achter mijn meest geliefde idioot aanzat.'
Jason en Carol konden verder gaan, nadat ze een preek over roekeloos rijden hadden aangehoord en een bon in ontvangst mochten nemen.
Zwijgend reden ze naar de hoofdweg en toen zei Jason: 'Ik ga naar Portland. Wie weet wie er op het vliegveld van Seattle op ons staat te wachten.'
'Best,' zei Carol, die veel te moe was om daarover te gaan discussiëren.
In een motel bij Portland sliepen ze een paar uur en zodra het licht werd, reden ze door naar het vliegveld, waar ze aan boord stapten van een toestel naar Chicago. Van Chicago vlogen ze naar Boston, waar ze op zaterdagmiddag, even na half zes landden.
Toen de taxi voor het appartement van Carol tot stilstand was gekomen, moest Jason opeens lachen. 'Ik weet werkelijk niet hoe ik je mijn excuses zou moeten aanbieden voor wat ik je heb laten doormaken.'
Carol pakte haar schoudertas. 'In ieder geval heb ik me niet verveeld. Jason, ik wil niet sarcastisch of vervelend zijn, maar zou je me alsjeblieft willen vertellen wat er aan de hand is?'
'Zodra ik daar zeker van ben. Dat beloof ik je echt. Doe me alleen wel een plezier en blijf vanavond thuis. Hopelijk weet niemand dat we terug zijn, maar de hel zou nog wel eens kunnen losbreken als ze daar wel achter komen.'
'Ik ben niet van plan nog ergens heen te gaan, want ik ben doodmoe,' zei Carol met een diepe zucht.

15

Jason ging niet naar zijn eigen appartement. Zodra Carol binnen was, liet hij zich door de taxi bij zijn auto afzetten en reed meteen door naar het ziekenhuis. Het was zeven uur en er liep niemand meer rond in de polikliniek. In zijn spreekkamer trok hij zijn jasje uit en ging achter zijn computerterminal zitten. Het GHP had een fortuin aan dat systeem uitgegeven en was er bijzonder trots op. De meeste patiëntengegevens waren in het geheugen van de centrale computer opgeslagen en die kon je op veel manieren analyseren of combineren.

Jason vroeg eerst de recentste aantallen op van patiënten die de een of andere kwaal hadden overleefd. Het aantal was in de loop der maanden aanzienlijk gedaald. Zoals hij al had gevreesd, waren er de laatste drie maanden steeds meer mensen van achter in de vijftig en voor in de zestig overleden.

Hij schrok toen hij in de gang een geraas hoorde, maar toen hij ging kijken, zag hij dat de schoonmaakploeg aan het werk was.

Weer ging hij achter de computer zitten. Hij wenste dat hij de gegevens van de patiënten die een uitgebreide controle hadden ondergaan, kon isoleren, maar wist niet hoe hij dat moest doen. Wel besloot hij na te gaan hoe de relatie tussen leeftijd en sterftecijfer was. In eerste instantie gaf de computer een te verwachten beeld: meer sterfgevallen naarmate patiënten ouder werden. Toen Jason echter om specificaties van de laatste twee maanden vroeg, kon hij zien dat er bij patiënten vanaf vijftig jaar opeens sprake was van een sterke stijging.

Hij bleef proberen de gegevens van de mensen die gecontroleerd waren, bij elkaar te krijgen. Hij verwachtte dat er een snelle stijging van de sterftecijfers te zien zou zijn voor mensen van vijftig jaar en ouder, die een verhoogd risico hadden als gevolg van te veel roken, te veel drinken, slecht eten en te weinig lichaamsbeweging. Het lukte hem niet. Hij zou de gegevens van iedere patiënt afzonderlijk moeten bekijken, en daar had hij de tijd niet voor. Bovendien waren de globale sterftecijfers die hij nu onder ogen had gekregen, eigenlijk al voldoende om zijn vermoedens te bevestigen. Hij wist nu dat hij gelijk had, maar zou dat echter ook nog op een andere manier willen bewijzen. Met een onbe-

haaglijk gevoel liep hij naar zijn auto terug.
Hoe dichter hij bij Roslindale in de buurt kwam, hoe zenuwachtiger hij werd. Hij had er geen idee van wat hij straks te zien kreeg, maar vermoedde dat het niet iets aangenaams zou zijn. Hij was onderweg naar Hartford School, de instelling voor geestelijk gehandicapte kinderen, die door het GHP werd gerund. Als Alvin Hayes zijn eigen lichamelijke gesteldheid goed had ingeschat, zou hij dat ook met die van zijn zoon hebben gedaan.
De Hartford School grensde aan de achterzijde aan het Arnold Arboretum, een idyllisch heuvellandschap met bossen, velden en vijvers. Jason draaide het parkeerterrein op, dat bijna leeg was, en zette zijn auto vlak bij de ingang neer. Het fraaie, in koloniale stijl opgetrokken gebouw zag er bedrieglijk idyllisch uit, een scherp contrast met de persoonlijke tragedies die zich afspeelden rond de kinderen die er woonden. Zelfs professioneel geschoolde krachten hadden het niet gemakkelijk met mensen die geestelijk zwaar gehandicapt waren. Jason kon zich nog levendig herinneren dat hij hier een paar kinderen had onderzocht. In lichamelijk opzicht mankeerden sommigen niets, waardoor hun lage IQ des te moeilijker te accepteren was.
De voordeur was op slot, dus belde Jason aan en wachtte. De deur werd geopend door een bewaker, die beduidend te zwaar was en een vies blauw uniform aan had.
'Kan ik u helpen?' vroeg hij, op een toon die duidelijk maakte dat hij dat in feite helemaal niet wilde.
'Ik ben arts,' zei Jason. Hij wilde langs de man lopen, maar die gaf hem daar de kans niet voor.
'Sorry, na zessen geen bezoek meer, dokter.'
'Ik ben geen bezoek.' Jason pakte zijn portefeuille en haalde daar zijn GHP-pas uit.
'Geen bezoek na zessen,' herhaalde de man, zonder naar de pas te kijken. 'Op die regel worden geen uitzonderingen gemaakt.'
'Maar ik...' Jason maakte zijn zin niet af, want aan de gezichtsuitdrukking van de man was duidelijk te zien dat verdere discussie zinloos was.
'Komt u morgenochtend maar terug,' zei de man en smeet de deur dicht.
Jason keek omhoog. Het gebouw was opgetrokken uit bakstenen, met granieten kozijnen. Hij was niet van plan het zo gemakkelijk op te geven. Omdat hij aannam dat de man nog wel op de uitkijk zou staan, liep hij terug naar zijn auto en reed het parkeerterrein af. Ongeveer honderd meter verderop zette hij zijn auto aan de kant van de weg, stapte uit en ging via het Arboretum terug naar

de school. Hij liep om het gebouw heen, ervoor zorgend dat hij in de schaduw bleef. Aan alle kanten waren er brandtrappen, behalve aan de voorzijde, zag hij. Net als bij Carols flatgebouw reikte helaas geen enkele trap tot op de grond, en hij kon niets vinden waar hij op kon gaan staan om bij de eerste trede te kunnen.
Aan de rechterkant van het gebouw zag hij een trapje dat naar een gesloten kelderdeur leidde. Hij betastte die deur in het donker en merkte dat er een ruit in zat. Toen liep hij de trap weer op en ging op zoek naar een grote steen.
Terwijl hij zijn adem inhield, liep Jason terug naar de deur en sloeg de ruit kapot. Het lawaai leek luid genoeg om doden wakker te maken. Jason vluchtte weg achter een boom en hield het gebouw in de gaten. Toen er na een kwartier nog niemand was verschenen, liep hij voorzichtig naar de deur terug. Hij stak een hand naar binnen en maakte hem open. Er begon geen alarm te rinkelen.
Een halfuur lang liep hij rond in een grote kelder, die kennelijk als opslagruimte werd gebruikt. Hij vond een trapje en dacht er even over dat mee naar buiten te nemen om zo bij de brandtrap te kunnen, maar dat idee liet hij al snel varen en ging op zoek naar een lichtschakelaar. Die vond hij uiteindelijk en draaide hem om.
Hij zag dat er in de kelder allerlei spullen voor de tuin werden bewaard: grasmaaiers, schoppen, harken en dergelijke. Naast de lichtschakelaar was weer een deur. Voorzichtig maakte Jason die open en zag een stookkelder, die vaag verlicht was.
Jason liep daar snel door en ging een steile, stalen trap op. Toen hij de deur boven opendeed, zag hij dat hij zich in de grote hal bevond. Van vorige bezoeken wist hij dat het trappenhuis rechts was. Links was een kantoortje waar een vrouw van middelbare leeftijd, gekleed in een wijdvallend, wit uniform, achter een bureau zat te lezen. Jason keek naar de ingang van het gebouw en zag de voeten van de bewaker op een stoel liggen. Zijn gezicht was niet te zien.
Zo geruisloos mogelijk glipte Jason de hal in. God zij dank keek de vrouw niet op uit haar boek. Jason dwong zichzelf geen haast te maken en sloop in de richting van de trap. Hij slaakte een diepe zucht van opluchting toen hij die had bereikt en buiten het gezichtsveld van de vrouw en de bewaker was gekomen. Op zijn tenen liep hij de trap met twee treden tegelijk op naar de derde verdieping, waar de slaapzaal voor de jongens van vier tot twaalf jaar was.

De trap was van marmer. Boven hem zag hij een dakraam, dat op die tijd van de dag wel een zwarte onyxsteen leek.
Op de derde verdieping maakte Jason voorzichtig de deur van de hal open. Hij herinnerde zich dat er rechts achter in de gang een kantoortje voor het personeel was, met een glazen wand. De gang was donker, maar in dat kantoor brandde volop licht. Een man zat er te lezen, net als de vrouw beneden.
Na een snelle blik op de man te hebben geworpen, stak Jason de gang over en glipte de zaal in. Het rook er muf. Hij bleef even staan, om er zeker van te zijn dat de verpleger niets had gemerkt, en ging toen op zoek naar de lichtknop. Om zijn bange vermoedens te bevestigen, zou hij het licht moeten aandoen, ook wanneer dat betekende dat hij werd gesnapt.
Opeens baadde de vaalbruine zaal in fel neonlicht. Hij was ongeveer vijftien meter lang en aan weerszijden stonden tegen de muren lage, ijzeren bedden, met een smal pad in het midden. Er waren ramen, maar ze zaten hoog, vrijwel tegen het plafond aan. Achter in de zaal waren betegelde toiletten. Aan een haak hing een opgerolde slang om die schoon te kunnen spuiten. Er vlakbij was een vergrendelde deur, die ongetwijfeld op de brandtrap uitkwam.
Jason liep langs de bedden en keek naar de naamplaatjes die op de voeteneinden waren aangebracht. Harrison, Lyons, Gessner... De kinderen waren door het licht wakker geworden en staarden met grote, wezenloze, onwetende ogen naar de indringer.
Jason bleef staan en werd bevangen door een afschuwelijk gevoel van walging, dat omsloeg in angst. Langzaam keek hij van het ene naar het andere meelijwekkende, ongewenste kind. Ze leken allemaal op seniele honderdjarigen met kraaloogjes; ze hadden een gerimpelde, droge huid en dun, wit haar waardoorheen de schedel al te zien was. Jason zag de naam Hayes. Ook dit kind leek veel te vroeg oud te zijn geworden. Hij had bijna geen wimpers meer, en had last van vergevorderde staar. Het kind was blind, kon alleen nog licht van donker onderscheiden.
Sommige kinderen kwamen hun bed uit, wankelend op dunne benen. Ze liepen tot Jasons grote schrik op hem af.
'Help,' zei een van hen heel zwak, telkens weer, met een hoge, schorre stem. Al spoedig sloten de anderen zich bij hem aan. Het klonk als een angstaanjagend, onaards koor.
Jason deed een stap naar achteren, bang om te worden aangeraakt. Hayes' zoon kwam zijn bed uit en liep op de tast naar voren, waarbij zijn broodmagere armen hulpeloos en ongecoördineerd door de lucht maaiden.

De meute kinderen duwde Jason tegen de deur van de zaal aan en begon aan zijn kleren te trekken. Jason was bang en voelde zich misselijk worden. Hij deed de deur open en vluchtte de gang op. Nadat hij de deur had gesloten, drukten de kinderen hun mummie-achtige gezichten tegen het glas, nog altijd met hun monden het woord 'help' vormend.
'Hé, jij daar!' hoorde Jason achter zich.
Hij keek over zijn schouder en zag de man buiten het kantoortje staan, met zijn boek in de hand.
'Wat doe jij daar?' schreeuwde de man.
Jason rende naar de trap, maar een seconde later hoorde hij beneden een andere stem. 'Kevin? Wat is er aan de hand?'
Jason keek over de trapleuning en zag de bewaker op de overloop van de eerste verdieping staan.
'Krijg nou wat!' zei deze en rende de trap op, met een knuppel in zijn hand.
Jason draaide zich om en rende terug naar de derde verdieping. De man daar stond nog altijd bij het kantoor en leek zo verbaasd te zijn, dat hij niet in beweging kon komen toen Jason de gang door rende, de slaapzaal weer in. Sommige kinderen liepen doelloos rond. Anderen waren weer op bed gaan liggen. Jason gebaarde hen naar hem toe te komen en maakte de deur weer open. Zodra de twee mannen de zaal hadden bereikt, renden de kinderen op hen af.
De mannen probeerden zich met hun ellebogen een weg te banen, maar de kinderen klemden zich aan hen vast, en zongen weer op monotone, griezelige toon: 'Help!'
Jason rende naar de andere kant van de zaal en ontgrendelde de nooduitgang. In eerste instantie kreeg hij de deur niet open, omdat hij kennelijk al in geen jaren was gebruikt. Hij zette zijn schouder tegen de deur en duwde. Eindelijk ging hij open. Jason stapte naar buiten en moest een paar jongens terugduwen voordat hij de deur achter zich kon sluiten.
Zo snel hij kon klauterde hij de brandtrap af. Hij hoefde er nu niet meer op te letten geen geluid te maken. Toen hij bij de tweede verdieping was, ging de deur boven hem open en hoorde hij weer het geroep van de kinderen. Toen voelde hij de trap trillen. Iemand met stevige laarzen kwam naar beneden.
Jason trok een pen los, waardoor de trap tot de begane grond uitschoot. Dat duurde even en daardoor was de bewaker Jason zeer dicht genaderd.
Op de begane grond bleek echter dat Jason heel wat sneller kon rennen dan de dikke man en toen hij zijn auto had bereikt, had

hij tijd genoeg om de motor te starten, de wagen in zijn eerste versnelling te zetten en weg te rijden. In zijn achteruitkijkspiegel zag hij in het licht van een straatlantaarn hoe de man machteloos met zijn vuist door de lucht maaide.

Jason kon zijn walging en verontwaardiging over wat hij net had gezien, nauwelijks beheersen. Hij reed rechtstreeks door naar het hoofdbureau van politie en zette zijn auto voor het gebouw neer, op een plaats waar parkeren verboden was.
'Ik wil rechercheur Curran spreken,' zei hij tegen de agent achter de balie en liet zijn identiteitsbewijs zien.
De man keek rustig op zijn horloge en belde toen de afdeling Moordzaken. 'Kan het ook met iemand anders?' vroeg hij even later.
'Nee. Ik wil Curran spreken en nu meteen, alstublieft.'
De agent sprak een paar minuten door de telefoon en hing toen op. 'Rechercheur Curran is niet bereikbaar, meneer.'
'Ik denk dat hij wel met me zal willen praten, zelfs als hij op dit moment geen dienst heeft.'
'Dat is het probleem niet,' zei de agent. 'Rechercheur Curran is weg in verband met een dubbele moord in Revere. Hij moet over ongeveer een uur weer contact met het bureau opnemen. U kunt wachten, als u dat wilt, of een telefoonnummer achterlaten.'
Jason dacht even na. Hij was vrijwel de hele nacht op geweest en zijn zenuwen konden niet zoveel meer hebben. Het idee om een douche te nemen, schone kleren aan te trekken en een hapje te eten, stond hem best wel aan. Bovendien zou hij geruime tijd nodig hebben om dit met Curran te bespreken. Hij gaf zijn telefoonnummer op en vroeg of Curran hem zo snel mogelijk wilde bellen.

De vlucht van United Airlines vanuit Seattle had aanzienlijke vertraging opgelopen en toen het toestel op Logan landde, was Juan Díaz in een slecht humeur. Hij had een klus nog nooit zo verknald sinds de keer dat hij in New York de verkeerde man had vermoord.
Bijna had hij de arts en die nachtclubhoer om zeep gebracht, maar Jason, een amateur, was hem op het allerlaatste moment te slim af geweest. Juan kon daar geen enkel excuus voor verzinnen en had zijn contactpersoon dat ook laten weten. Hij wist dat hij dit zou moeten rechtzetten; anders zou het er voor hem heel beroerd gaan uitzien. Hij zou het met genoegen doen. Zodra hij uit het vliegtuig was gestapt, ging hij naar een telefoon. Toen het

apparaat voor de tweede keer overging, werd er opgenomen.

Jason reed de korte afstand van het hoofdbureau naar Louisburg Square en probeerde het afschuwelijke beeld van de veel te vroeg oud geworden kinderen kwijt te raken. Hij wilde niet meer nadenken over Hayes en zijn ontdekking tot Curran bij hem was.
Voordat hij zijn auto parkeerde, reed hij een paar keer om het appartement heen, om er zeker van te zijn dat niemand het in de gaten hield. Toen hij zichzelf er eindelijk van had overtuigd dat de bewaker van de school niet naar zijn pasje had gekeken en dus niet kon weten wie hij was, zette hij de auto neer, pakte zijn bagage, liep zijn appartement in en deed het licht aan. Gelukkig zag het er nog net zo uit als toen hij was vertrokken. Hij liep naar het raam en keek naar buiten. Het was rustig op het plein, zoals altijd.
Net toen hij onder de douche wilde stappen, bedacht hij dat hij behalve met Curran ook nog met een andere persoon moest spreken. Hij draaide het nummer van Shirley, die pas na een tijdje opnam. Op de achtergrond hoorde Jason geanimeerde stemmen.
'Jason! Wanneer ben je teruggekomen van je vakantie?'
'Vanavond.'
'Wat is er aan de hand?' Ze hoorde aan zijn stem hoe uitgeput en ongerust hij was.
'Er zijn grote problemen. Ik denk dat ik nu niet alleen weet wat Hayes heeft ontdekt, maar ook hoe die ontdekking is misbruikt. Het GHP is er veel meer bij betrokken dan je ooit zou kunnen vermoeden.'
'Leg me dat eens uit.'
'Niet over de telefoon.'
'Kom dan hierheen. Ik heb gasten, maar die kan ik wel de deur uit werken.'
'Ik wacht op een gesprek met Curran van de afdeling Moordzaken.'
'Hmmm... Heb je al contact met hem opgenomen?'
'Hij was weg in verband met een moordzaak, maar hij kan me nu ieder moment bellen.'
'Zal ik dan naar jouw appartement komen? Je maakt me doodsbang.'
'Welkom bij de club,' zei Jason met een korte, bittere lach. 'Kom maar hierheen. Ik denk trouwens toch dat je erbij moet zijn als ik met Curran praat.'
'Ik kom meteen.'
'Nog één ding. Weet je wie op dit moment de medisch directeur

is van Hartford School?'
'Dokter Peterson, geloof ik,' zei Shirley. 'Morgen kan ik dat bevestigen.'
'Was Peterson niet nauw betrokken bij de onderzoeken van Hayes?' vroeg Jason, die zich opeens herinnerde dat Peterson degene was die Hayes had onderzocht.
'Ik geloof van wel. Is dat belangrijk?'
'Dat weet ik niet. Kom snel hierheen, want Curran kan nu ieder moment opbellen.'
Jason hing op en liep weer naar de douche. Op dat moment besefte hij dat Carol ook in gevaar zou kunnen zijn. Hij liep weer terug naar de telefoon en draaide haar nummer.
'Ik wil dat je thuis blijft,' zei hij zodra ze opnam, 'en ik maak geen grapje. Doe niet open als er wordt aangebeld, en ga de deur niet uit.'
'Jason, wat is er aan de hand?'
'Die kwestie-Hayes is veel beroerder dan ik ooit had kunnen vermoeden.'
'Jason, je klinkt bezorgd.'
Ondanks zichzelf glimlachte hij. Soms leek Carol wel een psychologe.
'Ik ben niet bezorgd, wel doodsbang. Ik praat zo met de politie.'
'Zul je me laten weten wat er aan de hand is?'
'Dat beloof ik je.' Jason legde de hoorn op de haak, ging eindelijk de badkamer in en draaide de douchekranen open.

16

De bel ging en Jason rende naar beneden, waar hij een glimlachende Shirley voor de deur zag staan. Hij liet haar binnen en bewonderde haar zoals altijd onberispelijke kleding. Nu droeg ze een zwartleren minirok met een lang rood suède jack.
'Heeft Curran al gebeld?' vroeg ze toen ze naar boven liepen.
'Nog niet,' zei Jason, die zorgvuldig het dubbele slot op de deur van zijn appartement deed.
'Vertel nu maar eens wat er aan de hand is,' zei Shirley, die haar jack uittrok. Daaronder droeg ze een zachte, wollen trui. Ze ging op het puntje van Jasons bank zitten, met haar handen in haar schoot.
'Dit zal je niet aanstaan,' zei Jason en ging naast haar zitten.
'Ik heb geprobeerd me daarop voor te bereiden. Begin maar.'
'Ik wil je eerst wat achtergrondinformatie geven. Als je niet op de hoogte bent van de onderzoeken die worden gedaan naar het proces van het ouder worden, zul je niet veel kunnen begrijpen van wat ik je ga vertellen.
In de laatste jaren hebben geleerden als Hayes veel tijd besteed aan pogingen dat proces te vertragen. Ze hebben zich daarbij vooral gericht op cellen in celculturen, hoewel er ook is geëxperimenteerd met ratten en muizen. De meeste onderzoekers zijn tot de conclusie gekomen dat ouder worden een natuurlijk proces is, met een genetische basis, gereguleerd door neuro-endocriene, immune en humorale factoren.'
'Dat gaat me al boven mijn pet,' gaf Shirley toe en hief met gespeelde wanhoop haar handen ten hemel.
'Wil je dan eerst iets drinken?' zei Jason en stond op.
'Wat neem jij?'
'Een biertje. Maar ik heb ook wijn en sterke drank in huis. Zeg het maar.'
'Een biertje, graag.'
Jason liep naar de keuken en haalde twee biertjes uit de ijskast.
'Jullie artsen zijn allemaal hetzelfde,' klaagde Shirley en nam een slokje. 'Jullie kunnen alles zo ingewikkeld laten klinken.'
'Het is ook ingewikkeld,' zei Jason en ging weer zitten. 'De moleculaire genetica houdt zich bezig met de fundamentele basis van

het leven. Het onderzoek is angstaanjagend, en niet alleen omdat wetenschappers per ongeluk een nieuwe en dodelijke bacterie of een nieuw virus kunnen creëren. Als alles goed gaat, is het in feite even angstaanjagend, omdat we met het leven zelf spelen. Hayes' tragedie was niet dat hij had gefaald, maar dat hij succes had geboekt.'

'Wat heeft hij dan ontdekt?'

'Dat zal ik je zo vertellen.' Jason nam een grote slok bier en veegde zijn mond met de rug van zijn hand af. 'Laat me de zaak eerst eens van een andere kant benaderen. We bereiken allemaal zo ongeveer op dezelfde leeftijd de puberteit en als er geen ziekte of ongeluk tussen komt, zullen we allemaal ouder worden en op ongeveer dezelfde leeftijd sterven.' Shirley knikte.

'Oké,' zei Jason en boog zich naar haar toe. 'Dat gebeurt doordat ons lichaam genetisch zo is geprogrammeerd, dat het een ingebouwd tijdschema volgt. Tijdens onze groei worden bepaalde genen geactiveerd en andere gedeactiveerd. Aan- en uitgedraaid, zou je kunnen zeggen. Dat fascineerde Hayes. Hij had bestudeerd hoe humorale signalen die door de hersenen worden uitgezonden, van invloed zijn op de groei en seksuele rijping. Door die humorale proteïnen, eiwitten, een voor een te isoleren, ontdekte hij wat die met perifere weefsels deden. Hij hoopte te kunnen achterhalen waarom cellen zich gingen delen, of daar juist mee ophielden.'

'Dat kan ik nog wel begrijpen. Het was ook een van de redenen waarom we hem in dienst hebben genomen. We hadden gehoopt dat hij voor een doorbraak zou kunnen zorgen voor de behandeling van kanker.'

'Ik wil nu even een zijlijn volgen,' ging Jason verder. 'Er was een andere onderzoeker, met de naam Denckla, die experimenteerde met een manier om het proces van het ouder worden te vertragen. Hij gebruikte de hypofyse van ratten en als hij die voorzien had van een aantal specifieke hormonen, kregen die dieren hun hypofyse weer terug en bleken ze langer in leven te kunnen blijven.'

Jason zweeg en keek Shirley verwachtingsvol aan.

'Word ik geacht iets te zeggen?' vroeg ze.

'Doet Denckla's experiment je niet ergens aan denken?'

'Waarom ga je niet gewoon verder met je verhaal?'

'Denckla kwam tot de conclusie dat de hypofyse niet alleen de hormonen voor de groei en de puberteit afscheidt, maar ook het hormoon dat ervoor zorgt dat de mens ouder wordt. Denckla noemde dat het hormoon van de dood.'

Shirley lachte zenuwachtig. 'Dat klinkt vrolijk!'
'Ik denk dat Hayes tijdens zijn onderzoek naar groeifactoren toevallig op dat hormoon van Denckla is gestuit en dat dat de reden is waarom hij zijn ontdekking "ironisch" noemde. Hij was op zoek naar groeistimulators en ontdekte een hormoon dat zorgt voor een snelle veroudering en een vroegtijdig overlijden.'
'Wat zou er gebeuren als dat hormoon aan iemand werd gegeven?'
'Waarschijnlijk niet veel, als het geïsoleerd zou worden toegediend. Dan zal de persoon in kwestie waarschijnlijk enige symptomen van het ouder worden vertonen, maar de kans is heel groot dat het hormoon wordt gemetaboliseerd en het effect ervan beperkt blijft. Hayes bestudeerde het hormoon echter niet als een geïsoleerd element. Hij besefte dat het hormoon van de dood op een zelfde manier geactiveerd moest kunnen worden als de hormonen die de groei en de seksuele rijping beïnvloeden. Hij kreeg daardoor ineens belangstelling voor de levenscyclus van de zalm, die enige uren nadat er kuit is geschoten, overlijdt. Volgens mij verzamelde hij de koppen van die vissen en heeft hij uit hun hersenen de factor geïsoleerd die het hormoon van de dood laat vrijkomen. Ik denk dat het free-lance werk dat hij bij Gene Incorporated deed, daar betrekking op had. Toen hij die factor eenmaal had geïsoleerd, liet hij die door Hélène reproduceren, hier in het laboratorium, met gebruikmaking van recombinante DNA-technieken.'
'Waarom wilde Hayes dat produceren?'
'Ik denk dat hij hoopte een monoklone antistof te ontwikkelen die de afscheiding van het hormoon van de dood kon voorkomen en het proces van het ouder worden een halt kon toeroepen.'
Opeens besefte Jason wat Hayes had bedoeld toen hij zei dat zijn vondst gewaardeerd zou worden door mooie mensen. Iemand die er jong en aantrekkelijk uitzag, zoals Carol, zou dat kunnen blijven.
'Wat zou er gebeuren als die factor die het hormoon van de dood vrijmaakt, aan iemand wordt gegeven?'
'Het zou een snelle veroudering veroorzaken, net zoals bij de zalmen, en met vrijwel dezelfde gevolgen. Binnen drie of vier weken zou zo'n persoon overlijden, zonder dat iemand wist waarom. Dat brengt me op het allerergste van dit alles. Ik denk dat iemand het door Hélène kunstmatig geproduceerde hormoon in handen heeft gekregen en aan onze patiënten heeft gegeven. Degene die dat heeft gedaan, moet krankzinnig zijn, maar volgens mij ìs het gebeurd. Hayes heeft het ontdekt, waarschijnlijk

toen hij zijn zoon bezocht, en hijzelf heeft die factor ook toegediend gekregen. Als hij die avond niet was gestorven, denk ik dat hij op een andere manier zou zijn gedood.' Jason rilde.
'Hoe ben je daar allemaal achter gekomen?' fluisterde Shirley.
'Omdat ik me heb verdiept in het werkterrein van Hayes. Toen Hélène was vermoord, vermoedde ik dat Hayes de waarheid had gesproken over die ontdekking en het feit dat hij werd gevolgd.'
'Maar Hélène is verkracht door een onbekende indringer!'
'Dat is alleen gebeurd om de politie te misleiden over het motief van de moord. Ik heb aldoor het gevoel gehad dat ze meer van Hayes' werk wist dan ze vertelde. Toen ik hoorde dat ze een verhouding met hem had, was ik daar zeker van.'
'Maar wie zou onze patiënten nu willen vermoorden?' vroeg Shirley wanhopig.
'Een idioot. Ik heb in de kliniek eens wat gegevens uit de computer gehaald en de cijfers waren alarmerend. Er is sprake van een belangrijke toename van het aantal sterfgevallen van patiënten van boven de vijftig die chronisch ziek zijn of een ongezond leven leiden.' Opeens hield Jason zijn mond. 'Verdomme!'
'Wat is er aan de hand?' vroeg Shirley zenuwachtig.
'Ik ben iets vergeten. Ik heb maandcurven opgevraagd, maar ik had die moeten laten uitselecteren per behandelend arts.'
'Denk je dat er een arts achter zit?' vroeg Shirley vol ongeloof.
'Dat moet wel. Een arts of misschien een verpleegster. De factor die het hormoon van de dood vrijmaakt, moet een polypeptide zijn en hij moet worden geïnjecteerd. Als het oraal zou worden toegediend, zouden de maagzuren het afbreken.'
'O, mijn god! En dan te bedenken dat ik dacht dat onze eerdere problemen ernstig waren!' Shirley sloeg haar handen voor haar gezicht, haalde diep adem en keek toen weer op. 'Jason, bestaat er een kans dat je het mis hebt? Misschien heeft de computer een fout gemaakt. Dat gebeurt wel meer.'
Jason legde een hand op haar schouder. Hij wist dat haar moeizaam opgebouwde rijk op het punt van instorten stond. 'Ik heb het niet mis,' zei hij zacht. 'Ik heb vanavond ook nog iets anders gedaan. Ik ben de zoon van Hayes gaan zien, in Hartford School.'
'En...?'
'Het was afschuwelijk. Alle kinderen op die zaal moeten de factor toegediend hebben gekregen. Het werkt bij kinderen kennelijk langzamer, want al die jochies leefden nog. Er zal wel een hormonaal gevecht worden gevoerd met het groeihormoon. Ze zagen er echter allemaal wel uit als stokoude mannetjes.'
Shirley rilde.

'Daarom wilde ik weten wie de huidige medische directeur is.'
'Denk je dat Peterson hier verantwoordelijk voor is?'
'Hij is in ieder geval een voor de hand liggende verdachte.'
'Misschien zouden we naar de kliniek moeten gaan om de computergegevens nog eens te controleren, per arts.'
Voordat Jason iets kon zeggen, ging de bel, waardoor ze beiden schrokken. Met kloppend hart ging Jason staan.
'Wie zou dat kunnen zijn?' vroeg Shirley en zette haar glas op tafel neer.
'Dat weet ik niet.' Hij had Carol gezegd dat ze thuis moest blijven en Curran zou beslist eerst hebben opgebeld.
'Wat moeten we doen?' vroeg Shirley dringend.
'Ik ga kijken wie het is.'
'Is dat wel een goed idee?'
'Weet jij iets beters?'
Shirley schudde haar hoofd. 'Doe de deur alsjeblieft niet open.'
'Denk je dat ik gek ben? Trouwens, er is nog iets dat ik je niet verteld heb. Iemand heeft geprobeerd mij te vermoorden.'
'Nee! Waar?'
'In een afgelegen hotel ten oosten van Seattle.'
Hij opende de deur van zijn appartement.
'Misschien kun je echt beter boven blijven, Jason.'
'Ik moet weten wie het is.' Jason liep de gang op en keek naar beneden, waar hij achter het matglas naast de voordeur vaag een gestalte kon zien.
'Wees voorzichtig!' zei Shirley.
Jason liep geruisloos de trap af. De man stond nijdig op de bel te drukken, draaide zich om en drukte opeens zijn gezicht tegen het glas. Jason herkende het bolle gezicht en de kleine, dicht bij elkaar staande ogen. Het was Bruno, de bodybuilder. Jason draaide zich om en vluchtte de trap weer op. Achter hem werd keihard aan de deur gerammeld.
'Wie is het?'
'Een uitsmijter, die ik helaas ken,' zei Jason en deed beide sloten op zijn eigen deur. 'Bovendien is hij de enige man die wist dat ik naar Seattle ging. Verdomme!' Hij rende zijn studeerkamer in en pakte de telefoon. 'Verdomme!' zei hij nogmaals en smeet de hoorn op de haak. Toen rende hij naar zijn slaapkamer en pakte daar de telefoon. Weer hoorde hij geen kiestoon. 'Iemand heeft mijn telefoon afgesneden,' zei hij ongelovig tegen Shirley, die achter hem aan was gekomen omdat ze zag dat hij in paniek was.
'Wat doen we nu?'
'We gaan weg. Ik laat me hier niet klem zetten.' Uit een kast

pakte hij de sleutel van het hek aan de achterkant van zijn huis, dat uitkwam op een steegje dat naar West Cedar Street liep. Hij maakte het slaapkamerraam open, klom op de brandtrap en hielp Shirley naar buiten. Ze liepen de trap af naar de kleine tuin, waar bladerloze witte berken tegen de donkere lucht afstaken. Het steegje was verlaten.

'Kom mee!' zei Jason toen ze West Cedar hadden bereikt, en ze liepen in de richting van Charles Street.

'Mijn auto staat op Louisburg Square,' zei Shirley hijgend, omdat het haar moeite kostte Jason bij te houden.

'De mijne ook, maar daar kunnen we niet heen. Ik heb een vriend wiens auto ik kan nemen.'

In Charles Street zagen ze enige mensen voor een supermarkt staan. Jason dacht er even over de politie vanuit de winkel te bellen, maar nu hij zijn appartement uit was, was het ergste gevaar geweken. Bovendien wilde hij nog eens met de computer aan de gang voordat hij met Curran sprak.

Ze liepen Chestnut Street af, waar nogal wat mensen liepen die hun hond aan het uitlaten waren, en Jason voelde zich wat veiliger. Vlak voor Brimmer Street liep Jason een parkeerterrein op, waar hij de bewaker tien dollar gaf en naar de auto van zijn vriend vroeg. Gelukkig herkende de man Jason en haalde een blauwe BMW.

'Volgens mij kunnen we het beste naar mijn huis gaan,' zei Shirley toen ze instapte. 'Daar kunnen we Curran opbellen.'

'Ik wil eerst nog naar de kliniek.'

Er was zo weinig verkeer op de weg, dat ze er binnen tien minuten waren. 'Ik ben zo terug,' zei Jason.

'Ik ga met je mee. Ik wil die cijfers met eigen ogen zien.'

Ze liepen naar binnen en namen de lift. De schoonmaakploeg was al aan het werk geweest en alles was opgeruimd. De tijdschriften waren weer in hun rekken opgeborgen, de prullenmanden waren leeg en de vloer was in de was gezet. Jason liep regelrecht door naar zijn spreekkamer, waar hij achter zijn bureau ging zitten en de computer aanzette.

'Ik zal Curran even bellen,' zei Shirley en liep naar de grote balie. Jason stak een hand op, om haar te kennen te geven dat hij het had gehoord. Hij concentreerde zich al op het scherm. Eerst vroeg hij de identificatienummers van de verschillende artsen op, met name het nummer van Peterson. Toen hij alle nummers had, gaf hij de computer opdracht om de patiënten op behandelend arts te sorteren en dan uit te rekenen hoeveel patiënten van zo'n arts gedurende de afgelopen twee maanden waren overleden. Hij

verwachtte dat Peterson ofwel meer ofwel minder sterfgevallen zou hebben gehad, omdat hij meende dat een psychopaat meer of juist minder met zijn eigen patiënten zou experimenteren.
Shirley kwam terug en keek toe.
'Je vriend Curran is nog niet terug. Hij heeft het bureau gebeld en gezegd dat hij nog wel een paar uur bezig zou zijn.'
Jason knikte afwezig. Een kwartier later had hij de gewenste cijfers. Hij scheurde de kettingformulieren los en legde ze naast elkaar.
'Ze lijken allemaal hetzelfde,' zei Shirley, die over zijn schouder meekeek.
'Ongeveer wel ja,' moest Jason toegeven. 'Zelfs die van Peterson. Dat hoeft niet te betekenen dat hij er niets mee te maken heeft, maar hier worden we ook niet wijzer van.' Jason keek naar de computer en vroeg zich af welke gegevens nog meer van belang zouden kunnen zijn. Hij kon niets bedenken.
'Ik weet het niet meer, Shirley. De politie zal het nu verder moeten overnemen.'
'Laten we dan maar gaan. Je ziet er doodmoe uit.'
'Dat ben ik ook,' gaf Jason toe. Het opstaan uit zijn stoel kostte hem al moeite.
'Zijn dat de cijfers die je al eerder hebt geprint?' vroeg Shirley, wijzend.
Jason knikte.
'Zullen we die meenemen? Ik zou het prettig vinden als je me eens uitlegde wat ze precies betekenen.'
Jason stopte alles in een grote bruine envelop.
'Ik heb het bureau mijn telefoonnummer doorgegeven,' zei Shirley. 'Heb je trouwens al iets gegeten?'
'Een smakeloos hapje in het vliegtuig, en dat lijkt al eeuwen geleden.'
'Ik heb nog wat koude kip in de ijskast staan.'
'Het klinkt heerlijk.'
Jason vroeg Shirley te rijden, zodat hij zich een beetje kon ontspannen. Ze nam de sleuteltjes meteen van hem over.
Jason ging naast haar zitten en smeet de envelop op de achterbank. Hij maakte zijn veiligheidsriem vast, leunde achterover en deed zijn ogen dicht. Hij dacht na over mogelijke manieren waarop de patiënten in de kliniek die factor toegediend gekregen konden hebben. Omdat het niet oraal kon gebeuren, moest de misdadiger hen op de een of andere manier tijdens de controles hebben geïnjecteerd. Er werd bloed afgenomen voor laboratoriumproeven, maar met de apparaatjes waarmee dat gebeurde,

kon je iemand geen injectie geven. Bij patiënten die in de kliniek waren opgenomen, zou het veel makkelijker moeten zijn, want die kregen meestal veel injecties en intraveneuze vloeistoffen.
Toen Shirley de BMW voor haar huis tot stilstand bracht, had Jason nog geen oplossing kunnen bedenken. Bij het uitstappen wankelde hij op zijn benen en viel bijna. Hij maakte het achterportier open om de bruine envelop te pakken.
'Maak het je gemakkelijk,' zei Shirley toen ze haar huiskamer in liepen.
'Laten we even controleren of Curran misschien toch al heeft gebeld.'
'Dat zal ik zo doen. Schenk voor jezelf iets te drinken in, terwijl ik die kip haal.'
Jason liep naar de bar en nam whisky met ijs. Toen liep hij naar de bank. Terwijl hij op Shirley wachtte, vroeg hij zich opnieuw af hoe men die factor had kunnen toedienen. Veel mogelijkheden waren er niet. Als hij niet werd geïnjecteerd, moest hij worden toegediend door middel van zetpillen, of een ander middel dat meteen met slijmvliezen in contact kwam. De meeste patiënten die volledig werden gecontroleerd, kregen barium en Jason vroeg zich af of dat het antwoord op zijn vraag was.
Hij nam een slokje van zijn whisky en zag Shirley binnenkomen met koude kip en een bak sla.
'Kan ik voor jou iets te drinken inschenken?' vroeg Jason. Shirley zette het dienblad op de lage tafel neer. 'Waarom niet? Nee, blijf jij nu maar zitten. Ik doe het zelf wel.'
Ze nam een wodka en deed er een druppeltje vermouth bij. Toen moest Jason opeens aan oogdruppels denken. Alle patiënten die werden gekeurd, kregen ook een grondig oogonderzoek, waarbij oogdruppels werden gebruikt om de pupillen te vergroten. Dat zou een perfecte manier zijn! De factor kon elders aan de oogdruppels zijn toegevoegd, zodat iedere arts of laboratoriumassistent die onbewust kon toedienen.
Jason voelde zijn hoofd bonken. Nu hij een goede mogelijkheid voor het toedienen van die troep had gevonden, leek het bestaan van een psychopathische massamoordenaar opeens heel waarschijnlijk. Shirley draaide zich om en liep zijn kant op. Jason besloot haar nog even niets over zijn vondst te vertellen.
'Al een boodschap van Curran?' vroeg hij.
'Nog niet,' zei Shirley en keek hem eigenaardig aan. Even vroeg hij zich af of ze gedachten kon lezen.
'Ik wil je iets vragen,' zei ze aarzelend. 'Is het niet zo dat de factor die zorgt dat het hormoon van de dood wordt geactiveerd, een

onderdeel van een natuurlijk proces is?'
'Ja. Daarom hebben de pathologen ons zo weinig kunnen helpen. Alle slachtoffers, inclusief Hayes, zijn wat wij noemen een natuurlijke dood gestorven. De factor zet de genen die bij je puberteit werkzaam zijn, opnieuw aan het werk, en wel in een moordend tempo.'
'Betekent dat dat het verouderingsproces al tijdens onze puberteit begint?'
'Dat is wat men tegenwoordig denkt. Normaal gesproken gebeurt het natuurlijk heel geleidelijk aan. Het gaat pas sneller als het aantal groei- en geslachtshormonen afneemt. Als een volwassene met weinig groeihormonen de factor toegediend krijgt, kunnen die hormonen zich daar niet voldoende tegen verzetten en dan wordt zo iemand heel snel oud, net als de zalmen. Ik schat dat het dan binnen een week of drie met je gebeurd is. Hart en kransslagaders begeven het als eersten, zo lijkt het, maar andere organen zijn er duidelijk ook bij betrokken.'
'Maar ouder worden is een natuurlijk proces,' herhaalde Shirley.
'Natuurlijk. In evolutionair opzicht is het even belangrijk als groei. Ja, het is een natuurlijk proces.' Jason lachte hol. 'Hayes had beslist gelijk toen hij zijn ontdekking "ironisch" noemde. Er wordt ontzettend hard gewerkt om het proces van veroudering te vertragen en zijn onderzoek heeft iets opgeleverd waardoor het juist wordt versneld.'
'Als ouder worden en sterven een evolutionaire functie hebben, hebben ze misschien ook wel een maatschappelijke functie,' zei Shirley.
Jason keek haar aan en begon zich ineens zorgen te maken. Hij wenste dat hij niet zo moe was. Zijn hersenen zonden waarschuwingssignalen uit, maar hij was zo uitgeput dat hij die niet kon interpreteren. Shirley beschouwde zijn zwijgen kennelijk als instemming en ging verder. 'Laat me het eens anders stellen. De geneeskunde in het algemeen wordt geconfronteerd met de uitdaging voor weinig geld een goede medische verzorging te bieden. Maar omdat mensen steeds langer leven, worden de ziekenhuizen overspoeld met oudere mensen, die ze voor verschrikkelijk veel geld in leven houden, waardoor de financiële reserve uitgeput raakt, net als de energie van het medisch personeel. Neem onze kliniek nu eens als voorbeeld. In het begin ging het allemaal prima, omdat het merendeel van de mensen die zich voor controles inschreven, jong en gezond was. Nu zijn we twintig jaar verder en zijn zij allemaal ouder geworden, waardoor ze veel meer medische verzorging nodig hebben. Als het proces van

veroudering onder bepaalde omstandigheden werd versneld, zou dat voor patiënten en ziekenhuizen nog wel eens het beste kunnen zijn.
Oude en zieke mensen moeten snel nog ouder worden en sterven, om lijden te voorkomen, natuurlijk, maar ook om te voorkomen dat zij te veel beslag leggen op dure medische verzorging.'
Het begon langzamerhand tot Jasons vermoeide hersenen door te dringen wat Shirley beweerde en hij raakte verlamd van schrik en afschuw. Hoewel hij haar wilde toeschreeuwen dat zij op deze manier in feite een voorstander was van moord, kon hij geen woord over zijn lippen krijgen. Hij zat op het puntje van de bank, als een vogel die een giftige slang heeft gezien en van doodsangst niet in beweging kan komen.
'Jason, heb je er enig idee van hoeveel het kost om mensen tijdens hun laatste maanden in een ziekenhuis in leven te houden?' zei Shirley, die zijn stilzwijgen opnieuw ten onrechte als instemming interpreteerde. 'Als we niet zoveel geld hoefden uit te geven aan stervende mensen, zouden we gezonde mensen veel beter kunnen helpen. Als onze kliniek niet werd overspoeld door patiënten van middelbare leeftijd die op een gegeven moment wel ziek moeten worden omdat ze zo ongezond leven, zouden we veel meer voor jonge mensen kunnen doen. En is het niet zo dat mensen die niet goed voor zichzelf zorgen door te veel te roken of te drinken of verdovende middelen te gebruiken, uit eigen vrije wil hun dood versnellen? Is het zo verkeerd om dat proces een handje te helpen, zodat ze de rest van de maatschappij niet langer tot last zijn?'
Jason deed eindelijk zijn mond open om te protesteren, maar leek de juiste woorden niet te kunnen vinden om haar tegen te spreken. Hij kon niets anders doen dan ongelovig zijn hoofd schudden.
'Ik kan niet geloven dat je niet kunt inzien dat de geneeskunde zich niet lang meer staande kan houden nu zij wordt geconfronteerd met chronische problemen van mensen die lichamelijk niet in orde zijn. Het gaat om mensen die dertig of veertig jaar lang het lichaam dat God hun heeft gegeven, hebben misbruikt.'
'Jij noch ik heb het recht op zo'n manier in te grijpen!' slaagde Jason er uiteindelijk in uit te brengen.
'Ook niet als het proces van veroudering door een natuurlijke substantie wordt versneld?'
'Dat is moord!' Jason kwam moeizaam overeind. Shirley liep snel naar de dubbele deuren van de eetkamer.
'Kom binnen, Díaz. Ik heb gedaan wat ik kon.'

Jasons mond werd kurkdroog toen hij zich omdraaide en de man zag die hij voor het laatst in de *Salmon Inn* had gezien. Juans donkere, knappe gezicht straalde. Hij had een automatisch wapen met een geluiddemper in zijn hand.
Jason liep achteruit, tot hij met zijn rug letterlijk tegen de muur stond. Hij keek naar het wapen, naar het opvallend knappe gezicht van de moordenaar, naar Shirley, die hem heel rustig aankeek, alsof dit een directievergadering was.
'Ditmaal is er geen tafellaken,' zei Díaz grinnikend en liet een rij perfecte, hagelwitte tanden zien. Hij liep op Jason af en hield het wapen vlak bij zijn hoofd. 'Vaarwel,' zei hij met een vriendelijk hoofdknikje.

17

'Díaz,' zei Shirley.
'Ja?' reageerde hij en bleef strak naar Jason kijken.
'Schiet alleen als hij je daartoe dwingt. We kunnen beter net zo met hem afrekenen als we dat met Hayes hebben gedaan. Ik zal morgen het materiaal uit de kliniek meenemen.'
Jason loosde een diepe zucht, omdat hij zo lang zijn adem had ingehouden.
De glimlach verdween van Juans gezicht. Zijn neusvleugels trilden en hij voelde zich teleurgesteld en boos. 'Het zou volgens mij veel beter zijn als ik hem nu meteen doodde, mevrouw Montgomery.'
'Het kan me niets schelen wat jij denkt of vindt. Je wordt door mij betaald. Breng hem naar de kelder, en behandel hem voorzichtig. Ik weet wat ik doe.'
Juan drukte de koude loop van het wapen tegen Jasons slaap. Jason wist dat de man hoopte op een excuus om te kunnen schieten. Doodstil, verlamd van angst, bleef hij staan.
'Kom op!' riep Shirley vanuit de hal.
'Lopen!' beval Juan.
Jason liep stijf, met zijn armen tegen zijn lichaam gedrukt. Juan gaf hem af en toe met het wapen een por in zijn rug.
Shirley maakte een deur open onder de trap in de hal.
Jason probeerde haar blik te vangen, maar ze draaide zich meteen om. Hij liep een trap af, op de voet gevolgd door Juan.
'Artsen verbazen me,' zei Shirley, die het kelderlicht aandeed en de deur achter zich sloot. 'Ze denken dat de geneeskunde alleen bestaat uit het helpen van zieke mensen. De waarheid is dat de patiënten die kunnen herstellen, niet meer kunnen worden geholpen door gebrek aan geld en mankracht als er niet iets wordt gedaan aan de chronisch zieken.'
Jason keek naar haar knappe, kalme gezicht, de mooie kleren. Hij kon niet geloven dat dit dezelfde vrouw was voor wie hij eens zoveel bewondering had gehad.
Shirley wees Juan op een zware eikehouten deur. Die maakte ze open en deed het licht aan. Jason zag even een grote, vierkante kamer. Daar werd hij in geduwd, waarna het licht meteen werd

uitgedraaid en de deur met een harde klap dichtviel.
Hij bleef een paar minuten doodstil staan. Geschokt, zonder iets te kunnen zien. Hij kon vage geluiden horen: water dat door buizen stroomde, het aanslaan van de centrale verwarming en voetstappen boven zijn hoofd. Het bleef pikdonker. Hij zou zijn ogen evengoed dicht kunnen houden.
Toen hij eindelijk in beweging kon komen, liep hij naar de deur, pakte de kruk en probeerde die om te draaien. Onmogelijk. Met zijn vingers streek hij langs de deurpost, zoekend naar scharnieren. Dat gaf hij op toen hij zich herinnerde dat de deur naar buiten opendraaide.
Jason liep met kleine stapjes langs de muren, en zocht met zijn handen naar een lichtschakelaar. Die vond hij bij een tweede openstaande deur, die naar een zijkamer leidde. Hij draaide hem om, maar er gebeurde niets.
Hij liep langs de muur de andere kamer in om te bepalen hoe groot die was. Een spoelbak. Iets verderop een toilet. Het was een kleine ruimte.
Jason keerde terug naar de grote kamer en zette zijn onderzoek voort. Hij ontdekte een derde kamertje, waar een aantal zakken stonden met kleren.
Hij ging terug naar de grootste ruimte, en liep verder langs de muren. Hij stootte zich aan een werkbank, liep eromheen en bukte zich om te voelen of er iets onder stond. De ruimte was volgebouwd met kasten. Weer ging hij verder, voelde planken, met naar alle waarschijnlijkheid verfblikken erop. Na de planken was er weer een hoek.
Midden in de vierde muur ontdekte hij een andere zware deur, die dicht was. Hij voelde een slot, maar geen sleutel. Ook hier geen scharnieren. Enige minuten later was Jason terug bij het beginpunt van zijn rondwandeling.
Hij ging zitten en betastte de grond. Beton. Wat zou hij kunnen doen? Goede ideeën had hij niet. Opeens werd hij doodsbang en kreeg het gevoel te stikken. Hij had nooit last gehad van claustrofobie, maar nu werd hij er plotseling door overvallen.
'Help!' schreeuwde hij, en hoorde dat zijn stem door de muren werd weerkaatst. Hij bonsde als een gek met zijn vuisten op de grote deur waardoor hij naar binnen was geduwd.
'Help me!' Hij bleef bonzen, tot hij zich bewust werd van de pijn in zijn handen. Die drukte hij tegen zijn borst, terwijl hij met zijn voorhoofd tegen de deur leunde. Toen kwamen de tranen.
Jason kon zich niet herinneren dat hij na zijn kinderjaren ooit had gehuild. Nu leek er, in de pikdonkere kelder van Shirley, geen

eind aan de jarenlang opgekropte tranenstroom te komen. Hij kon zichzelf totaal niet meer beheersen en liet zich op de grond zakken. Daar zakte hij voor de deur in elkaar, als een gevangen hond, stikkend in zijn eigen tranen.
Hij was zelf verbaasd over die heftige emotionele reactie. Na een minuut of tien te hebben gehuild, herstelde hij zich en ging rechtop zitten, met zijn rug tegen de deur. In het donker veegde hij zijn natte wangen droog.
Hij weigerde zich helemaal aan wanhoop over te geven en dacht na over de kamer waarin hij zich bevond. Hij probeerde de afmetingen ervan te raden door zich te herinneren waar de diverse voorwerpen zich bevonden. Zouden er nog meer lichtschakelaars zijn? Hij ging staan en liep langzaam naar de tweede afgesloten deur, rechts van hem. Daar liet hij zijn handen over de muur glijden. Geen schakelaar.
Even was hij niet voorzichtig genoeg en stootte zijn neus keihard tegen een metalen steunbeer. Hij verloor bijna zijn evenwicht en voelde zijn neus meteen dik worden. Hij betastte hem voorzichtig en moest constateren dat zijn neus was gebroken. Weer sprongen de tranen in zijn ogen, maar ditmaal was het een reflex. Toen hij weer voldoende bij zijn positieven was gekomen om verder te gaan, merkte hij dat hij zijn richtinggevoel kwijt was. Opnieuw liep hij met kleine stapjes verder, tot hij een muur had gevonden. Toen ging hij door naar de werkbank.
Jason boog zich en maakte de kasten eronder open, waarna hij de inhoud ervan voorzichtig met zijn handen verkende. Ieder kastje was ongeveer één meter twintig diep en had een uitneembare plank. Nog meer blikken, maar geen gereedschap. Hij ging staan, boog zich over de werkbank heen en tastte de muur erboven af. Rechts vond hij een paar smalle planken met kleine potjes en doosjes. Hij zocht verder, in de hoop schroevendraaiers, hamers of beitels te vinden. Opeens voelde hij een stuk bol glas, dat vast bleek te zitten aan een metalen kast, waaruit buizen te voorschijn kwamen. Hij had de elektriciteitskast gevonden.
Hij liep verder, tastte de muur weer met zijn handen af. Er waren nog meer planken, met daarop plastic en aardewerken bloempotten, maar nog altijd geen gereedschap.
Ontmoedigd vroeg Jason zich af wat hij nu verder nog zou kunnen doen. Iets opzoeken waar hij bovenop kon staan, om de bovenkant van de muren af te tasten voor het geval er een verduisterd raam was? Toen dacht hij opeens weer aan de elektriciteitskast. Hij klom op de werkbank, volgde de buizen naar een tweede rechthoekige metalen kast met een ring. Daar trok hij aan

en het deurtje ging meteen open.
De centrale schakelaars van het huis! Voorzichtig stak hij zijn hand in de kast, in de hoop dat hij niets zou aanraken dat onder stroom stond. Hij vond de onderste rij schakelaars.
Hoe zou hij hiervan gebruik kunnen maken? Hij stapte de werkbank af, haalde de plank uit de middelste kast eronder en kroop erin. Er was ruimte genoeg.
Hij ging weer op de werkbank staan en zette de schakelaars een voor een uit. Toen deed hij het deurtje dicht en klauterde de lege kast in. Daarna was het bidden geblazen. Als ze al naar bed waren gegaan, zouden ze niet merken dat er iets mis was met de stroomvoorziening.
Na ongeveer een minuut of vijf hoorde hij een deur opengaan. Toen het geluid van stemmen, een sleutel die in het slot werd gestoken. De deur ging open. Door een kiertje in de kastdeur kon Jason duidelijk twee figuren zien. Een van hen hield een zaklantaarn vast, die langzaam de ruimte aftastte.
'Hij heeft zich verstopt,' zei Juan.
'Dat hoef je mij niet te vertellen,' reageerde Shirley geïrriteerd.
'Hier blijven,' beval Juan, die de kamer in liep, met een wapen in zijn hand.
Jason leunde tegen de achterzijde van de kast en tilde zijn voeten op. Zodra hij hoorde dat de schakelaars weer werden omgedraaid, trapte hij de kastdeur keihard open en trof Juan in zijn lendenen. Juan snakte naar adem van de pijn en wankelde naar achteren.
Jason liet geen seconde verloren gaan. Hij kroop de kast uit en rende naar de deur, voordat Shirley de kans had gekregen die dicht te doen. Hij dook regelrecht op haar af, waardoor ze beiden vielen. Shirley slaakte een kreet van pijn toen haar hoofd het beton raakte en de zaklantaarn rolde uit haar hand.
Jason rende naar de trap, blij dat dit deel van het huis weer verlicht was. Hij greep de leuning vast en schoot omhoog. Toen hoorde hij een zachte plof. Op dat zelfde moment voelde hij pijn in zijn rechter dijbeen. Hinkend nam hij de rest van de trap. Hij had de hal bijna bereikt en mocht het nu niet opgeven!
Met een slepend rechterbeen ging Jason verder naar de voordeur. Hij hoorde hoe in de kelder iemand de trap op kwam.
De deur ging open en Jason strompelde naar buiten, de koude novembernacht in. Hij voelde het bloed uit de schotwond over zijn been zijn schoen in druppelen.
Toen hij halverwege de oprijlaan was, had Juan hem ingehaald en sloeg hem met de kolf van zijn pistool neer. Voordat Jason

overeind kon krabbelen, gaf Juan hem een trap, waardoor hij met zijn rug op de grond belandde. Weer werd het wapen op Jasons hoofd gericht.
Opeens baadden de twee mannen in een fel licht. Juan bleef Jason onder schot houden, maar probeerde zijn ogen te beschermen tegen het licht van twee felle koplampen. Een seconde later gingen autoportieren open en klonk het onheilspellende geluid van wapens die schietklaar werden gemaakt. Als een in het nauw gedreven dier deed Juan een paar passen naar achteren.
'Staan blijven, Díaz!' brulde een stem met een Bostons accent, die Jason niet kende. 'Niets doms doen. We zoeken geen problemen met jou of met Miami. We willen alleen dat je heel rustig naar je auto loopt en vertrekt. Denk je dat je dat kunt?'
Juan knikte. Met zijn linkerhand probeerde hij nog altijd zijn ogen tegen het felle licht te beschermen.
'Doe het dan!' beval de man.
Na een paar onzekere stappen draaide Juan zich om en rende naar zijn auto. Hij startte de motor, gaf vol gas en schoot weg.
Jason liet zich op zijn buik rollen. Zodra Juan weg was, rende Carol Donner op hem af en liet zich naast hem op haar knieën vallen.
'Mijn hemel, je bent gewond!' riep ze, zodra ze de grote bloedvlek op zijn pantalon zag.
'Dat geloof ik wel,' zei Jason vaag. Er was te snel te veel gebeurd. 'Het doet niet veel pijn.'
Toen kwam er een tweede figuur aangelopen. Bruno, met een Winchester in zijn hand.
'O nee!' Jason probeerde rechtop te gaan zitten.
'Maak je geen zorgen. Hij weet nu dat je een vriend bent,' zei Carol.
Op dat moment verscheen Shirley bij de voordeur. Haar kleren waren gekreukt; haar haren stonden recht overeind. Even keek ze om zich heen. Toen liep ze de hal weer in en smeet de deur dicht, waarna de grendels erop werden geschoven.
'Hij moet naar een ziekenhuis,' zei Carol, op Jason wijzend.
Er verscheen een tweede bodybuilder en het tweetal tilde hem voorzichtig op.
'Ik kan mijn ogen niet geloven,' zei Jason.
Hij werd meegenomen naar een witte, grote Lincoln met een antenne in de vorm van een V op de achterklep. Jason werd voorzichtig op de achterbank neergezet, waar een man met een donkere zonnebril, strak achterovergekamd haar en een onaangestoken sigaar in zijn mond zat te wachten. Het was Arthur

Koehler, Carols baas. Carol stapte eveneens de auto in en stelde Jason aan Arthur voor. De bodybuilders namen op de voorbank plaats en de auto reed weg.
'Ik ben heel blij jullie te zien,' zei Jason, 'maar wat deden jullie in vredesnaam hier?' Zijn gezicht vertrok van de pijn toen de limousine door een kuil reed.
'Je stem,' zei Carol. 'Toen je me de laatste keer opbelde, wist ik dat je weer in de problemen zat.'
'Maar hoe wist je dat ik hier was?'
'Bruno is achter je aan gegaan. Zodra je mij had gebeld, heb ik die aardige baas van me opgebeld.' Carol gaf Arthur een klapje op zijn been.
'Hou toch op!' zei Arthur.
'Ik heb Arthur gevraagd of hij je wilde beschermen. Hij wilde dat doen, maar onder één voorwaarde: dat ik nog minstens twee maanden in zijn club blijf dansen, tot hij iemand anders heeft gevonden.'
'En daar heeft ze inmiddels al een maand van af geknabbeld,' klaagde Arthur.
'Ik ben u heel dankbaar,' zei Jason. 'Carol, ben je echt van plan op te houden met dansen?'
'Ze is een verdomd eigenwijs grietje,' constateerde Arthur.
'Ik sta versteld,' zei Jason. 'Ik dacht dat meisjes als jij er niet zomaar mee konden ophouden als ze dat wilden.'
'Waar heb je het over?' vroeg Carol verontwaardigd.
'Dat zal ik je vertellen,' zei Arthur lachend en gaf Carol op zijn beurt een klapje op haar dijbeen. 'Hij denkt dat je een hoertje bent.' Arthur begon zo hard te lachen, dat hij ervan moest hoesten. Pas toen Carol hem stevig op zijn rug had geklopt, kwam hij bij.
'Denkt u dat ik haar naar Seattle had laten gaan als ze een hoertje was?' vroeg hij toen aan Jason. 'Man, denk toch eens na!'
'Het spijt me,' zei Jason. 'Ik dacht alleen...'
'Jij dacht dat ik een hoertje was omdat ik in die club danste,' zei Carol, iets minder verontwaardigd. 'Nu ja, erg onlogisch is dat niet, en sommige danseressen zijn dat ook inderdaad. De meeste echter niet, en ik al helemaal niet. Het was voor mij een geweldige kans. Ik heet eigenlijk geen Donner, maar Kikonen. We zijn Fins en hebben altijd een realistischer houding tegenover blootzijn gehad dan jullie Amerikanen.'
'En ze is de dochter van de zuster van mijn vrouw,' zei Arthur. 'Dus heb ik haar die baan gegeven.'
'Zijn jullie echt familie van elkaar?'

'Ja, maar dat geven we niet graag toe,' zei Arthur en hij schoot weer in de lach.
'Houd op!' zei Carol.
'We vinden het afschuwelijk als een van onze mensen naar Harvard gaat.'
'Naar Harvard?' herhaalde Jason stomverbaasd en draaide zich om naar Carol.
'Voor mijn proefschrift. Met het dansen heb ik mijn studie kunnen betalen.'
'Ik denk dat ik wel had kunnen weten dat Alvin nooit zou hebben samengewoond met de gemiddelde striptease-danseres,' zei Jason. 'In ieder geval ben ik jullie beiden dankbaar. God weet wat er zou zijn gebeurd als jullie niet waren gekomen. Ik weet dat de politie zich nog wel met Shirley Montgomery zal bemoeien, maar ik wou dat jullie Juan niet hadden laten gaan.'
'Maakt u zich over hem maar geen zorgen,' zei Arthur. 'Carol heeft me verteld wat er in Seattle is gebeurd. Die man zal hier niet lang meer rondlopen. Maar ik wil geen problemen krijgen met mijn mensen in Miami. We zullen via onze eigen kanalen met Juan afrekenen, of ik geef u zoveel informatie dat hij door de politie in Miami kan worden opgepakt. Geloof me, ze hebben daar zoveel met hem te vereffenen dat hij voor lange tijd de gevangenis in zal draaien.'
Jason keek naar Carol. 'Ik weet niet hoe ik dit goed kan maken.'
'Ik kan wel iets bedenken,' zei ze stralend.
Arthur begon weer te schateren van de lach. Toen hij eindelijk weer tot bedaren was gekomen, draaide Bruno de ruit tussen de voor- en de achterbank omlaag.
'Hé, gluurder!' zei hij grinnikend. 'Waar moeten we je heen brengen? De polikliniek van het GHP?'
'Nou, nee,' zei Jason. 'Breng me maar naar Massachusetts General.'

Epiloog

Jason had nooit een slechte gezondheid genoten, maar nu genoot hij er met volle teugen van. Hij was aan zijn been geopereerd en moest drie dagen in het ziekenhuis blijven. De pijn was aanzienlijk minder geworden en het verplegend personeel van Massachusetts General was competent en vriendelijk. Velen kenden Jason nog uit de tijd toen hij er zelf werkte.
Het allerprettigste was echter nog wel dat Carol bijna hele dagen bij hem was, om hem voor te lezen, grappige verhalen te vertellen of gewoon gezellig bij hem te zitten.
'Als je helemaal beter bent,' zei ze op de tweede dag toen ze een boeket van Claudia en Sally in een vaas zette, 'moeten we teruggaan naar de *Salmon Inn*.'
'Waarom in vredesnaam?' Jason kon zich niet voorstellen dat ze daarheen wilde, na alles wat ze er hadden meegemaakt.
'Ik wil Devil's Chute nog eens nemen, maar dan overdag!' zei Carol stralend.
'Je maakt een grapje.'
'Volgens mij is dat prachtig als de zon schijnt.'
Er werd zacht gehoest. Carol en Jason keken naar de deur, waar ze rechercheur Curran zagen staan.
'Ik hoop dat u het niet vervelend vindt dat ik u even stoor, dokter Howard,' zei hij met een voor hem ongewone beleefdheid.
Jason vermoedde dat Curran door het ziekenhuis net zo werd geïntimideerd als hij door het politiebureau.
'Helemaal niet,' zei Jason en kwam overeind. 'Kom binnen en pak een stoel.'
Curran nam plaats, met een oude hoed stevig in zijn vuist geklemd.
'Hoe gaat het met uw been?'
'Goed. Het is voornamelijk spierbeschadiging. Ik zal er geen blijvende schade van ondervinden.'
'Gelukkig.'
'Wilt u een bonbon?' vroeg Carol en hield Curran de doos voor die Jason van de secretaressen van het GHP had gekregen.
Curran koos met zorg een bonbon uit en stopte die in één keer in zijn mond. 'Ik dacht dat u wel zou willen weten hoe deze zaak

zich verder ontwikkelt.'
'Nou en of.'
Carol ging op de rand van het bed zitten.
'Juan is in Miami opgepakt,' vertelde Curran. 'Hij heeft van alles en nog wat op zijn kerfstok. Hij was een van de cadeautjes van Castro voor Amerika. We proberen hem naar Massachusetts uitgewezen te krijgen voor de moorden op Brennquivist en Lund, maar dat zal niet meevallen. Een paar andere staten willen hem ook hebben voor soortgelijke delicten, inclusief Florida.'
'Ik kan niet zeggen dat ik erg veel medelijden met hem heb,' constateerde Jason.
'Die vent is een psychopaat,' bevestigde Curran.
'En de kliniek?' vroeg Jason. 'Hebt u kunnen bewijzen dat er met de oogdruppels is geknoeid?'
'Daar zijn we, samen met de openbaar aanklager, druk mee bezig. Het zal me een verhaal worden.'
'Hoeveel daarvan zal in de publiciteit komen, denkt u?'
'Op dit moment weet ik dat nog niet. Een deel ervan zal wel naar buiten móeten komen. Hartford School is gesloten en de ouders van die kinderen zijn niet blind. Bovendien zullen veel nabestaanden van overledenen een schadeclaim indienen, volgens de openbaar aanklager. Shirley en haar mensen zijn uitgespeeld.'
'Shirley...' zei Jason weemoedig. 'Weet u dat ik nog wel eens aan een relatie met haar zou zijn begonnen als ik Carol niet had ontmoet?'
Speels zwaaide Carol met haar vuist door de lucht.
'Ik denk dat ik u mijn verontschuldigingen moet aanbieden, dokter,' zei Curran. 'In eerste instantie vond ik u alleen maar lastig. Nu blijkt u de meest dodelijke samenzwering te hebben opgerold waarvan ik ooit heb gehoord.'
'Ik heb heel veel geluk gehad,' zei Jason. 'Als ik de avond dat Hayes overleed niet toevallig bij hem was geweest, zouden wij artsen hebben gedacht dat we met de een of andere nieuwe epidemie werden geconfronteerd.'
'Die Hayes moet heel intelligent zijn geweest.'
'Hij was een genie,' zei Carol.
'Zal ik u eens vertellen wat me nog het meest dwarszit?' zei Curran. 'Hayes heeft tot zijn dood kennelijk gedacht dat hij werkte aan een ontdekking waarvan de mensheid zou kunnen profiteren. Hij dacht waarschijnlijk dat hij een held zou worden, zoals Salk, en de Nobelprijs zou winnen. Ik ben geen geleerde, maar ik vind wel dat het terrein waarop Hayes bezig was, erg angstaanjagend is. Begrijpt u wat ik bedoel?'

'Ik begrijp precies wat u bedoelt. De wetenschap is altijd van de veronderstelling uitgegaan dat medisch onderzoek levens zou redden en lijden kon verlichten. Nu zijn daar ontzagwekkende mogelijkheden aan toegevoegd, die ten goede en ten kwade kunnen worden gebruikt.'
'Ik meen te hebben begrepen,' zei de rechercheur, 'dat Hayes iets had gevonden waardoor mensen binnen een paar weken oud worden en overlijden, terwijl hij daar eigenlijk helemaal niet naar zocht. Daardoor krijg ik de indruk dat jullie de zaak niet meer zo goed in de hand hebben. Klopt dat?'
'Ik denk dat we te slim aan het worden zijn. Het is net zoiets als opnieuw een hapje nemen van de verboden vrucht.'
'Ja, en daar zullen we dan het paradijs voor worden uit getrapt. Worden mensen als Hayes eigenlijk niet in de gaten gehouden door de overheid?'
'Nee. Dat komt voornamelijk, denk ik, doordat er zo vaak sprake is van tegenstrijdige belangen. Daar komt dan nog eens bij dat zowel artsen als leken geneigd zijn te denken dat ieder medisch onderzoek domweg goed móet zijn.'
'Geweldig!' snoof Curran. 'Het lijkt me net zoiets als een auto met honderdvijftig kilometer per uur over een snelweg laten racen, zonder dat er iemand achter het stuur zit.'
'Dat is waarschijnlijk de beste vergelijking die ik ooit heb gehoord,' zei Jason.
De rechercheur haalde zijn imposante schouders op. 'In ieder geval kunnen we het GHP aanpakken. Een aantal mensen zal binnenkort officieel in staat van beschuldiging worden gesteld. Natuurlijk zijn ze allemaal al weer op borgtocht vrij, maar we hebben het voordeel dat de hoofdschuldigen elkaar allemaal de doodsteek willen toebrengen, om er zo zelf wat genadiger van af te komen. Onze vriend Hayes schijnt in eerste instantie een vent te hebben benaderd die Ingelbrook heet.'
'Ingelnook,' zei Jason. 'Hij is een van de vice-president-directeuren van de kliniek. Voor zover ik weet, houdt hij zich met de financiën bezig.'
'Dat moet wel. Hayes heeft hem kennelijk benaderd met het verzoek om startkapitaal voor een door hem op te richten bedrijf.'
'Dat weet ik.'
Curran keek hem onderzoekend aan. 'Hoe wist u dat?'
'Dat is onbelangrijk. Gaat u verder.'
'Hayes moet Ingelnook toen hebben verteld dat hij bezig was met het ontwikkelen van een soort elixer waardoor mensen jong zouden blijven.'

'Dat moet een antistof zijn geweest voor de factor die het hormoon van de dood activeert.'
'Wacht eens even. Ik begin de indruk te krijgen dat u mij het verhaal beter kunt vertellen dan ik u.'
'Sorry,' zei Jason, 'maar ik begin het eindelijk allemaal te begrijpen. Gaat u verder.'
'Ik denk dat Ingelnook dat dodelijke hormoon leuker vond dan het elixer. Hij had al enige tijd lopen nadenken over manieren om de kosten bij GHP te drukken, zodat de kliniek een goede concurrentiepositie zou kunnen handhaven. Tot dusverre weten we van zes mensen dat ze hierbij betrokken zijn geweest, maar het kunnen er nog meer worden. Zij hebben een einde gemaakt aan het leven van een behoorlijk aantal patiënten, van wie zij meenden dat ze te veel medische verzorging nodig zouden hebben. Leuk stel, niet waar?'
'Moord!' Carol rilde. 'Regelrechte moord.'
'Zij zijn zichzelf blijven voorhouden dat het een natuurlijk proces was,' zei Curran.
'Het feit dat we op een gegeven moment allemaal zullen sterven, is een fraai excuus voor moord,' zei Jason bitter, en zag de gezichten voor zich van enige patiënten van hem die de laatste tijd waren overleden.
'In ieder geval is het afgelopen met het GHP,' zei Curran. 'U zult naar ander werk moeten gaan uitkijken.'
'Daar ziet het inderdaad naar uit.' Jason keek Carol aan. 'Carol heeft haar studie klinische psychologie vrijwel afgerond. We zijn van plan samen een nieuwe praktijk te openen. Ik wil weer terug naar de particuliere sector. Van instellingen en bedrijven heb ik voorlopig mijn buik vol.'
'Dat klinkt gezellig,' zei Curran. 'Ik kan dan op hetzelfde adres mijn hoofd en mijn hart laten nakijken.'
'U mag onze eerste patiënt worden.'